# 부마에서 촛불로

민주주의사회연구소 편저

# 책을 내면서

2018년은 부마민주항쟁에 중요한 방점을 찍은 해이다. 부실 작성 지적을 받았던 〈부마민주항쟁 진상조사결과 보고서〉가 보강 조사 과정을 거쳐 다시 발표되고, 부마항쟁이 일어난 지 39년 만에 항쟁의 정신을 기리고 재조명할 기념재단이 첫 걸음을 내디딘 것이다. 이러한 성과는 우리 사업회를 비롯한 민주화단체들의 꾸준한 노력이 바탕이 되었다.

민주주의사회연구소는 창립이후 우리나라 민주화운동을 역사적으로 정리하고 학술적으로 해석, 평가하는 작업을 이어왔다. 2010년을 시작으로 꾸준하게 열어 온 민주화운동 관련 심포지엄은 민주화운동을 학술적으로 조명하는 중요한 작업이다. 특히 2016년과 2017년에는 부마항쟁에 초점을 둔 심포지엄을 개최하였고, 그 결과를 단행본 『부마항쟁의 진실을 찾아서』(2016년)로 한 차례 내놓았다. 이 책은 부마항쟁 학술연구의 두 번째 성과로 2017년 심포지엄 결과인 10편의 논문을 모아 엮은 것이다. 발표에 이어 책 발간을 위해 지난 글을 다시 다듬는 수고를 아끼지 않았던 필자들께 고마운 마음을 전한다.

'부마에서 촛불로'라는 책의 제목이 지닌 의미는 부마항쟁이 더 이상 과거의 역사적 사건이 아니라 현재 진행형이라는 것이다. 이 책을 발간하는 이유 중 하나도 부마항쟁의 당대성을 찾아가기 위한 것이다. 비록 직접적으로 촛불혁명을 언급하지는 않았지만, 부마항쟁의 정신은 촛불의 심지로 이어져 타오르고 있다.

2018년 10월 민주주의사회연구소

# 차 례

# 1970년대 초 국내외 정세와
# 유신체제의 성립 배경

## 김 정 배
부산대학교 사학과

# I 서론

박정희의 유신이 한국현대사에 새겨놓은 아픈 상처와 어두운 기억은 한국인 다수의 가슴을 짓눌러왔다. 불행하게도 그 유령은 오늘날까지 우리 주변을 맴돌고 있는 느낌이다. 1970년대 초 박정희의 기회주의적 선택은 이후 우리사회 각 영역에서 분출된 다양하고 무수한 분노를 국가안보의 이름으로 억누르고, 부정한 기득권에 대한 정당한 저항을 이적행위로 뒤집어씌우고, 그러한 정책과 행위가 당연한 것으로 믿도록 세뇌시키는 문법을 제공했다. 그것이 유신 이후 한국사회 주류의 인식이고 태도이고 문화였다. 작금의 특정 정치세력의 몰락은 박정희가 잘못 뿌린 씨앗의 응보적 열매라고 할 수 있다. 시대에 역행했던 박정희의 전철을 답습하고 있다는 말이다. 박정희의 유신은 이처럼 지금의 현실을 이해하는데도 결정적으로 중요하다.

박정희가 유신을 단행할 때 내세운 핵심적 이유는 1972년 중미화해rapprochement로 표현되고 있던 국제정세의 변화였다. 동북아 냉전질서의 중심축이었던 미국과 중국의 화해는 남북한에게도 화해를 피할 수 없게 만들었다. 김일성과 박정희는 그러한 정세변화의 의미를 비교적 정확히 이해하고 7.4공동선언을 발표했다. 그래서 단순하게 보면 향후 남북한의 주요 문제는 평화통일이 될 수밖에 없는 듯했다.

그러나 박정희는 중미화해가 초래할 새로운 위협 가능성에 주목했다. 요동치는 국제정세가 한국과 같은 약소국을 위험에 처하게 할 수 있다는 것이었다. 해빙기에 북한이 무력통일을 시도할 가능성을 배제할 수 없고, 미국이 베트남에서 퇴각하고 있는 상황에서 한국이 희생될 수 있다는 의미였다. 그러한 위험에 대처하는 방법은 민족적 과업인 평화통일을 실현하는 것이며 그것을 도모하기 위해 유신이 불가피하다고 박정희는 주장했다. 박정희의 주장은 일견 합리적인 듯하다.

그러나 북한의 군사행동은 일어나지 않았고, 박정희는 평화통일을 적극적으로 모색하지도 않았으며 결국 영구독재체제를 구축했다. 박정희는 유신이전에 이미 절대 권력을 쥐고 있었는데도 헌정을 유린하면서까지 유신을 단행했다. 그런 점에서 박정희의 유신 주장은 모순적이다.

그래서 박정희는 왜 유신을 해야 했는지, 혹시 그가 주장한 이유 말고 다른 숨은 이유나 목적이 있었는지? 묻는 것은 자연스럽다.

지금까지 유신체제의 성립 배경을 다룬 대다수 연구들도 유사한 문제의식에서 출발했다. 당시 주변 강대국의 이해관계 변화와 박정희정권의 권력적 속성을 주로 다루었다는 점에서 그렇다.

유신의 원인을 외부에서 찾는 '위기론'은 닉슨독트린과 중미화해, 그리고 주한미군 감축은 한국에게 안보위기로 작용했으며, 그것이 유신체제 성립에 중요한 요인이 되었다고 주장한다. 하지만 위기론은 안보위기의 성격은 물론이고 박정희가 주장한 국가안보위기와 평화통일의 정치적 함의를 제대로 설명하지 못했다.

유신의 원인을 내부에서 찾는 '비판론'은 박정희가 종신집권을 위해 안보위기와 남북대화를 이용했다고 주장한다. 1967년 대선 이래 박정희의 권력행사 방식, 1968년 5월 국민복지회 사건, 1971년 10월 항명사건, 10월 위수령 발동, 12월 국가비상사태 선언 등 정치적 상황에 비추어 볼 때 박정희는 영구집권체제를 구축하려는 길로 갔으며 안보환경의 변화는 그것을 위한 수단이 되었다는 것이다. 하지만 비판론은 안보위기의 성격을 정확히 이해하지 못했으며 박정희의 장기집권 의지가 어떻게 안보위기와 평화통일이라는 상반된 조건과 결합하여 유신체제를 낳게 되었는지 체계적으로 설명하지 못했다.

기존의 연구가 상당한 성과에도 불구하고 유신체제 성립의 역사적 성격과 의미를 충분히 밝혀내지 못한 주된 이유는 냉전체제와 중미화해의 의미를 제대로 이해하지 못한데서 비롯된 것으로 생각된다.

이 글의 목적은 박정희가 유신체제를 선택한 이유를 냉전사적 맥락에서 체계적으로 설명하는데 있다. 이를 위해 닉슨독트린과 중미화해가 냉전 및 동북아질서 변화에서 갖는 의미는 무엇인지, 1971년 국가비상사태 선언과 1972년 7.4남북공동선언은 새로운 질서변화의 어떤 면을 반영했으며 유신과는 어떤 관계였는지, 그리고 국내외적으로 초래될 수 있는 극히 심각한 상황을 감수하면서까지 박정희가 유신을 선택할 수밖에 없었던 이유는 무엇이었는지 추적할 것이다.


## Ⅱ. 미국의 동북아정책과 냉전해체

1969년 닉슨행정부의 등장으로 미국의 동아시아정책은 획기적인 변화를 겪게 되었다. 미국이 중국과의 관계개선을 본격적으로 고민한 것은 케네디행정부 시절부터였다. 그러나 베트남전쟁과 중국의 문화혁명 때문에 미국의 기대는 실현되기 어려웠다. 그런데 닉슨의 취임을 전후하여 발생한 아시아 사회주의국가들의 관계변화 −베트남전쟁 종식을 놓고 벌어진 북베트남과 중국의 갈등, 중국과 소련의 국경분쟁, 중국과 북한의 갈등, 사회주의진영에서 중국의 고립− 와 문화혁명의 종식으로 미국의 정책선택 폭이 넓혀졌다.

1972년 2월 닉슨의 중국방문과 중미화해는 그러한 흐름의 귀결이었다.

중미화해를 전후한 미국의 새로운 정책은 당연히 한반도의 정치지형에도 큰 영향을 주었다. 그래서 유신을 이해하기 위해서는 닉슨행정부의 새로운 동북아정책의 내용과 그것이 미국의 한반도정책에 어떻게 적용되었는지 살펴 볼 필요가 있다.

닉슨의 새로운 동북아정책은 이전 행정부와는 상당히 다른 인식에 바탕을 두었다. 그동안 미국의 중국정책은 '고립을 통한 봉쇄containment with isolation' 혹은 '고립 없는 봉쇄containment without isolation'로서 어떤 식이든 중국의 봉쇄가 목적이었다. 그런데 1969년 11월 26일 중국이 미국의 대사급회담 재개 제안에 이례적으로 신속하게 응답했을 때, 중국의 태도 변화를 고대하던 닉슨은 중국과 화해할 때가 되었다고 판단했다.

사실 닉슨이 그런 생각을 한 것은 몇 년 전부터였다. 그는 1967년 10월에 이미 자신의 생각을 체계적으로 정리한 바 있었다.

닉슨은 냉전 적대국과의 단순한 화해가 아니라 냉전시대의 종식과 새로운 질서를 구축하고자 했다. 그는 2차 대전 이후 미국과 소련의 대결구조와 식민지민족주의운동이 중심이 되었던 냉전시대는 이미 끝났다고 판단했다. 이제 세계는 미국, 소련, 유럽, 일본, 그리고 중국 등 다자가 협력해야 하는 시대가 되었으며 아시아는 다른 어느 지역보다 중요한 지역으로 부상하고 있었다. 그래서 미국이 추구하려는 새로운 질서에 중국을 포함시켜야 한다고 것이 닉슨의 생각이었다.

그는 대결이 아니라 협상이 새로운 시대의 행동방식이 되어야 한다고 보았다. 평화의 시대에는 영토를 확대하거나 세력을 넓히는 경쟁이 아니라 평화적 경쟁을 해야 하며 큰 나라든 작은 나라든 적대의식을 가지고 고립된 채

살지 않는 개방된 세계를 추구할 것이다. 그래서 닉슨은 1969년 1월 취임연설에서도 "어떤 나라도 미국의 적으로 삼지 않을 것"임을 천명했다.

1969년 7월 25일 닉슨독트린Nixon Doctrine은 닉슨의 그러한 인식과 판단에 근거한 동아시아정책의 선언이었다. 그 핵심 내용은 향후 아시아 국가들은 내란이나 외부의 침략 문제를 스스로 해결하고 미국은 측면 지원하겠다는 것이었다. 그것은 미국이 아시아에서 퇴각하는 듯한 인상을 풍겼기 때문에 일부 아시아 국가들에게 위기감을 주기도 했다. 그러나 닉슨독트린은 미국의 퇴각이 아니라 변화된 조건에서 미국의 힘에 걸맞은 새로운 방식으로 미국의 이익을 추구하려는 시도였다.

한편 미국의 중국 접근은 중국도 바라던 바였다. 당시 중국은 대외적으로 고립되어 있었고 국내적으로 문화혁명을 중단해야 하는 상황에 처해 있었다. 그래서 중국지도부에게는 어떤 돌파구가 필요했다. 그런 상황에서 미국의 태도변화는 중국이 전통적인 혁명노선을 확대한다는 명분을 유지하면서 극적인 정책수정을 가능하게 했다. 마오쩌둥은 중미화해를 제국주의, 수정주의, 반동세력에 대한 투쟁의 승리의 결과라고 정당화했다.

미국과 중국의 공동 관심과 이익은 닉슨의 중국 방문 동안 충분히 논의되었고, 1972년 2월 28일 상하이공동선언Shanghai Communiqué에 담겨졌다. 양국 지도자들은 상대국의 사회체제와 대외정책에 본질적인 차이가 있음을 인정했다. 그러나 그것과 상관없이 모든 나라가 주권과 영토 존중, 불가침, 내정불간섭, 평등과 상호이익, 그리고 평화공존 등의 원칙을 존중해야 한다는 데 동의했다. 미국과 중국은 또한 아시아태평양 지역에서 패권을 추구하지 않으며 "다른 나라 혹은 나라들이 패권을 수립하려는 노력을 반대"할 것이라고 했다. 이것은 중국과 미국이 서로의 세력범위를 존중하면서 동시에 다른 세력, 특히 소련과 일본이 세력균형을 깨는 것을 공동으로 저지하겠다는 의미였다.

말하자면 중미화해로 제국주의와 식민지민족주의간의 대립, 즉 미국과 중국을 중심으로 구조화되었던 동아시아 냉전질서가 사실상 해체되었다. 이것이 중미화해의 가장 중요한 냉전사적 의미이다. 미국의 냉전정책이 소련과 공존하면서 중국과 식민지민족주의운동을 통제하는 것이었다는 점에서 그러했다.

닉슨의 새로운 정책은 당연히 한반도의 정치지형에 큰 영향을 주었다. 닉슨독트린은 처음에는 박정희정부와 남한사회에 상당한 충격으로 다가왔다. 미국의 공약 축소가 한국에서 미군철수로 이어질 수 있다는 불안감 때문이었다.

그러나 미국은 한국에 대한 공약을 포기할 생각이 전혀 없었다. 1969년 8월 21일 샌프란시스코 한미정상회담에서 닉슨은 미국의 입장을 박정희에게 이렇게 말했다.

> 미국은 태평양지역에서 물러나지 않을 것이며 미국의 공약을 축소하지 않을 것임을 당신에게 보장할 수 있다. 그러나 스스로 돕는 나라들에게 원조를 제공하는 현명한 정책이 필요하다고 생각한다.

닉슨의 말의 요지는 미국의 공약 축소가 아니라 아시아 국가들도 이제 자신의 문제를 일차적으로 책임져야 할 때가 되었다는 것이었다.

박정희는 닉슨의 설명에 감사를 표하면서 "원칙적으로 정책에 동의"한다고 말했다. 그리고 일부 아시아 국가들이 미국의 정책을 "오인하고 오해하여" 미국이 아시아에서 손을 떼려 한다고 걱정하고 있지만 그들이 "정책을 충분히 이해하게 되면 자연스럽게 그런 걱정을 떨쳐낼 것"이라고 덧붙였다. 박정희는 닉슨의 정책 방향과 미국이 한국의 안보를 보장할 것임을 정확히 이해했던 것이다.

하지만 박정희는 자신과 한국정부의 이익이 걸린 구체적인 정책에 대해서는 사뭇 다르게 반응했다. 미군감축 논의는 한국인에게 상당한 불안감을 주었다. 물론 그러한 불안감이 실제적인 안보상황의 변화를 반영한 것은 아니었다. 그것은 박정희정부의 태도에서 분명하게 드러났다. 박정희는 자주국방의 논리에 입각하여 한국군현대화계획의 내용과 시기, 그리고 미군감축 시점을 두고 미국과 지난한 협상을 벌였다. 감축협상의 목표는 군사적 측면보다는 "철군을 현실로 인정한 가운데 최대한 보상을 확보"하는데 두어졌다. 미군감축은 이미 존슨행정부 때에 결정된 사안으로 그렇게 새삼스러운 것도 아니었다.

닉슨이 주한미군감축을 검토하도록 지시한 것은 한미정상회담 3개월 뒤인 1969년 11월 24일이었다. 한반도에서 미국의 기본목적은 전쟁을 막고, 주변 강대국들 사이에서 안정적 타협을 유지하고, 한국을 적대국의 손에 넘기지 않는 것이었다. 따라서 미국이 한국의 안보를 보장하는 것은 절대공약이었다.

그런데도 미국이 감축을 추진한 것은 다음의 논리와 상황 평가에 근거한 것이었다. 첫째, 한반도 주변의 어느 강대국도 북한의 전면적 공격을 공감하거나 돕지 않을 것이다. 중국과 소련이 북한의 입장을 공식적으로는 두둔하지만 전쟁은 전혀 다른 문제다. 소련은 이미 오래 전에 평화공존을 선택했고 이제 중국도 동일한 노선을 천명했다. 더구나 중국과 소련은 적대적 관계에 있기 때문에 설령 북한이 공격 계획을 갖고 있다고 해도 그들의 지지를 끌어내기 어려울 것이었다.

둘째, 북한은 한국을 공격할 의도가 없으며 여건도 맞지 않다. 북한은 "가까운 장래에 남한에 대해 재래식 작전을 개시할 의도를 갖고 있지 않다" 박정희 또한 남한경제의 발전과 미군주둔을 전제를 달기는 했지만 북한이 "전면전을 시도하지 않을 것"이라고 판단하고 있다.

셋째, 한국은 상당한 정도의 방위부담을 감당할 만큼 경제적으로 성장했다. 박정희의 경제개발정책의 결과 한국은 미국의 수혜국에서 졸업했다. 1964년 이래 남한의 실질 국민총생산은 연 12%, 산업생산은 19%, 수출은 41%로 성장했다. 차관에 크게 의존한 남한경제는 대규모 외채 증가로 인해 심각한 세계적 불황이나 미국시장을 상실할 경우 사회적 불만 압력이 높아질 구조적 취약함을 갖고 있다. 하지만 방위비 분담을 감당할 수 있을 것이다. 한미관계는 이제 "의존에서 동반자로" 관계가 바뀌었다.

넷째, 박정희정권은 강력한 통치를 통해 사회적 안정을 유지하고 있다. 미국은 이미 존슨행정부 시절부터 박정희의 3선 개헌을 예상했고 1967년 대선에서 박정희가 관권부정선거를 자행한 사실도 자세히 잘 알고 있다. 박정희는 비록 화려한 리더십은 부족하고 상당한 사회적 불만이 존재하지만 "국민의 인정을 받고 있다."

다섯째, 남북대화의 진전은 미군감축과 남한에서의 미국의 역할변화를 가능케 할 것이었다. 미국은 남북대화를 적극적으로 지지하며 남한이 상황을 주도할 수 있도록 돕고 혹여 남북대화에 방해가 되지나 않을까 언행을 조심했다. 남북대화와 7.4 남북공동선언은 미국의 새로운 정책에 대한 한국정부의 긍정적 부응이다.

1969년 중반에 이미 미국은 한국과의 관계가 "전환점에 서있다"고 보았다. 더구나 중미화해와 남북대화의 진전으로 한국은 "더 이상 동서대결의 최전선이 아니었다." 미국은 한국의 안보위협이 낮아진 상황에서 미국의 역할을 냉전적 상황에 묶어 둘 수 없었다. 북한도 이제 하나의 정권 혹은 국가로서 인정받고 통일문제도 남북이 스스로 해결할 때가 되었다고 미국은 판단했다.

## III. 한국의 처지와 박정희의 딜레마

### 1. 1971년 12월 국가비상사태 선언

박정희는 1971년 4월 대선을 치르면서 더 이상 선거를 하지 않을 결심을 했다고 한다. 박정희는 미디어, 당 조직, 정보기관 등을 동원하여 온갖 부정선거를 저질렀다. 미국이 보기에 박정희의 통치는 "부분적으로는 의도적으로 과장된" 북한의 위협의식에 토대를 두고 있었다. 그래서 5.16쿠데타 이후 박정희정권은 "실질적으로 출구가 없는" 정치체제였으며, 태생적으로 영구집권을 도모할 가능성이 높았다고 볼 수 있었다.

그러나 1971년 선거로 1975년까지 철권통치가 보장된 박정희가 유신을 단행한 이유를 태생적 영구집권 의지에서 찾는 것은 지나치게 도식적이다. 설령 그런 의도를 갖고 있었다고 해도 유신이 자동적으로 실현되는 것은 아니기 때문이다.

미국의 새로운 정책과 남북관계의 변화, 그리고 한국의 국내정치 상황이 박정희에게 어떤 위기로 작용했는지 설명이 필요한 이유이다.

앞서 보았듯이 닉슨독트린과 미군감축 자체는 한국의 안보위기를 초래할 성질의 사안이 아니었다. 게다가 닉슨은 박정희에게 미국의 공약 준수를 진정으로 다짐했다. 그러나 박정희는 1971년 12월 6일 국가비상사태를 선언하면서 한국의 안보상황을 이렇게 묘사했다.

핵의 교착 상태로 인해, 강대국들의 행동이 제약받게 되는 일반적 상황을 역이용하여, 침략적인 책동을 멈추지 않고 있는 북괴의 적화 통일 야욕 때문에, 긴장은 더욱 고조되고 있다.

박정희는 국제사회의 평화지향적인 일반적 조류를 강대국이 주도하는 현상유지의 한 양상일 뿐이며 그 속에서 한국의 안전보장은 오히려 중대한 위기에 처해 있다고 주장한 것이다. 박정희의 이러한 판단은 인식의 오류라기보다는 사실의 왜곡에 가까웠다. 박정희는 미국의 새로운 정책의 목적과 방향을 잘 알고 있었기 때문이다.

박정희는 북한의 위협을 빌미로 섬뜩한 말을 쏟아냈다. "무책임한 안보론을 분별없이 들고 나와, 민심을 더욱 혼란케" 하는 것이 마치 "6.25 사변의 전야를 회상"하게 한다. 국가안보가 중대한 위기에 처해 있을 때에는 "우리가 향유하고 있는 자유의 일부마저도 스스로 유보"할 필요가 있다. 물론 박정희의 주장처럼 국가안보 "위험도의 측정은 전적으로" 대통령의 의무이고 그에 따른 "조치를 적시에 강구"하는 것도 대통령의 책임이었다. 그러나 박정희가 안보상황에 대해 맹방인 미국과는 전혀 다른 판단을 하면서 한국전쟁의 아픈 기억을 떠올려 국민을 불안케 한 것은 그 의도의 진정성을 의심받게 했다.

사실 닉슨은 1971년 11월 말 중국방문에 앞서 미국의 입장을 설명한 친서를 박정희에게 보내 그의 걱정을 누그러뜨리고자 했다. 닉슨은 자신의 방중이 "동아시아와 태평양 지역에서 안정과 평화로운 상황의 발전에 기여"할 것이라는 희망을 피력했다. 그러면서 그는 "동맹과 친구의 이익을 간과하지 않을 것이며 그들을 희생시키는 어떤 화해도 시도하지도 않을 것"임을 분명히 했다. 그리고 만약 한국문제가 제기된다면 한국의 입장을 강력히 지지할 것이며 한반도의 안보에 영향을 줄 수 있는 문제에 대해서는 한국정부와 "긴밀하게 협의할 것"임을 약속했다. 닉슨은 또한 한미상호방위조약은 "아시아에서 평화와 안정에 가장 중요"하며 한국군현대화 지원은 한국방위에 대한 미국의 의지를 보여주는 것이라고 강조했다.

닉슨의 친서는 방중 이전 정상회담을 요청한 박정희에게 시간적 여유가 없다는 미안함의 표시였다. 그러나 그것은 또한 당시 한국정부의 공식 홍보나 성명이 북한의 군사적 위협과 한국방위의 취약함을 강조하고 있는데 대한 미국의 분명한 답변이기도 했다. 한국정부의 안보위협에 대한 주장은 미국의 판단과 "근본적인 차이"가 있었기 때문이다. 미국은 그 점을 놓고 한국정부와 공개적 언쟁을 할 생각은 없었다. 그러나 한국정부가 미국을 불편하게 하면서까지 긴장을 조성하는 이유를 미국은 이해할 수가 없었다.

미국이 보기에 한국정부는 북한의 위협 주장에 대해 미국이 동의하지 않음을 잘 알고 있으며 그러한 의견차를 "받아들일 준비가 되어 있었다." 그래서 미국은 한국정부의 "책략에 당혹해" 하면서 그것이 혹시 한국정부가 "염두에 두었을 어떤 사악한 조치some sinister move를 위한 은폐가 아닌지 의심"할 수밖에 없었다.

미국의 의심은 이후락 정보부장과 김종필 국무총리, 그리고 박정희 자신의 입을 통해 더욱 굳어졌다. 박정희의 국가비상사태 선언 수일 전 미국은 한상국 국무총리 특보와 이후락 정부부장으로부터 발표가 있을 것임을 통보받았다. 그런데 이후락은 선언의 내용과는 다르게 "북한이 가까운 시기에 공격을 계획하고 있다는 증후가 없음"을 솔직히 인정했다. 또한 비록 선언에서는 북한의 도발을 강조하겠지만 북한을 자극하지 않도록 신경을 썼다고 말했다. 그리고 판문점회담에서 북한과 비밀접촉이 이루어지고 있음을 알려주었다. 이후락은 남북접촉이 정치회담으로 진전될 것으로 기대했다. 그는 남북접촉이 잘 진행되면 남북이 적대적 행위를 하지 않고, 서로 소통하고, 군사력을 줄이고, 실체를 인정하고, 강대국의 보장을 받아들이는 내용의 제안을 구상하고 있다고 말했다. 이후락은 "미국의 시각에 반하여" 일하지 않을 것임을 약속했다. 이후락은 한국정부의 대외정책 방향이 당장은 아니지만 결국은 미국과 같은 길을 갈 것으로 믿고 있었다.

그러나 이후락은 미국의 판단과는 달리 국내의 안정을 담보하는 것이 먼저라고 생각했다. 1971년 10월 2일 항명파동과 10월 15일 위수령을 경험하면서 외부의 안보상황 변화가 초래할 권력의 취약성을 방어하기 위해 두려움을 조장할 필요가 있었다. 오랫동안 정권에 절대적으로 필요했던 '이데올로기 접착제'가 약화되는 것이야말로 가장 큰 위협일 수 있었다. 그래서 정권안보를 강화하기 위해 익숙한 방법을 사용하여 국가비상사태를 선언하고 비상대권을 추구했던 것이다. 미국이 보기에도 박정희의 행동은 "국내적 상황과 훨씬 더 직접적으로 관련"이 있었다.

김종필 국무총리의 설명은 박정희가 주장한 선언 이유와 거의 동일했다. 국가비상사태 선언과 비상대권 요구는 "일반적인 국제정세의 불확실성에 대비"하려는 것이며 "임박한 위협이 없다고 가정할 때 포함될 위험을 무릅쓰기보다는 최악의 경우에 대비하는 것이 더 낫다"고 김종필은 주장했다. 그러나 그는 박정희가 "총통식 정부의 수립 혹은 종신 대통령"이 되기 위한 "숨은 동기 때문에" 그런 일을 하고 있다고 생각하지 않으면서도 "박정희가 어디까지 갈지" 알 수 없었다고 말했다.

박정희는 국가비상사태 선언 이유를 발표 내용과 거의 동일하게 미국에게 설명했다. 그는 강대국이 긴장완화를 위해 노력할 때 "일부 약소국들이 예상치 못한 먹이"가 될 수 있음을 대만을 예로 들면서 지적했다. 박정희는 한국정부가 미국의 긴장완화 노력을 비판하는 것이 아니며 닉슨 대통령이 여러 번 미국의 안보 공약을 재확인해 준 것에 감사한다고 말했다. 그러나 박정희는 미국의 안보 공약이 중요하지만 그것이 전쟁 억제력으로서 "100% 확실하지는 않다"고 주장했다. 그래서 한국이 미국의 공약에만 의존하는 것은 옳지 않으며 한국인이 "스스로 방어하고 방어능력을 개선할 자기결정과 의지"를 가져야 한다고 말했다. 그리고 박정희는 북한의 "공격이 임박하다는 징후가 없다"는 미국의 판단에 대해 "오늘 징후는 없을 수 있으나 김일성은 공격할 능력을 갖고 있고 그렇게 할 시점을 고를 수 있다"고 주장했다. 그는 국가비상사태의 선언과 비상대권이 "웃음 뒤에 칼을 숨기고" 있는 김일성에게 남한이 경솔하지 않다는 것을 보여주면서 동시에 평화 무드로 인해 안보에 무감각 해진 한국 국민에게 경고하는 것이라고 말했다. 캐나다가 "기필코 미국을 부수려는 공격적인 공산주의자의 손에 있다면 미국 대통령도 자신처럼"할 것이라고 박정희는 주장했다.

박정희의 주장은 억지에 가까웠다. 북한의 침략 위협이 명백히 부재하며 자신이 그 사실을 잘 알고 있었음에도 박정희는 위협을 과장하여 국가비상사태 선언과 비상대권을 정당화 했다. 더구나 그는 미군이 주둔하고 있다는 점과 누차 약속받은 미국의 공약을 완전 무시했다. 박정희가 영구집권을 염두에 두고 그렇게 했는지는 알 수 없다. 하지만 박정희의 선택 자체가 박정희정권의 안전을 위태롭게 할 수도 있었다. 미국이 박정희의 선택을 "정치적 퇴행"으로 판단했다는 점에서 더욱 그러했다.

## 2. 1972년 7.4 남북공동선언

1970년 중반 이후 한국정부는 한편으로는 북한의 위협을 강조하면서 다른 한편으로는 북한과 접촉을 시도하는 모순적인 행태를 보였다.

1970년 8.15 선언 이전까지만 해도 남한은 통일문제에서 소극적이거나 방어적인 입장에 있었다. 그런 입장에서 벗어날 수 있게 된 데는 경제발전에서 남한이 북한을 앞질렀다는 자신감이 크게 작용했다고 한다.

1971년 8월 12일 적십자회담 제안은 아마도 통일에 대한 국내의 요구를 누그러뜨리면서 북한을 사실상 인정한 8.15 선언으로 한국분단을 영구화하려 한다는 비난을 상쇄하는데 그 목적이 있었다. 그리고 미군감축 문제로 사이가 벌어진 미국의 공감을 얻을 수 있는 사인이기도 했다.

물론 적십자회담을 추진한다고 해서 박정희가 북한의 도발 가능성에 대한 자신의 생각과 주장을 바꾼 것은 아니었다. 박정희는, 1971년 12월 6일 국가비상사태를 선언하면서, 북한이 대한적십자사가 제의한 남북가족찾기운동에 응해 오면서 한쪽에서는 "무장 간첩의 침투를 더욱 격화하고 있으며, 그 방법도 또한 전에 없이 악독해 지고 있다"고 주장했다. 박정희는 동북아정세와 북한의 의도와 능력에 대해 잘 파악하고 있었지만 북한의 공격성과 사악성의 이미지를 지울 생각이 없었다. 그것은 자주국방의 명분과 지배 이데올로기를 해체하는 것과 다를 바 없었다.

하지만 북한과의 접촉 자체는 인도주의로 포장되었기 때문에 국내외적으로 나쁠 것이 없었다. 더구나 미국의 적극적 지지는 박정희의 입지를 강화할 것이었다. 닉슨은 박정희에게 보낸 서한에서 한국정부가 북한과 적십자회담을 진행시키면서 긴장을 완화하고 있는 것을 "희망의 신호"라고 평가하면서 더욱 진전되기를 바란다고 고무했다.

박정희는 한편으로는 내부 통제를 강화하여 미국을 실망시키고 다른 한편으로는 남북대화를 진전시킴으로써 미국을 기쁘게 하는 이중 플레이를 했던 것이다.

남북대표자의 비밀접촉은 1971년 12월 6일 국가비상사태 선언 이전 11월 20일부터 진행되고 있었다. 1972년 3월 28일에는 정홍진 대한적십자 운영부장이 김영주를 만났고, 4월 19일에는 김덕현 북한적십자 지도부장이 서울을 방문하여 이후락을 만났다. 이후락은 당시 한국정부 내에서 극비사항이었던 비밀접촉과 자신의 방북계획을 햄스Richard Helms 미국 중앙정부국장에게 알려주었다.

이후락은 자신의 방북이 한국 국내에서 특히 보수주의자들로부터 거센 반발을 살 것으로 예상했다. 그래서 비밀접촉이 알려졌을 때 있어날 한국정부 내의 반발을 누그러뜨릴 수 있도록 미국이 사전에 그들에게 접촉 사실을 암시해 달라고 부탁했다. 그러면서 이후락은 미국과 일본이 한국정부의 주도에 앞서 북한과 접촉하지 말라고 요청했다. 미국은 이후락의 뜻을 충분히 이해하고 수용했다.

미국이 보기에 그 동안 박정희의 북한에 대한 태도를 감안하면 이후락의 말은 다소 놀라운 변화였다. 미국은 한국정부의 그러한 태도 변화가 1972년 2월 닉슨 대통령의 중국방문에 대한 반응이 틀림없다고 판단했다. 북한 또한 중미화해에 영향을 받았을 것으로 믿었다. 어떻든 이후락의 5월 초 방북계획을 접한 미국은 "한국정부의 시도가 대담하고 용기 있는" 것으로 높이 평가했다.

1972년 5월 2~5일 이후락은 평양에서 김일성을 면담했는데, 그 자리에서 김일성은 미국의 도움과 사주로 박정희가 북침을 하지 않을까 우려한다고 말했다. 그것이 진심인지 아니면 상투적인 말인지 확인하기는 어렵다. 하지만 김일성은 "한국전쟁이 되풀이 되서는 안되며" 자신은 "전쟁을 할 의도가 없음"을 거듭 언급했다. 이후락이 보기에 북한은 사회건설에 더 관심이 많았고 한반도의 긴장완화를 진정으로 원하는 듯했다. 이후락은 김일성의 자주, 평화, 민족대단결 3원칙에 대한 설명을 듣고 큰 감명을 받았던 것으로 보인다.

5월 29일 박성철 부수상과 북한 대표단이 서울을 방문했다. 이 방문의 가장 큰 성과는 남북조절위원회 설치에 관한 합의였다. 그러나 다른 사안에 대한 남북의 시각차는 상당히 컸다. 박성철은 당장 정치회담과 조기 정상회담을 원했다. 그러나 박정희는 쉬운 문제부터 차근차근 성과를 보면서 일을 진전시키자는 쪽이었다. 박정희가 보기에 북한의 주장은 비현실적이었다.

박정희는 또한 남북 비밀회담을 공포하자는 박정철의 요구를 거부했다. 박정희는 기본적으로 북한을 믿지 않았다. 그는 북한이 원하는 바는 거짓 평화공세로 남한의 국론 분열과 혼란을 조성하고 국민을 오도하고 미군의 조기 철수와 한국군현대화계획을 중단시키는 것이라 보았다. 박정희가 공동선언문 발표를 거부한데는 한국국민의 사기와 단결에 대한 고려는 물론이고 미국과 일본을 비롯하여 국제사회가 한반도의 긴장완화가 효과적으로 해결되고 있다고 "너무 성급하게 결론을 내릴 수 있다"는 우려가 크게 작용했다. 그래서 적절한 시기를 선택할 필요가 있었다.

하지만 미국은 가능한 빨리 발표하는 것이 좋다고 보았다. 이미 비밀접촉 정보가 새나가고 있기 때문에 늦어지면 효과가 떨어질 수 있다는 판단에 서였다. 어떤 과정을 통해 그런 결정을 했는지 정확히 알 수는 없지만 6월 29일 이후락은 박정희가 7월 4일 공동선언을 발표하기로 했다고 미국에게 알려주었다.

그런데 당시 남북이 설치하기로 합의한 남북조절위원회의 구성과 회담의 속도에 대해 박정희, 이후락, 김종필의 생각은 서로 달랐다. 박정희는 남북조절위원회를 고위급으로 구성하거나 회담을 빠르게 진전시킬 생각이 없었다. 그러나 이후락은 자신의 상대가 박성철이 아니라 북한의 2인자인 김영주이기를 원했고 남북조절위원회를 각료급으로 구성하고 회담을 빠르게 진전시키고자 했다. 이후락은 자신감이 넘쳐 있었고 국민의 99%가 남북회담을 지지할 것으로 판단했다. 이후락은 남북회담을 통해 박정희 이후를 설계하고자 한 것으로 보인다. 그러나 김종필은 보수적인 접근을 선호했으며 이후락이 "신중하게 접근해야 할 사안에 대해 지나치게 성급하며 적절한 주의 없이 협상을 진행"하려 한다고 생각했다. 1972년 11월 경 박정희는 이후락의 욕망에 브레이크를 걸기 위해 대표를 교체할 생각을 했다. 남북접촉과 통일문제를 놓고 권력의 중심에서 심각한 알력이 생겨나고 있었던 것이다.

북한대표단의 서울 방문에서 주목되는 점은 박성철이 김일성의 지시를 그대로 옮기는 로버트처럼 행동하는 모습이 박정희와 이후락의 각별한 관심을 끌었다는 사실이다. 그런 행동에서 박정희와 이후락은 김일성만이 자유롭게 말할 수 있는 북한의 유일한 지도자라는 인상을 강하게 받았다. 박정희는 6월 21일 북한이 4단계 군축을 제안했을 때도 김일성은 북한을 엄격히 통제하고 있기 때문에 자신보다 기본적인 이점을 가지고 있다고 생각했다. 남북공동선언이 남한에서는 논쟁을 유발하고 국론을 분열시킬 수 있지만 김일성은 그런 걱정을 할 필요가 없었다. 박정희와 이후락의 그러한 인상과 판단은 남북대화와 통일에 대비하기 위해 북한처럼 체제를 강화해야 한다는 결정에 일정한 영향을 주었을 것이다.

어쨌든 박정희는 7.4 남북공동선언을 통해 김일성의 "무모한 행동을 미연에 방지"할 수 있기를 기대했다. 물론 박정희는 북한의 대화 수락이 "진성성의 행동 혹은 선의의 신호"라고 생각하지는 않았다. 원칙에 합의한 것보다 향후 행동이 판단의 더 중요한 기준이 될 것이었다. 그러나 공동선언을 통해 북한이 "무력을 사용하지 않겠다"고 공식화한 것을 박정희는 크게 기뻐했다.

7.4 남북공동선언은 1970년대 초 동북아 국제질서의 흐름과 궤를 같이 했으며 무엇보다 미국의 정책 방향에 부합했다. 그러나 일시적으로 의견 충돌과 부담이 발생할 수 있었다. 보수적 인사들, 특히 군부에게 남북접촉이 적절한 주의를 가지고 진행될 것이며, 북한의 전술적 변화에 속지 않을 것임을 확신시켜야 하고, 권위주의적 통치의 완화에 대한 국내외적 요구에 부응해야 할 것이었다. 말하자면 7.4남북공동선언은 7개월 전 북한을 신랄하게 비난하며 비상대권을 손에 넣었던 명분을 빼앗아 갈 수 있었다. 바로 이 점이 박정희의 딜레마였다.

## Ⅳ. 유신: 딜레마의 출구

박정희는 1972년 10월 17일 유신을 단행했다. 박정희는 그러한 초헌법적 조치가 초래할 혼란과 부정적 영향, 특히 미국이 느낄 배신감을 잘 알고 있었다. 그는 대통령특별선언에서 유신의 국제적 배경을 이렇게 주장했다.

긴장 완화라는 이름 밑에 이른 바 열강들이 제3국이나 중소 국가들을 희생의 제물로 삼는 일이 충분히 있을 수 있다.…… 누구도 이 지역에서 다시는 전쟁이 재발하지 않을 것이라 장담할 수 없다.

박정희는 국제적 긴장완화를 일단 긍정적으로 평가했다. 그러나 긴장완화가 역설적이게도 한국의 안보를 위태롭게 할 수 있다고 주장하고 있다. 당시 한반도 주변 열강들의 세력관계 변화를 주도한 국가는 미국이었다. 그래서 박정희의 주장은 미국의 입장에서 보면 "미국의 정책에 대한 공격"이나 다름이 없었다. 물론 약소국과 강대국으로서 한국과 미국은 국제정세의 흐름이 자국의 국익에 미칠 영향을 서로 다르게 평가할 수 있었다. 그리고 누구도 전쟁이 재발하지 않을 것이라 "장담할 수 없다"는 말 자체는 틀린 것이 아니었다.

그러나 위험을 과장하거나 왜곡하는 것은 전혀 다른 차원의 문제이다. 7.4 남북공동선언 이후 당시까지 북한도 남한도 서로 전쟁을 원치 않음을 잘 알고 있었다는 점을 감안하면 희생의 재물, 전쟁 재발 운운은 과장된 표현이었으며 미국을 자극하기에 충분했다.

그런데 박정희는 전쟁 재발 운운과는 모순되게도 자신이 규정한 위협과 도전을 극복하는 방향과 방법을 7.4남북공동선언의 원칙으로부터 도출했다. 그는 "우리의 운명은 우리 스스로의 힘으로 지키고 개척해 나가지 않을 수 없으며" 지금은 남북대화를 "과감하게 추진해 나가야 할 중대한 시점"이라고 주장했다.

그리고 비상계엄선포 이틀 전인 10월 15일 남한은 북한에게 유신을 단행하게 된 배경과 이유를 설명해 주었다. 대통령과 중앙정보부장은 통일을 원하지만 남한의 다수가 통일을 반대하기 때문에 질서를 세워야 한다는 내용이었다. 17일에는 대통령특별선언 발표 1시간 전에 선언이 있을 것임을 알려주었고 선언 다음 날에는 이후락이 선언의 목적을 다시 설명해 주었다.

> 우리는 김일성과 박정희가 친히 권력을 잡고 있는 기간에, 즉 1970년대에 어떤 대가를 치르더라도 통일을 달성하기를 원한다.

이것은 북한지도부의 입장과 정책노선에 대한 신뢰를 전제로 한 것이었다. 이후락은 이미 10월 12일 남북조절위공동의장 회담에서 북한을 이해하며 앞으로 "자신을 믿어 달라"고 말한 바 있었다. 그리고 비상계엄은 새로운 헌법을 만드는데 "정상적인 수단으로는 해결할 수 없어서" 취한 것이며, 헌법을 수정하는 이유는 기존 헌법이 "미소 양극체제 하에서 만든 것으로 반공산주의의 원칙을 담고 있어 남북대화를 받아들일 수 없기" 때문이라고 했다. 달리 말하면 유신헌법은 남북대화를 위한 "법적 토대로서 기여"할 것이라는 설명이었다. 당시 북한지도부는 박정희의 유신을 일단 남북의 "대화와 평화통일에 유리한 체제"를 만들기 위한 것이라고 판단했다.

비상계엄선포를 전후하여 남측이 북측에 설명한 내용은 박정희가 대통령특별선언에서 "부득이 정상적 방법이 아닌 비상조치로써" "우리 실정에 가장 알맞은 체제 개혁을 단행"해야 한다고 주장한 것과 거의 동일했다. 남한 정부가 미국과는 갈등하면서 북한과는 오히려 속내를 터놓고 대화한 것은 매우 흥미로운 점이다.

도대체 박정희는 왜 그처럼 모순적인 태도를 취한 것일까? 박정희는 처음부터 영구집권을 위해 남북대화를 단지 이용한 것이었나?

박정희가 영구집권을 생각하기 시작한 것은 늦어도 1971년 대선을 치르면서였다. 남북회담에 관여했던 이동복은 박정희의 "의도는 알지 못하지만" 이후락이 남북대화가 시작되면 "적당한 시기"에 집권 연장을 위한 "환경을 만들 기회를 찾을 생각"을 하고 있다는 "강한 인상을 받았다"고 증언한 바 있다. 이후락이 1972년 초에 해외에 사람을 보내 외국의 장기독재를 연구하게 한 것도 그 때문이라고 했다. 그러나 당시 안기부 북한실장으로 남북대화의 전후 사정을 잘 알고 있는 강인덕은 이후락이 "남북대화를 시작하면서 유신을 염두에 두었는지, 오늘날까지도, 궁금하다"고 말한 바 있다. 강인덕은 대통령특별선언을 처음 들었을 때 그것이 "남북관계 개선을 위한" 것이라고 생각했다고 한다. 이처럼 두 사람의 상충되는 얘기와 앞에서 지적한 남측과 북측의 소통 분위기로 미루어 남북대화가 처음부터 영구집권을 위한 수단으로 추구되었다고 보기는 어렵다. 오히려 남북대화를 진행하면서 그것이 영구집권을 위한 명분과 수단이 될 수 있다고 판단했을 가능성이 높다.

어떻든 박정희는 유신을 조국에 대한 충정에서 비롯된 것이라고 비장하게 말했다. "나 개인은 조국통일과 민족중흥의 제단 위에 이미 모든 것을 바친 지 오래입니다." 박정희가 남북대화 과정에서 조국의 통일과 민족중흥을 위해서 영구집권을 할 수밖에 없다고 판단했다면 그의 말은 진심이었을 것이다. 단순히 대통령선거의 폐단과 권력유지 때문만이 아니라 평화통일이라는 대의와 과업을 위해 헌신하겠다고 생각했을 때 그의 종신독재는 정당한 것일 수 있었기 때문이다.

그러나 국제질서와 남북관계가 평화무드로 바뀌고 있는 상황에서 평화통일을 명분으로 헌정을 유린했을 때, 그것이 설득력 없음을 누구보다 박정희 자신이 잘 알고 있었을 것이다. 박정희는 이미 비상대권을 쥐고 있었다. 그런데도 엄청난 부정적 여파를 예상하면서 유신을 단행했다. 그렇다면 당연히 다른 이유나 목적이 있지 않았을까? 아마도 두 가지 두려움 때문에 그렇게 했다.

하나는 미국의 정책변화가 초래할 정권위기의 위험성이었다. 박정희는 미국이 중국과 화해하는 것을 반대하지 않았고 미국이 공약을 지킬 것이라는 점을 의심하지도 않았다. 그러나 그는 미국을 기본적으로 신뢰하지 않았으며 미국의 새로운 정책이 한반도와 자신의 권력에 미칠 부정적인 영향을 몹시 우려했다.

박정희는 언제까지나 미국에게 의존하고 싶은 생각이 없었다. 그래서 미군감축을 한국군현대화를 촉진할 기회로 이용하고자 했다. 1971년 12월 6일 국가비상사태 선언 때 박정희는 북한위협을 과장했다. 1972년 10월 17일 대통령특별선언에서는 중소국가들이 강대국들에 의해 희생의 제물이 될 수 있음을 강조했다. 미국정책에 대한 불신을 다시 드러냈던 것이다.

사실 박정희의 미국정책에 대한 불신과 두려움은 근거 없는 것이 아니었다. 닉슨은 1972년 2월 중국방문 이후 얼마 되지 않은 4월 6일 중미관계의 변화를 전제로 한국정책 전반을 재검토하도록 지시했다. 미국 관리들은 7.4남북공동선언과 유신 이후 변화된 환경에서 남한만이 아니라 한반도 전체에 대한 미국의 목적과 역할을 재조정하고자 했다. 따라서 미국의 새로운 이익과 목적에서 한국은 이전과는 다른 평가와 가치를 부여받을 수 있었다. 미국은 "한국을 황급히 포기하고 있다는 인상"을 피하고자 했지만 정책 수정 자체는 불가피한 것으로 보았다.

미국의 입장변화 가운데 특히 중요한 점은 유엔에서의 한국문제에 관한 것이었다. 미국은 1972년 가을 유엔총회에서 한국문제 논의를 연기하자는 한국의 입장을 지지했다. 그러나 비동맹을 중심으로 제기된 한국문제와 유엔의 역할에 대한 재검토를 언제까지나 피할 수는 없었다. 7.4 남북공동선언 이후 한국의 유엔기구들이 "철저한 점검이 절실한 냉전의 유물"이 되었다는 것이 미국의 판단이었다.

그래서 미국은 "한국에서 유엔의 역할을 재조정"하는 쪽으로 가닥을 잡았다. 유엔사령부는 미군이 한국군을 통제하는 메커니즘이었다. 하지만 미국도 일본도 북한과의 관계개선을 원했고 그 동안 주변 강대국들이 묵인해 왔던 2개의 한국을 실제로 받아들인다면 유엔사령부의 기능은 불필요할 것이었다. 그리고 두 개의 한국이든 하나의 한국이든 그것은 남북한이 결정할 문제였다. 한국의 통일문제를 유엔 밖에서 남북한 정권이 해결하게 하고 남북한이 다른 나라들과 외교관계를 수립하는 문제도 그들 스스로 결정해야 할 것이었다.

미국은 냉전적 질서와 사고에서 벗어나 한반도문제를 해결하는 쪽으로 정책방향을 잡고 있었던 것이다. 그러한 미국의 정책 변화가 현실화된다면 박정희와 냉전구조 속에서 제도화된 이익을 유지하려는 세력에게는 위기일 수 있었다. 그들은 이익을 유지할 명분과 수단을 잃게 될 것이기 때문이었다. 박정희가 정작 두려워했던 것은 미국의 남한과 한반도 전체에 대한 정책 변화가 정권 자체에 미칠 치명적 영향이었던 것이다.

다른 하나는 7.4 남북공동선언과 남북대화가 초래할 정권위기의 위험성이었다. 박정희는 1967년과 1971년 대선을 치르면서 정권의 취약성을 충분히 인식했다. 시대의 추이에 따라 추진할 수밖에 없었던 남북대화의 결과 권위주의적 통치에 대한 국내외 비난은 더욱 거세질 것이 뻔했다. 김종필은 안팎의 도전에 직면하고 있는 한국이 "확고하고 안정적인 상황을 유지"하기 위해 유신을 단행했다고 주장했다. 그는 당시 상황이 불안정하다고 생각하지 않았다. 그러나 안정이 "무너질 위험은 항상 있으며" 그러한 상황에 대비하고자 한다는 것이었다. 김종필은 부정적인 국제적 세평이 쏟아질 것임을 예상했다. 하지만, 한국인의 생존을 위해, 지난날 "엄청난 낭비, 무질서, 혼란을 초래"했던 대통령선거의 약점을 극복하기 위해 대통령 선출제도를 바꾸고 정부를 재조직할 것이라고 하비브Philip Habib 주한미국대사 말했다. 그는 주로 대통령 선거제도의 문제점을 거론했는데, 앞서 보았듯이 이후락이 북한에게 설명한 유신의 이유와는 상당한 거리가 있었다. 초점을 내부에 맞추고 있다는 점에서 김종필이 이후락보다 박정희의 숨은 의중을 더 솔직하고 정확하게 반영하고 있었다.

박정희는 대통령특별선언에서 한국의 내부 상황을 이렇게 묘사했다. "아직도 무질서와 비능률이 활개를 치고, 정계는 파쟁과 정략의 갈등에서 좀처럼 헤어나지를 못하고 있습니다. 그 뿐 아니라, 이 같은 민족적 대과업마저도 하나의 정략적인 시비 거리로 삼으려는 경향마저 없지 않습니다."

민족의 숙원을 해결하려는 남북대화를 "위헌이다 위법이다 하는 법률적 또는 정치적 시비마저" 일고 있는 상황은 박정희가 보기에 남북대화가 전전되든 교착상태에 빠지든 안정되지 않을 수 있었다. 시간이 가면서 긴장완화가 더욱 진행된다면 박정희정권은 더 이상 선거를 통해 유지되기 어려울 수 있었다. 게다가 대화의 상대인 김일성은 강력한 통치를 기반으로 더욱 공세적으로 나온 것이 뻔했다.

박정희에게 국제적 긴장완화와 평화통일은 새로운 도전이었다. 그러나 그것이 유신을 단행할 성격의 도전은 분명 아니었다. 그에게 진짜 도전은 그러한 변화 속에 내재된 정권위기의 가능성이었다. 태생적으로 취약했던 박정희정권에게 정상적인 출구는 없었다. 시대를 거스르는 길만이 그에게 남겨졌다. 박정희는 엄청난 대가를 감수하면서까지 정권안보를 위해 유신을 단행했던 것이다.


## V. 결론

유신체제의 수립은 박정희정권의 태생적 특성과 1970년대 초 동북아 냉전 해체기의 새로운 질서를 반영한 것이었다. 박정희는 중미화해 이후 한반도에 제공된 안보의 구조적 안정성에 반하여 역사적 퇴행의 길을 갔다. 살펴본 내용을 정리하면 다음과 같다.

첫째, 닉슨독트린과 중미화해는 미국의 근본적인 정책전환이었으며 동북아 냉전구조의 해체를 의미했다. 그것은 미국의 퇴각이 아니라 힘의 한계를 인정하고 국익을 지키려는 적극적이고 현실적인 시도였다. 미국은 중국과 화해를 통해 새로운 평화의 질서를 만들고자 했고, 중국 또한 같은 생각이었다. 따라서 한반도에 안보안정성이 담보될 수 있는 구조적 여건이 조성되었다.

둘째, 박정희정권은 그러한 변화된 안보환경에 대해 안보위기 강조와 남북대화 추진으로 대응했다. 1971년 12월 국가비상사태 선언과 1972년 7.4남북공동선언이 그것이었다. 국가비상사태 선언은 북한의 위협을 과장하여 내부 통제를 강화할 수 있었지만 미국의 불신을 키웠다. 7.4남북공동선언은 국내외적으로 상당한 지지를 받았으며 특히 미국의 전폭적인 지지를 얻었다. 하지만 박정희와 그의 추종자들에게 한반도의 긴장완화는 치명적일 수 있었다. 그동안 취약한 정권을 유지하는데 결정적인 수단이던 냉전담론과 북한의 위협이 중미화해와 남북대화로 더 이상 먹혀들지 않을 수 있었기 때문이다. 내부통제 강화와 남북대화 추진은 박정희정권에게 딜레마로 작용했다.

셋째, 유신은 국가안보위기가 아니라 정권위기에 대한 대응이었다. 동북아와 한반도에서 새롭게 형성되고 있던 안보안정성이 박정희정권의 불안정성을 야기했다. 박정희는 그 위기가 미국의 정책변화로부터 파생된 것으로 보았다. 미국은 남한의 안보를 보장하겠지만 조만간 북한을 국가로 인정하고, 유엔사령부를 해체하고, 냉전적 외교를 접을 것이었다. 그렇게 되면 민주화와 통일의 요구는 더욱 거세질 것이고 종국에는 박정희정권 자체를 위태롭게 할 수 있었다. 예상되는 정권위기를 넘어설 수 있는 현실적인 방법은 대통령선거제도를 바꾸는 것뿐이었다.

요컨대 박정희의 유신은 국가안보위기가 아니라 그것의 구조적 안정이 야기할 정권위기 가능성에 대한 퇴행적 대응이었다. 박정희는 어떤 희생을 치르더라도 영구집권체제를 수립해야 자신의 권력을 지킬 수 있다고 판단했다. 그것은 동북아의 냉전 해체기에 박정희가 택한 비극적인 길이었다.

**참고 문헌**

김경재. 『혁명과 우상: 10월 유신과 박정희정권』 서울: 인물과사상사, 2009.

김정렴. 『최빈국에서 선진국 문턱까지: 한국 경제정책 30년사』서울: 랜덤하우스중앙, 2006.

김정배. 「중미화해, 한반도정치, 그리고 냉전체제」, 『미국사연구』제36집 (2012), 205-245. 「케네디 행정부의 중국정책, 그리고 냉전체제」, 『미국사연구』 제33집 (2011), 191-219.

마상윤. 「유신체제의 수립과 미국의 대한정책, 1969-1972」, 『유신체제와 한미관계』 54-77. 한국연구재단 기초학문자료센터, 2002.

배긍찬. 「닉슨독트린과 동아시아 권위주의체제의 등장-한국, 필리핀 그리고 인도네시아의 비교분석-」, 『한국정치학회보』제22집 (1999), 321-338.

신욱희. 「데탕트 시기의 한미갈등: -정향적 요인으로서의 위협인식-」, 『박정희시대 연구의 쟁점과 과제』 정성화 편, 329-353. 서울: 선인, 2005.

신종대. 「유신체제 수립원인에 관한 재조명-북한요인의 영향과 동원을 중심으로-」, 『사회과학연구』 제13집 (2005), 128-163.

우승지. 「박정희 시기 남북화해 원인에 관한 연구」, 『박정희시대와 한국현대사』 정성화 편, 263-290. 서울: 선인, 2006.

이정복. 「관료적 권위주의와 유신체제」, 『한국의 자본주의와 민주주의』한배호 외 지음, 서울: 범문사, 1991.

이종석. 「유신체제의 형성과 분단구조-적대적 의존관계와 거울영상효과」, 『개발독재와 박정희시대-우리 시대의 정치경제적 기원-』 이병천 엮음, 247-286. 서울: 창비, 2003.

임혁백. 「유신의 역사적 지원: 박정희의 마키아벨리적 시간(상)」, 『한국정치연구』 제13집 (2004), 223-258.

정성화 · 강규혁 엮음. 『박정희시대와 한국현대사: 연구자와 체험자의 대화』 서울: 선인, 2007.

정일준. 「유신체제의 모순과 한미갈등: 민주주의 없는 국가안보」, 『사회와 역사』 제70집(2006), 149-178.

조갑제. 『박정희의 결정적 순간들』 서울: 기파랑, 2009.

한배호. 『한국정치변동론』 서울: 법문사, 1994.

홍석률. 「1970년대 전반 한미관계와 남북관계」, 『역사학논총』 제5집 (2004), 89-128

_____. 「1970년대 초 남북대화의 종합적 분석-남북관계와 미중관계, 남북한 내부 정치의 교차점에서」, 『이화여대사학』제40집 (2010), 289-330.

_____. 「유신체제와 한미관계」, 『역사가, '유신시대'를 평하다』 200-211. 유신선포 40주년 역사4단체 연합학술대회 자료집(2012.9)

Cha, Victor D. Alignment despite Antagonism. The United States-Korea-Japan Security Triangle, Stanford: Stanford Universty Press, 1999. 김일영 · 문순보 옮김. 『적대적 제휴: 한국, 미국, 일본의 삼각 안보체제』 서울: 문학과지성사, 2004.

Foreign Relations of the United States. 1969-1972, XⅦ, China, United States Government Printing Office Washington, 2006.

_____. 1969-1972, XⅨ, Part 1, Korea, United States Government Printing Office Washington, 2010.

Goh, Evelyn. Constructing the U.S. Rapprochement with China, 1961-1974: From 'Red Menace to 'Tacit Ally. Cambridge: Cambridge University Press, 2005.

Nixon, Richard M. "Asia After Viet Nam," Foreign Affairs (October 1967), 111-125.

Ostermann, Christian F. and Person, James F. eds. "Crisis and Confrontation on the Korean Peninsular, 1968-1969: A Critical Oral History." Washington, DC: Woodrow Wilson International Center for Scholars, 2011.

_____. "The Rise and Fall of Detente on the Korean Peninsula, 1970-1974." Washington, DC: Woodrow Wilson International Center for Scholars, 2011.

Person, James ed. "New Evidence on Inter-Korean Relations, 1971-1972." in NKIDP, Document Reader, Washington, DC: Woodrow Wilson International Center for Scholars, 2009.

_____. "New Evidence on North Korea" in NKIDP, Document Reader, Washington, DC: Woodrow Wilson International Center for Scholars, 2010.

Schaefer, Bernd "Overconfidence Shattered: North Korean Unification Policy, 1971-1975", in North Korea International Documentation Project(NKIDP), Working Paper 2, Woodrow Wilson International Center, Washington DC., 2010.

Xia, Yafeng. China's Elite Politics and Sino-American Rapprochement, January 1969-February 1972." Journal of Cold War Studies, 8 (Fall 2006), 3-28.

계엄령을 발표한 포고문을 읽는 시민들

# 유신헌법의 허구성과
# 통일주체국민회의

## 차 성 환
부마민주항쟁진상규명및관련자명예회복심의위원회 상임위원

# I. 서언

부마항쟁의 타도 대상이었던 유신체제란 어떤 정치체제인가라는 문제는 부마항쟁의 연구에서 빠져서는 안 될 중요한 연구대상이다. 어떠한 사회운동이나 대중운동에서 타도해야 할 대상이 되는 국가권력의 성격과 실체는 운동의 성격, 전략, 방향 등에 큰 영향을 미칠 수 밖에 없는 변수이기 때문이다.

부마항쟁 당시 부산대학생들이 외쳤던 3종의 선언문은 하나같이 유신헌법의 불법성을 주장한다. 즉 유신헌법은 '제도화된 폭력성과 조직적 악의 근원'(민주선언문)이며, '불의의 날조와 악의 표본'(민주투쟁선언문)이며, '국민을 위한 법이라기보다는 한 개인의 무모한 정치욕을 충족시키는 도구에 지나지 않는다.'(선언문) 이처럼 대학생들에게 악의 표본으로 비쳐졌던 유신헌법의 구조와 그 불법성에 대해서는 그간 상당한 연구가 여러 방면에서 이루어졌다. 하지만 유신헌법 또는 유신체제에 대한 보다 심층적인 연구는 아직 매우 부족한 상태이다.

이 소론에서는 유신체제의 바탕인 유신헌법에 대해 살펴보고 그것이 갖는 3중의 허구성을 통일주체국민회의라는 기관을 통해 보다 구체적으로 밝혀보고자 한다. 여기서 유신헌법이 갖는 3중의 허구성이란 다음과 같은 것을 말한다.

첫째, 유신헌법은 스스로 헌법임을 자처하지만 그 성립과정을 헌법 제정으로 보든 헌법 개정으로 보든 헌법으로서 정당화되기 위해 준수하여야 할 한계를 넘고 있어 헌법성을 인정할 수 없고 불법무효라는 점이다(김선택, 2007: 192). 다시 말해 성립과정에서부터 헌법의 자격(정당성)을 갖지 못하는 유신헌법이 헌법으로서의 정당성을 자처하는 것이 첫 번째 허구성이다.

둘째, 유신헌법은 근대적 입헌주의 헌법으로 자처하지만 내용적으로 보면 국민주권, 권력분립, 국민기본권의 보장이라는 핵심 내용을 심각하게 훼손, 형해화하고 있어 근대적 입헌주의 헌법이라 할 수 없다(김선택, 2007: 178-183). 유신헌법은 근대적 입헌주의 헌법이라기보다는 실질적으로는 흠정헌법에 가깝고 대통령 개인의 영구집권을 가능케 함으로써 실질적으로는 군주제에 유사한 권력구조를 취하였다(김선택, 2007: 183). 다시 말해 근대적 입헌주의 헌법으로서의 자격을 결여한 유신헌법이 근대적 입헌주의 헌법으로 자처하는 것이 두 번째 허구성이다.

셋째, 설혹 유신헌법을 헌법으로 인정한다고 하더라도 그것이 유신헌법 스스로 정한 바대로 전혀 운용되지 않았다는 점이 세 번째 허구이다. 유신헌법에서 가장 중요하고 핵심적인 기관은 통일주체국민회의이다. 이 기관은 국민의 직접투표에 의해 선출되는 2,000명 이상 5,000명 이하의 대의원들로 구성되며 조국의 평화적 통일을 촉진하기 위한 온 국민의 총의에 의한 국민적 조직체로서 국민의 주권적 수임기관이며 정상 국가기관이다. 즉 통일주체국민회의는 대통령 · 정부 · 국회 · 법원 등 모든 국가기관의 정상頂上에 위치하여 통일정책을 최종적으로 결정하고 대통령을 선거한다고 규정된다(김영수, 2000: 564-565). 따라서 통일주체국민회의는 유신체제의 최고기관이며 정상기관이다. 그러나 현실에서 통일주체국민회의는 유신체제의 최고기관으로서의 권한행사도 하지 못했고, 예우도 받지 못하였다.

이하에서는 이상 세 가지 허구성을 차례로 살펴보되 주로 세 번째 허구성의 측면을 집중적으로 밝혀보고자 한다.

## Ⅱ. 유신헌법의 첫 번째 허구성

1972년 10월 17일 저녁, 대통령 박정희는 대통령특별선언을 발표하고 전국에 비상계엄령을 선포하였다. 특별선언의 내용은 ① 국회를 해산하고 정치활동을 금지하며 ② 헌법 일부 조항의 효력이 정지되고 그 기능은 비상국무회의가 대행하며 ③ 향후 새로운 헌법 개정안을 공고하여 국민투표를 통해 확정하고 ④ 개헌안이 확정되면 1972년 말까지는 헌정질서를 정상화한다는 것이었다. 박정희는 특별선언에서 데탕트 국면에서 이루어지는 강대국 사이의 협상과정에서 약소민족의 이해관계가 훼손될 우려와 기존 헌법은 냉전시기에 만들어진 만큼 남북대화와 통일이라는 새로운 과제를 추진하기 위해 새로운 정치체제 수립이 불가피하다고 주장하였다. 개헌안은 10월 26일 단하루 만에 비상국무회의에서 축조심의되고 다음날 공고되었다. 개헌안의 찬반을 묻는 국민투표는 1972년 11월 21일에 실시되었는데 총 유권자의 91.9%가 참여하여 91.5%의 찬성율로 개헌안이 통과되었다. 이후 12월 13일에야 삼엄한 계엄령이 해제되었고 15일에는 통일주체국민회의 대의원 선거가 실시되었다. 12월 23일에는 어떠한 선거유세나 공약 발표도 없이 통일주체국민회의가 투표로 박정희를 대통령으로 선출하고 12월 27일 취임함으로써 유신체제 수립이 마무리되었다(민주화운동기념사업회 연구소 엮음, 2009 : 58-59).

이상과 같은 유신헌법의 성립과정을 헌법의 개정으로 볼 것인가 아니면 제정으로 볼 것인가에 대해 현재 헌법학계의 학설은 일치되어 있지 않다.[1]

---

1. 헌법 개정이란 시대사정의 변화에 맞추어서 헌법의 규범력을 유지하기 위해 기존 헌법이 정한 절차에 따라 헌법의 기본적 동일성을 파괴하지 않고 헌법조항을 수정·삭제·증보하는 것을 말한다. 반면 헌법 제정이란 국가의 법적 기본질서를 마련하는 법 창조행위로서 국가의 기본이념·국가 내에서의 국민의 기본적인 법적 지위·국가조직의 기본사항에 대한 국민적 합의를 최고법규범으로 정립하는 것이다(김선택, 2007:184).

먼저 유신헌법의 성립을 헌법 개정으로 보면, 유신헌법의 성립 절차가 종전 헌법의 개정 절차를 완전히 무시하고 집권자의 자의대로 이루어진 것으로 중대하고 명백한 절차상 하자가 있고[2] 비록 그것이 국민투표를 통해 확정되었다고 하더라도 그 하자를 치유할 수는 없으므로 헌법위반으로서 위헌무효라고 보는데 큰 어려움이 없다. 또 헌법의 내용을 보더라도 유신헌법은 종전 헌법의 핵심내용을 근본적으로 파괴하여 한계를 넘고 있으므로 역시 위헌무효로 보아야 한다(김선택, 2007: 185-187).

다음으로 유신헌법의 성립과정을 헌법 제정으로 보면 주관적, 객관적, 기능적으로 유신헌법이 정당한지를 따져보아야 한다. 첫째, 주관적 정당화 요소(국민의 합의 내지 동의)가 충족되었는지를 따져보면 유신헌법 제정 과정은 ① 근거가 불분명한 "안보위기"를 이유로 국가비상사태를 조성하고 ② 그러한 비상사태에 적응하기 위해 새로운 헌법을 만든다고 하면서 ③ 이에 대한 논의는 일체 금지시키고 ④ 힘에 의한 공포 분위기를 조성한 가운데 이루어졌다. 따라서 유신헌법에 대한 국민적 합의는 질적인 다수결의 원리를 위반했다는 점에서 합의로서 효력이 없다고 보아야 한다.[3] 둘째, 객관적 정당화 요소(내용적 한계)를 보면 유신헌법은 입헌주의 헌법으로서 가지고 있어야 할 국민주권, 권력분립, 국민기본권의 본질적 내용을 유린하고 있으므로 이 역시 충족되지 않는다. 셋째, 기능적 정당화 요소[4]를 살펴보면 유신헌법

---

2. 10 · 17 비상조치 자체가 초헌법적, 불법적인 것으로 종전 헌법에는 대통령의 국회해산권이 없고 헌법개정안의 개헌안의 발의권이 정부에는 없었다. 10 · 17비상조치는 비상계엄령이라는 폭력으로 기존 헌정질서를 무너뜨린 친위쿠데타였다. 따라서 개헌 자체가 원천무효일 수밖에 없는 불법적인 행위에 불과하다.

3. 공동체의 의사결정방식으로서 다수결의 원리는 양적 개념만이 아니라 의사형성과정에서 소수파에게 토론에 참가하여 반대의견을 밝힐 수 있는 기회를 보장하여 다수와 소수가 변경될 가능성이 있어야 한다(김선택, 2007: 189).

4. 헌법의 내용이 주관적, 객관적 정당화 요소를 충족하지 못하더라도 사후적으로 그러한 하자가 치유되었다고 볼 수 있는 헌법 관행이 형성되었다면 이를 기능적 정당화 요소라고 부를 수 있다(김

의 운용에 있어서도 반인권적 독재권력의 행사로 끊임없이 국민의 저항을 받았던 것이다. 이처럼 유신헌법을 제정으로 보든, 개정으로 보든 헌법으로서 정당화되기 위해 준수해야 할 한계를 넘고 있어 헌법성을 인정할 수 없는 것이다(김선택, 2007: 192).

따라서 유신정부가 유신헌법의 성립을 개헌(헌법 개정)이라고 부른 것은 명백한 허위의 명명이며 그렇다고 제헌(헌법 제정)도 아님이 명백하므로 5 · 16과 동일한 헌법 파괴이자 불법적 헌법의 성립이라고 불러야 할 것이다.

여기서 짚고 넘어가야 할 문제가 있다. 유신헌법의 찬반을 묻는 국민투표는 총 유권자의 91.9%가 참여하여 91.5%의 찬성율로 통과되었다고 발표되었다. 이 과정 자체가 질적 다수결의 결여로 불법인 점은 이미 언급하였다. 하지만 투표율이나 찬성율이 이례적으로 높은 것은 어떻게 설명해야 할까? 이에 대해 신종대는 10월유신 당시의 일반 국민이 4월혁명의 경험으로부터 유래된 민주지향성을 잃고 북한 요인의 압력 속에 순치되어 가는 국민이었다고 보면서 이것이 당시 국민들이 왜 10월유신에 저항하기 어려웠는가 하는 의문의 일단을 풀 수 있다고 설명하고 있다(신종대, 2005: 138). 하지만 이러한 설명은 납득하기 어렵다. 우선 1968년 이래 일련의 북한의 도발이 남한 국민의 반공지향성을 강화했을 것은 분명하지만 그런데도 1971년 선거에서 온갖 관권과 금권을 동원한 선거에서 박정희는 겨우 승리하였다. 만약 이 선거가 공정하게 치러졌다면 박정희가 패배했을 가능성도 충분히 있었다고 판단된다. 또 1972년 7 · 4남북공동성명으로 전개된 대화 분위기가 10월유신에 이르기까지 지속되었던 점을 상기할 때 북한 요인을 지나치게 강조하는 논리는 설득력이 부족해 보인다. 당시 국민들이 10월유신에 저항하기 어려웠

선택, :191–192).

던 가장 직접적이고 핵심적인 이유는 쉽게 알 수 있듯이 10월유신이 또하나의 쿠데타였기 때문이다. 그리고 박정권은 10월유신 이전에 이미 조직적 저항의 거점이었던 대학과 학생운동을 위수령으로 무력화시켰고 정당 및 정치활동을 일체 금지시켰기 때문에 어떠한 조직적인 저항도 불가능했다. 이런 상황에서 기습적 친위쿠데타에 맞설 만한 저항이 없었다는 것은 당연한 것이지 국민들이 쿠데타를 지지했기 때문이라고 해석할 근거는 되지 않는다. 여기서 유신헌법에 대한 국민투표의 높은 지지율을 거론하면서 반론을 제기할 수도 있다. 하지만 계엄령이 내려진 상황 하에서 반대토론이 금지되고 행정력이 총동원된 국민투표에서 국민들의 자발성이 얼마나 발현될 수 있을까? 높은 투표율과 지지율은 오히려 당시 상황의 억압성과 강제성을 증거하는 것으로 보아야 옳지 않을까?

이 점에 대해 전직 중앙정보부장이었던 김형욱은 자신의 회고록에서 다음과 같이 증언하고 있다. 1972년 11월 11일 오후 4시경 김형욱은 박정희의 부름을 받고 청와대를 방문하여 그와 면담하였다. 그 자리에서 박정희는 계엄을 해제하고 국민투표를 하는 것이 좋은가 아니면 계엄 상태에서 하는 것이 좋은가를 물었다. 이에 대해 김형욱은 양자를 혼합하는 전술을 권하면서 중앙정보부의 각도 분실에 95퍼센트 이상의 득표공작명령이 하달되었다고 말하고 있다.[5]

또 이를 뒷받침하는 한 공무원의 증언을 보면 당시의 국민투표가 얼마나

---

5. "사실 말씀이지 각도 아시다시피 중정의 각도 분실에 95퍼센트 이상의 득표공작명령이 하달되었고 개헌반대운동도 금지되었다. 야당 참관도 없이 투개표를 한다. 정부만은 개헌지지 계몽을 할 수 있다는 식으로 돼 있으니 승리란 땅 짚고 헤엄치기가 아닙니까.이런 판국에 과잉충성이 무리한 공작들을 추진하면 역사적 과오를 저지를 수도 있고 언젠가 3·15부정선거 이상의 규탄을 면치 못할 것입니다.
"그럴 가능성은 시정하는 것이 좋을 줄 압니다." "이봐, 표가 많이 나오는 것은 좋아. 많이 나와야 반대자들이 끽소리 못한단 말이야."(김형욱·박사월, 1985 : 140-141)

터무니없이 조작되었는지를 잘 알 수 있다.

그렇게 한 보름 정도 매일 되풀이한 행사(유신헌법 계몽강연)가 끝나고 11월 21일 유신헌법에 대한 찬반 국민투표가 실시되었다. 야당인이 없는 참관인은 이름뿐이라 말없이 양순한(?) 참관인들은 구청 총무과와 경찰서 정보과가 선별해서 앉혀 놓았다. 투표는 아침 7시부터 시작되었으나 투표하는 사람이 드물었다. 동사무소에서는 서둘러 통반장들을 동원하여 투표를 독려하는 바람에 부산은 오전부터 투표율이 오르기 시작했다. 그러나 구청과 동사무소에 근무하던 직원들의 이야기를 들으면 상부의 채근은 성화같은데 투표하러 올 사람은 없고 어차피 대통령 선거나 국회의원 같은 이해당사자도 없고 보니 적당히 찍어 넣었다는 것이다. 나도 절대다수가 뻔한 국민투표를 텅빈 투표장에 나가 한 표를 넣었다. 결과는 유효표의 찬성률이 91.5%였다.[6]

## III. 유신헌법의 두 번째 허구성

유신헌법은 그 내용상 근대적 입헌민주주의 헌법이 가져야 할 기본적 요소를 심각하게 유린한 것이다. 그 구체적 내용을 보면 다음과 같다. 첫째, 유신헌법은 통일주체국민회의라는 기관을 창설하여 국민의 주권행사 방법인 대통령 선거권과 국회 의석구도 결정권을 박탈하였다. 둘째, 유신헌법은 법치국가를 구성하는 핵심 원리인 권력분립을 포기했다. 대통령이 국회의석의

---

6. 이 증언을 출판한 전직 공무원 손점용은 1972년 당시 동래구 보건소 사무장(부소장)으로 근무하였고 1955년부터 1989년까지 경남, 부산지방에서 공무원으로 근무하였으며 퇴임 후 몇 권의 회고록을 발간하였다(손점용, 1994,「싹쓸이시대」, 도서출판 지평 : 75쪽).

3분의 1을 구성할 권한(제40조 제2항), 행사의 요건과 한계가 전혀 없는 국회해산권(제59조 제1항), 국민투표 부의권(제49조), 현존하는 위협 뿐 아니라 그 우려만으로도 행사할 수 있는 긴급조치권(제53조 제1항), 국정감사권의 폐지, 국회의 의사활동을 제한하는 회기 단축(제82조 제2항·제3항), 대법원장을 비롯한 모든 법관을 대통령이 임명할 수 있는 권한(제103조 제1항·제2항), 대통령의 긴급조치에 대한 사법심사 가능성의 원천봉쇄(제53조 제4항) 등 대통령이 입법권, 사법권의 위에 군림하도록 하였다. 법치주의의 전통적 핵심인 '법에 의한 행정'은 국회와 법원의 독립을 전제로 하는 것이므로 유신헌법은 법치주의 자체를 포기한 것이다. 셋째, 유신헌법은 입헌주의의 핵심 원리인 국민의 기본권 보장도 공동화시켰다. 구속적부심과 자백의 증거능력 제한 규정의 삭제(제10조), 표현의 자유에 대한 제한을 금지하는 조항의 배제(제18조), 재산권의 수용·사용·제한 시 보상의 기준과 정도에 대한 포괄적 법률적 유보를 비롯하여 거의 모든 기본권에 일반유보조항과 더불어 개별적 법률유보를 규정하여 국민의 기본권까지 대통령의 의사에 좌우되는 것으로 만들었다. 넷째, 유신헌법은 대통령 간선제(제39조)와 중임·연임제한규정의 삭제(제47조), 국회에 의한 대통령 탄핵 가능성의 부재 등 대통령의 영구집권을 뒷받침함으로써 대한민국이 민주공화국이라는 제헌헌법 이래의 국가형태에 관한 대원칙을 폐기하였다(김선택, 2007: 178-183). 이러한 형태의 권력구조에 대해 김영수는 권력분립주의가 아닌 권력융화주의라고 명명한다.

집권세력은 유신헌법을 '한국적 민주주의'를 구현한 헌법이라고 강변하였지만 그 내용은 근대적 입헌민주주의를 원리적으로 부정한 것이었다. 다시 말해 유신헌법은 '한국적'이란 수식어를 붙이긴 했지만 민주헌법임을 자처하였으나 그 실체는 반민주, 반법치, 반인권적 독재헌법이란 점에서 또 하나의 허구성을 가진 헌법이었다.


## Ⅳ. 유신헌법의 세 번째 허구성

이상에서 본대로 유신헌법은 절차적으로나 내용적으로나 헌법으로서의 정당성을 갖지 못하고 있다. 여기에 더해 유신헌법은 스스로가 규정한 내용에 합당한 헌법적 실천이 있었는가 하는 점에서도 근본적 결함이 있었다. 이 점을 가장 잘 보여주는 사례가 통일주체국민회의라는 기관이다. 이하에서는 통일주체국민회의와 관련하여 그 실체를 파악해 보기로 하자.

### 1. 통일주체국민회의의 헌법적 지위

통일주체국민회의의 헌법적 지위에 대해 최고의 정상기관이라고 보는 것이 법학계의 다수설이다. 박일경이나 문홍주 등 다수의 학자들이 통일주체국민회의는 평화적 통일을 위한 국민의 주권적 수임기관이고 국가원수이며 행정부의 수반인 대통령을 선거하며, 국회가 발의·결의한 국가의 최고법인 헌법의 개정안을 확정하는 지위와 권한을 갖는 점에서 법상 정상의 국가기관이며 헌법도 이 뜻에서 통치기관의 모두에 이를 규정하고 있다는 것이다. 한태연처럼 통일주체국민회의가 포괄적 권한을 가지는 국가기구가 아니라 개별적 사항에 관한 권한만을 가지는 국가기구라고 정상 국가기관으로서의 지위를 부정하는 소수설도 있기는 하다. 그러나 유신헌법을 해설하고 있는

『헌법개정안해설』에 의하면 유신헌법은 통일주체국민회의를 국가기관의 정상에 설치하고 있다(김철수, 1979 : 668).

그러면 국가의 최고기관을 구성하는 통일주체국민회의 대의원들은 어떤 과정을 거쳐 선출되었으며 과연 그 지위에 걸맞는 권한을 행사하였는지 이하에서 살펴보자.

### 2. 통일주체국민회의 대의원의 선출과 관리

통대의 대의원들은 어떤 과정을 거쳐 선출되었는지 1972년 11월 25일에 치루어진 제1대 통대 선거부터 살펴보자.

통대 대의원의 피선거권은 국회의원의 피선거권이 있고 선거일 현재 30세에 달하는 자로서 조국의 평화적 통일을 위하여 국민주권을 성실히 행사할 수 있는 자라고 규정했다. 하지만 통대 대의원은 누구나 입후보할 수 없었다. 입후보부터 유신체제와 박정희 대통령을 찬양 또는 지지하지 않는 인물은 배제되었다. 관계당국은 야당 기질의 당원이나 인사에 대해서는 출마를 못하도록 한다는 방침을 확정하여 각 지방으로 시달했다고 한다. 이러한 지침에 따라 일선기관에서는 관계 요원의 종용에도 불구하고 출마 의사를 포기하지 않는 야당 성향의 인사들을 불법 연행하거나 가혹행위를 하는 사례도 있었다고 한다(강성재, 1986: 276-278). 전직 중앙정보부장이었던 김형욱은 자신의 회고록에서 다음과 같이 말하고 있다.

헌법안 제3장에 나타나 있는 통일주체국민회의의 대의원을 뽑는 과정도 처음부터 중앙정보부가 일사불란하게 관리하였다. 대의원에 입후보하는 데도 정부에 비판적인 사람은 철저히 입후보하는 것조차 봉쇄하였고 관에서 사실상 이를 지명하였다. 그러니 당선된 대의원들이 일사불란한 관제 거수기가 될 수밖에 없었다(김형욱 · 박사월, 1985: 145).

다시 말하면 중앙정보부를 위시한 권력기관이 입후보 단계부터 철저히 관리하면서 지시에 순응하지 않으면 폭력까지 행사했던 것이다. 대의원 선거와 관련하여 한 전직 공무원은 그 실상을 다음과 같이 기록하고 있다.

> 대의원선거가 가까워지면 구청에서는 경찰서와 안전기획부 구 담당 조정관, 보안부대 정보원과 협의, 구청장실에서 비밀작업을 했다. 통대의원 출마예상자 자격심사 회의인 셈이다. 구청에서 청장, 부청장, 총무과장, 행정계장, 경찰에서 서장, 정보과장, 정보계장 그리고 안기부와 보안대에 여당 사무국장이 끼는 수도 있었다. 대의원을 하고 싶은 사람의 성분, 당선 가능성(재력을 말한다. 그때는 야당도 두 손을 들어서 특별한 사정이 없는 한 돈을 뿌리면 당선이 되었다)을 검토하고 현 정권에 대한 충성도가 모호하거나 성분은 좋아도 돈이 없는 사람을 입후보자 등록에서 배제하는 방침을 이 회의에서 정했다. … 어떤 기관원은 "유신체제의 골격으로 북한의 김일성이 6년마다 대의원들 박수 속에 임기를 연장하는 것에 본을 본 것이 통일대의원인데 저네들 투표할 때 비밀투표를 할 것이 아니라 그것도 북한 같이 찬성함과 반대함 두 개를 놓고 어느 쪽에 넣는지 다 보이도록 했더라면 저 친구들이 저렇게 건방지게는 굴지 않을 것 아닌가." 농담 섞인 푸념을 했다(손점용, 1994: 226).[7]

---

7. 이 인용문은 1980년 8월, 최규하 대통령이 물러난 후 전두환을 대통령으로 선출할 당시의 기록이지

선거과정에서도 대의원들은 합동연설회에서 오직 후보자 자신에 대한 내용만 발표할 수 있으며 특정인, 정당, 기타 정치단체나 사회단체를 지지 혹은 반대하는 행위를 할 수 없었다. 관할 선관위원장이나 위원은 후보자가 금지된 발언을 하면 제지해야 하며 이 명령에 불응하면 연설의 중지 기타 필요한 조치를 취해야 했다. 또 누구든 선거운동 기간 중 대의원 후보자를 지지 또는 반대하는 행위를 할 수 없었다(장민지, 2017: 19). 당선된 대의원들은 회의에서 발의권, 토론권, 표결권을 갖고 있었지만 이 권리의 행사는 전적으로 의장인 대통령의 통제와 간섭 하에 놓여 있었다. 대의원이 발언하고자 할 때에는 미리 발언할 내용의 요지와 소요시간을 정하여 의장의 허가를 받아야 했다.[8] 또한 대의원들은 정당에 가입할 수 없었고 공무원도 겸직할 수 없었으며 대의원의 범법행위에 대해서는 공무원에 준하여 가중처벌하도록 하였다. 대의원은 명예직으로서 회의출석수당과 여비만 지급받았다(장민지, 2017: 20). 이처럼 통대의 대의원들은 철저히 권력기관의 감시, 감독 하에 놓여져 있었고 혜택은 보잘 것이 없었다. 국민들은 대의원 선거에 무관심했고 입후보자들은 무관심한 유권자들을 투표장으로 이끌기 위해 갖가지 선심공세를 펴다가 선거관리위원회에 적발되기도 했다.[9] 당시 선거의 양상에 대해 한 시민은 자신의 일기에 다음과 같이 기록했다.

유신헌법에 의해 타락선거를 하지 않고 막걸리 안 마시기, 고무신 안 주기 운동이라 했지만 사실은 그것도 아닌 상 싶다. 밤 통금시간이 넘도

만 유신체제 하에서도 동일한 상황이었을 것임은 말한 나위가 없다.

8. 통일주체국민회의법 제25조(발언) 참조

9. 대의원 후보들이 유권자들에게 보약을 지어주거나 속옷, 수건, 과자, 캬바레 입장권, 와이셔츠, 세탁비누, 고무신, 현금 등을 돌리거나 결혼식에 차를 대주고 단체 행락을 지원하기도 했다(동아일보 1972. 12. 9일자).

록 서둘고 다닌다. 마을마다 금일 밤은 술이 있고 안주가 있단다. 누가
돈을 내었는지는 서로가 쉬쉬하고 있지만 꿀꺽꿀꺽 목구멍으로 넘어간
자들은 잘 알고 있단다. 그뿐이 아니다. 현금으로 공공연하게 뿌리고 다
닌다. 유권자 1인당 100원씩 지불해 주라고 H여사에게도 3500원을 주고
가더라는 것이다. 그러나 그 뿐이 아니다. 모 인사에게도 또 타 후보자가
주고 가더라는 것, 그래서 H여사가 주는 사람과 겹치거나 않을까 하고
궁금해 한다. 양성적인 것보다 음성적인 것이 더 무섭고 끈질긴 것이다
(박래욱 일기, 1972년 12월 14일).[10]


초대 대의원선거의 투표율은 70.3%로 유신헌법 국민투표 때의 91.9%
에 비하면 크게 낮은 수치였다. 이는 대의원 선거가 국민투표에 비해 당사
자가 있는 경쟁적 선거였기 때문에 투표율 조작이 심하지 않았기 때문으로
보인다.

1978년 5월 18일에 실시된 제2대 통일주체국민회의 대의원 선거는 일찍
부터 과열 양상을 띠기 시작했다. 그렇게 된 사유는 우선 유신정부가 선거법
을 개정하여 피선거권자의 출마자격을 완화하였고[11] 제1대 대의원들이 명예
직일망정 일정한 예우를 받고 발언권을 행사한다는 점을 인식한 지방유지들
이 대거 출마하려 했기 때문이었다(장민지, 2017: 28-29). 1977년 연말부터 과
열선거의 양상이 나타나자 선관위가 후보자들에게 자숙을 촉구하기도 했다.
하지만 후보자들의 과열 분위기와 달리 유권자들의 관심은 크게 높지 않았

---

10. 박래욱은 당시 전남 장성에 거주한 한약사로서 1953년부터 일기를 남겼다(이송순, 2016: 61).
11. 유신정부는 통일주체국민회의 선거법을 개정하여 피선거권자가 일정한 세목의 일정한 금액 이상
    의 납세자에 한해 출마할 수 있도록 한 조항을 고쳐 납세실적이 없어도 입후보할 수 있도록 하였
    다 또한 이전의 법에서 출마가 금지되어 있던 새마을추진위원, 군,읍 면 자문위원 등 법령, 조례에
    의해 임명, 위촉, 선출된 위원들의 출마를 허용하였다(장민지,2017:28).

지만 투표율은 제1대보다 높은 79%를 기록하였다. 이를 두고 유신정부와 공화당은 많은 국민들이 유신체제를 긍정적으로 받아들이고 있기 때문이라고 평가하였다. 이에 대해 높은 투표율은 행정당국의 적극적인 개입과 젊은 유권자들의 참정권 행사 욕구의 고양에 따른 것이라는 분석이 있다(장민지, 2017: 31). 당시를 회고하면서 한 작가는 다음과 같은 경험담을 신문에 썼다.

> 살얼음판 같던 70년대 선거 때였다. 유신 시절엔 대통령도 우리 손으로 뽑지 못했으니까 아마 국회의원이나 통일주체국민회의 대의원 선거였을 것이다. 투표를 안 하는 게 그때 우리처럼 이불 속에 활개 치는 재주 밖에 없는 소심한 소시민이 할 수 있는 유일한 반정부투쟁이었다. 우리는 여덟 식구나 됐는데 막내 빼고는 다 유권자였다. 반장은 아침부터 투표에 한 사람도 빠지지 말라고 성화를 했다. 아무 죄 없는 반장의 성화를 앉아서 견딜 수 있을 것 같지 않아 우리 식구는 각각 외출해 버렸다. 집엔 고등학생 막내와 노환 중인 시어머니만 남았다. 투표시간이 지나서 귀가해 보니 반장의 성화와 위협적인 마이크 소리에 가물가물하는 의식 속에서도 투표를 안 하면 집에 무슨 화가 미칠까봐 잔뜩 겁을 내신 노인이 손자에게 애걸하다시피 하여 투표소까지 업혀가셔서 투표를 하고 오신 뒤였다. 그대의 치떨리는 분노와 참담한 패배감을 어찌 잊을까(박완서, 「용서하되 잊지는 말자」, 『동아일보』, 1997. 6. 23).

당시 서울대학교 학생들은 6월 12일에 일어난 시위의 선언문에서 통일주체국민회의 대의원 선거에 대한 대중의 거부 움직임이 예상보다 미약하게 나타난 이유를 유신정권의 선거 전술 때문으로 판단했다. 학생들은 "정권은 선거에 기권하는 행위를 마치 반민족적이고 반국가적인 악덕인양 선전하고, 심지어는 통반장까지 동원하여 직접·간접의 기권공포의식을 조성하였다."고 강하게 비판하였다. 학생들은 이처럼 동원을 통해 이루어진 선거의 투표율은 "국민적 염원에 기초하지 못한 취약한 독재정권의 자기방어를 위한 말기적 획책"의 결과물일 뿐이라고 주장하였다(민주화운동기념사업회 연구소, 2009: 249–250). 뿐만 아니라 제2대 선거에서는 언론에 제대로 보도되지는 않았지만 노동자들의 지탄을 받았던 인물인 김영태 섬유노조 위원장이 출마하여 노동자들의 반대운동이 일어나는 일도 있었다.[12]

이상에서 본 대로 제1대 통일주체국민회의 대의원 선거는 철저한 통제와 관리 하에서 이루어졌으며 제2대 선거는 다소 완화되기는 했지만 기본적으로 제1대와 크게 다를 바 없었다. 통일주체국민회의 대의원들은 출마 단계에서 당선될 때까지 중앙정보부 등 권력기관의 감시, 통제를 받았고, 당선된 이후의 활동도 극히 제한되어 있어서 국가 최고기관 구성원으로서의 권한을 행사할 수 없었다. 한 전직 공무원은 자신의 회고록에서 통일주체국민회의에 대해 다음과 같이 언급하였다.

10월유신으로 이 땅에 등장한 통일주체국민회의란 대통령을 국민의 뜻에 의하지 않고 관청 더 정확히 말해서 정보기관의 뜻으로 뽑아내는 편리한(?) 기구였다(손점용, 1994: 76).

---

12. 당시 한국노총 섬유노조위원장 김영태는 해고된 동일방직 여성노동자들의 블랙리스트를 만들어 전국 사업장에 돌리는 등의 행위로 지탄받았으며, 부산에서 제2대 국민회의 대의원으로 출마하였다. 이에 동일방직 여성노동자들이 부산으로 내려가 김영태를 비난하는 유인물을 뿌리다가 경찰에 체포되어 구속, 수감되었다(추송례 구술, 2006).

## 3. 통일주체국민회의의 임무와 권한

통일주체국민회의는 통일정책을 심의, 의결할 권한, 토론 없이 무기명투표로 대통령을 선출할 권한, 국회의원 정수의 3분의 1에 해당하는 후보자를 대통령이 일괄추천하면 이를 국회의원으로 선거할 권한, 국회가 발의·의결한 헌법개정안을 최종적으로 의결·확정할 권한을 부여받고 있다. 그러면 통일주체국민회의는 이러한 권한을 얼마나 실질적으로 그리고 주체적으로 행사했는지에 대해 구체적으로 살펴보기로 하자.

### (1) 통일정책 심의·의결권의 행사

통일주체국민회의의 가장 핵심적 존재 의의는 평화통일이라는 민족의 대업을 성취하기 위한 통일정책을 심의, 의결하는 권한을 갖는 기관이라는 것이다. 주요 임무는 통일에 관한 중요정책의 결정, 또는 변경에 있어서 국론통일을 위하여 필요한 경우에 통일주체국민회의 심의에서 재적 대의원 과반수의 찬성을 얻은 통일정책은 국민의 총의로 보게 되어, 통일정책의 최종결정기관이었다.

그렇다면 유신정권은 평화통일을 위한 거시적, 체계적 통일정책을 기획, 작성하여 이를 통일주체국민회의의 심의에 부쳐 의결하도록 하고 그 정책에 따라 통일을 위한 사업을 추진하여야 할 것이었다. 그리고 통일과 관련한 여러 현안 문제들을 통일주체국민회의에 바로 보고하고 그에 대한 대처방안을 심의, 의결하도록 해야 할 것이었다. 또 통일주체국민회의는 능동적으로 정부가 지향해야 할 통일정책 방향을 제시하거나 당시 통일문제를 종합적으로 조사·연구하고 통일방안과 통일 후의 제반 정책 및 국토 통일에 관한 홍보,

선전에 관한 사무를 관장하는 기구인 국토통일원에 대하여 지도기관으로서의 역할을 했어야 할 것이었다. 하지만 통일주체국민회의는 전혀 그러한 역할을 하지 못했다. 국론통일을 위하여 통일정책을 심의에 부칠 필요가 있다고 인정하느냐 않느냐는 오로지 대통령의 판단에 속하기 때문에 통일주체국민회의의 심의권은 매우 제한적인 것이었다(장민지, 2017: 8). 그러면 대통령은 통일주체국민회의를 통일정책의 최고심의결정기관으로 인식하고 실천하였는지를 몇 가지 중요한 사례를 통해 짚어보자.

① 남북대화와 이후락의 기자회견

당시 중앙정보부장 이후락은 남북조절위원장으로서 남북대화를 주관하고 있었다. 당시 언론과의 인터뷰에서 이후락은 남북대화와 통일주체국민회의의 관계에 대해 다음과 같이 발언하였다.

이후락 남북조절위 공동위원장은 2일 오전 영빈관에서 박성철 평양측 공동위원장 대리 일행을 전송한 뒤 기자회견을 열고 "이번 회의는 남북조절위를 탄생시키고 정상적인 궤도에 올려놓았다는데 의의가 있으며 1차 회의로서는 성공적인 의견교환이었다."고 말했다. (중략) 다음은 이날 이 위원장의 기자회견 요지.

유신헌법의 통일주체국민회의와 남북조절위원회와의 관계는?

– 통일주체국민회의와 남북통일문제 관계는 대통령 권한에 속하는 것이다. 다만 남북조절위원장은 어디까지나 대통령의 통일정책에 따른 대통령의 노선과 지시에 의해 역할을 하고 있다. 통일주체국민회의의 통일정책은 이 회의와 대통령 간의 문제고 조절위원장은 대통령의 지시에 따라

활동한다. 조절위원회와 통일주체국민회의는 직접 관계가 있다고 생각하지 않는다. 10월유신은 정신적 뒷받침을 해주었다고 본다(동아일보 1972. 12. 2).

1972년 12월 2일은 유신헌법이 국민투표(11월 21일)를 통과한 직후이며 통일주체국민회의 대의원 선거의 실시(12월 15일)를 앞두고 있는 시점이다. 이런 시점에서 남북조절위원장 이후락의 발언은 통일주체국민회의의 통일정책 심의의결권과 관련하여 매우 중요한 의미를 가진다. 더구나 이후락은 유신헌법 제정의 핵심 인물이므로 유신헌법 추진 주체들의 유신헌법 인식을 단적으로 보여주는 것이다. 그에 의하면 남북대화를 추진하는 남북조절위원회와 통일주체국민회의는 직접 관계가 없으며 조절위는 대통령의 지시에 따를 뿐이다.[13] 즉 통일주체국민회의의 통일문제에 대한 권한 행사 여부는 오로지 대통령의 의향에 달려 있을 뿐이다. 문제는 박정희 대통령이 유신헌법이 시행된 전 기간에 걸쳐 단 한 번도 통일주체국민회의의 통일정책 심의·의결권 행사를 허용한 일이 없다는 사실이다.

② 6·23선언

1973년 6월 23일 박 대통령은 '6·23평화통일외교선언'이란 통일에 관한 중요한 정책을 발표하였다. 그 구체적인 내용은 ①조국의 평화통일을 성취하기 위해 모든 노력을 계속 경주한다. ②남북한은 서로 내정에 간섭하지 않는다. ③남북대화의 구체적 성과를 위해 성실과 인내로 모든 노력을 기울인

---

13. '국론통일을 위하여 통일주체국민회의에 통일에 관한 중요한 정책을 심의에 회부하느냐 않느냐'는 오로지 대통령의 판단에 속하며 이 부의권은 대통령의 자유재량에 따라 행사되는 것이며 반드시 부의해야 할 의무는 없다(갈봉근, 1973: 71~72).

다. ④긴장완화를 위해서는 북한의 국제기구 참여를 반대하지 않는다. ⑤통일에 방해가 되지 않으면 남북한 유엔 동시가입을 반대하지 않는다. ⑥호혜평등의 원칙 아래 모든 국가와 서로 문호를 개방한다. ⑦평화선린을 기본으로 한 대외정책으로 우방국들과의 기존유대를 공고히 한다는 것이었다. 할슈타인 원칙을 버리고 남북교차승인과 유엔 동시가입을 골자로 하는 이 선언은 국제적 화해조류에 발맞춰 폐쇄적인 외교노선을 탈피하려는 긍정성에도 불구하고, 7·4남북공동선언의 통일원칙에서 후퇴하여 한반도에 2개의 한국을 인정함으로써 분단을 영구화시키는 것이라 하여 통일운동세력으로부터 비판을 받았다. 6·23선언을 계기로 북한은 남북대화의 중단을 선언했다.[14]

이처럼 중요한 의미와 결과를 낳은 6·23선언을 발표하는데 통일주체국민회의는 어떤 역할을 했던가? 이 선언을 발표하기 전에 박대통령은 이를 통일주체국민회의에 회부하여 그 정책을 심의·의결하는 절차를 거치지 않았다. 이 선언으로 인해 남북대화가 중단되는 중대한 결과가 발생했음에도 말이다.


③ 3자회담 제안에 대한 대응

1978년 4월, 유고슬라비아의 티토 대통령과 미국의 카터 대통령 간의 정상회담에서 흘러나온 3자회담 제안은 한반도 정세에 상당히 미묘한 파장을 몰고 왔다. 3자회담을 처음 보도한 신문기사를 인용하면 다음과 같다.

미-유고 정상회담 때(3.7-9) 티토 유고 대통령이 "북괴가 한반도 문

---

14. 한국근현대사사전, 6·23선언, 네이버 지식백과

제 해결을 위해 미국과 직접 대화할 용의가 있다"는 내용의 메시지를 전달하자 카터 대통령이 "한국이 참여한다면 평양 측과 만날 용의가 있다." 고 답변, 남북한, 미 3자 회담이 처음 보도됐었다. 그러나 3자회담은 실제로 카터 티토 사이에서가 아니라 이와는 별도로 열린 밴스 미 국무장관과 유고 외상 밀로스 니미치 간의 회담에서 본격적으로 논의되었으며, 미국이 먼저 제의한 것으로 알려지고 있다. 3자회담은 4자회담의 대안으로 내놓은 것으로 평가되고 있는데 미국은 지난해 8월 밴스 국무의 중공 방문을 전후하여 한국에 3자회담 추진을 제의해 온 바도 있다(경향신문 1978. 4. 14).

미국이 북한에 먼저 3자회담을 제의한 데 대해 한국정부는 매우 민감한 반응을 보였다.

정부는 최근 카터 미 대통령과 티토 유고 대통령과의 회담에서 거론된 것으로 알려진 남북한과 미국, 3자회담이 현단계에서 바람직하지 않다는 반대의사를 미측에 전달한 것으로 보이며 금명간 이같은 입장을 공식 표명할 것으로 알려졌다. 정부의 한 당국자는 4일 "미국은 카터 티토 회담 직후 외교경로를 통해 회담에서 거론된 한반도문제의 내용을 정부에 알려오면서 한국의 입장을 타진한 바 있다."고 전하고 이에 대해 한국 정부는 "현 단계에서 남북한 간의 직접대화가 한반도 문제해결을 위해 가장 바람직하며 그것이 여의치 않을 경우 미국이 이미 제의한 바 있는 남북한 및 미, 중공 등 휴전당사자들 간의 4자회담이 이루어져야 한다는 입장을 미측에 전달했다"고 말했다. 한편 3일 하오 워싱턴에 귀임하기 위해 서울을 떠난 김용식 주미대사는 출국에 앞선 공항 기자회견에서 "3자 회담설은 미국과 직접 대화를 열망하는 북괴의 의사를 티토가 카터 미대통령에게 전달, 이에 대해 미국이 한국의 참여 없이는 북괴와 대화하지 않는다는 입장을 밝힌 데서 나온 이야기인 것으로 안다."고 전하고 "우리는 교차승인과 유엔동시가입 불반대를 천명한 6.23평화통일정책을 북괴가 먼저 수락해야 한다는 입장이며, 북괴는 우리가 참여하면 대화를 않겠다고 주장하고 있기 때문에 3자회담은 실현 가능성이 없는 것으로 본다."고 말했다.(경향신문 78. 4. 4)

이러한 3자회담 문제를 둘러싸고 한—미간에 미묘한 신경전이 일자 정부는 이 문제를 국회의장단, 여야 지도부, 정부 관계자들이 참석한 가운데 협의회를 열어 논의하였다.

국회는 26일 상오 국회의장실에서 국회의장단과 여야 지도자 및 최규하 국무총리 등 정부의 안보관계장관이 참석한 가운데 제3차 평화통일협의회를 열고 3자회담 움직임, 북괴의 대미핑퐁외교, 카터 미대통령의 철군정책수정 등 한미현안문제와 KAL기 승무원 송환에 따른 대 소련 교섭 경위 등에 관해 정부 측 보고를 듣고 질의를 폈다. 이날 회의에는 국회 측에서 정일권 국회의장, 구태회 부의장, 이효상 공화당의장서리, 이철승 신민당 대표, 현오봉 유정회 정책위 의장(백두진 의장 대리), 권오태 무소속회 회장, 정부 측에서 최 국무총리, 박동진 외무, 노재현 국방, 이용희 통일원 장관 등이 참석했다.(경향신문 78. 4. 26)

당시 미국, 북한과의 관계에서 통일과 남북대화의 중요한 변화를 야기할 수도 있는 3자회담 문제에 대해 당시 유신정부는 제3차 평화통일협의회에 야당 대표까지 불러 협의를 했으나 통일주체국민회의에는 상정조차 하지 않았고 그 간부 혹은 운영위원들조차 부르지 않았다. 통일주체국민회의는 완전히 소외된 상태에서 통일 혹은 남북 간의 문제가 다루어졌다. 이처럼 통일주체국민회의의 권한 가운데 가장 중요한 통일정책의 심의 · 의결권은 전적으로 대통령의 재량에 맡겨졌고 대통령은 그 재량을 한 번도 행사하지 않았다.[15]그럼으로써 이 권한은 단지 명목 상의 권한으로 존재했을 뿐 아무런 실질적 행사의 기회를 갖지 못하였다. 이는 박대통령이 통일주체국민회의를 그 이름과 달리 통일정책의 심의 · 의결권을 행사할 기관으로서 인식하지 않았기 때문이라고 할 수 있다.

### (2) 대통령 선출권

유신헌법에 의하면 통일주체국민회의는 토론 없이 무기명 투표로 대통령을 선출한다. 대통령은 재적대의원 과반수의 찬성을 얻은 자를 대통령당선자로 하는데 1차 투표에서 재적대의원 과반수의 찬성을 얻은 자가 없을 때는 2차 투표를 하고, 2차 투표에도 재적과반수의 득표가 없을 때에는 최고득표자가 1인이면 최고득표자와 차점자에 대하여, 최고득표자가 2인 이상이면 최고득표자에 대하여 결선투표를 함으로써 다수득표자를 대통령 당선자로 정하는 제도였다. 이러한 대통령 선출권을 대의원들이 어떻게 행사했는가를 살펴보자.

---

15. 유신헌법 하에서 통일주체국민회의 전체회의는 대통령 선출을, 지역회의는 국회의원 일부를 선출하는 목적으로 개최되었으며, 통일주체국민회의를 통하여 의미 있는 단 한 건의 통일정책도 수립된 바가 없다(김승환, 2002 :53).

1972년 12월 23일, 제8대 대통령 선거가 장충체육관에서 열렸다. 여기서
재적대의원 2,359명 전원이 참석하여 2표의 무효표를 제외하고 전부 찬성표
가 나왔다. 이 투표에 참석하여 무효표를 던진 송동헌은 투표장의 상황을 다
음과 같이 묘사하였다.

　　"… 기표소는 도별로 2개씩 있었고 명패함과 투표함이 있었다. 대의
　　원 호수대로 이름을 불렀다. 선관위 여직원 둘이 하나는 명패를 주고, 하
　　나는 투표용지를 주었다. 투표용지는 우편엽서만한 용지였는데 「제8대
　　대통령 투표용지」라고 인쇄되어 있었고 이면에는 '박정희' 이름을 쓰도록
　　흰 여백으로 되어 있었다. 반대 개념이 성립 안 되는 용지였다. 이러한
　　상황에 대해서 나는 의도적으로 목숨을 걸고 유신독재체제를 비꼬기 위
　　해서 투표용지에 '박정희'가 아니라 '박정의'라고 써서 투표함에 넣고 투
　　표장 밖으로 나왔다. … 투표장 안을 살펴보니 선관위 여직원들이 대의
　　원들의 일거수일투족을 살펴보고 있었다. 어떤 대의원들은 의심받지 않
　　기 위해서 공개하다시피 '박정희'라고 자랑스럽게 쓰고, 보이도록 하였
　　다. 실질적인 공개투표가 자행되고 있었던 것이다."[16]

　　1978년 7월 6일 제9대 대통령선거에서도 재적 2,581명 대의원 중 3명이
결석한 2,578명 가운데 찬성 2,577표, 무효 1표로 박정희 대통령이 당선되었
다. 이때 자신이 무효표를 던졌다고 주장하는 박승국은 다음과 같이 술회하
였다.

---

16. 송성빈,2012, 「제8대 대통령 선거 비화— 체육관대통령선거, 통일주체국민회의 대의원 송동헌의 육
　　성기록을 통해 보다」, 「향토연구」 제36집, 충남향토연구회. 275–277쪽.

"1978년 '유신이 구국적 선택인가'를 두고 여야가 대립을 보일 때였지요. 그런데 대통령선거 투표방법을 보니 대의원이 후보자 이름을 투표지에 쓰는 방식이었습니다. '이건 아니다' 싶어 이의를 제기했더니 소문이 퍼져 어느날 도지사가 만나자고 해요. 저는 '민주주의 국가에서 100% 찬성은 오히려 문제가 있다. 공산주의 국가나 독재를 하는 후진국에서나 있을 수 있는 일'이라고 했더니 그들은 개의치 않고 '국가를 위하는 일이라며 협조해 달라.'고 하더군요. 기관원들이 불이익을 주거나 해코지 하지는 않았습니다만, 지금 생각해도 대단한 용기였던 것 같아요."[17]

이상의 증언을 통해 확인할 수 있는 것은 첫째, 대통령 투표방식이 기명식이어서 반대표가 나올 수 없고 무효표만 가능한 구조라는 점, 둘째, 무효표를 던지는 데도 대의원들이 엄청난 심리적 압박감을 받았으며 그 이유는 기관원(중앙정보부)들이 불이익을 주지 않을까 하는 공포감이었다는 점이다. 역으로 중앙정보부의 입장에서는 대통령 선거에서 상당수의 무효표가 나온다면 이는 심각한 문제로 인식되었을 것이므로 가급적 무효표가 나오지 않도록 조직적으로 관리할 필요가 있었을 것이다. 통일주체국민회의의 대의원들이 대통령 선거를 위해 지방에서 상경할 경우 이들을 특정한 장소에 집단적으로 유숙케 하고 잘 대접하기 위해 애를 썼다. 당시의 분위기를 한 전직 공무원은 다음과 같이 전한다.

명색이 「통일 일군」으로 장식된 초대 대의원들은 12월 15일 선거에서

---

17. 박승국,2014, 「모름지기 정치란 민심을 받들고 실천하는 것: 박승국 전 의원(제15 · 16대을 국회의원 인터뷰」, 「국회보」.

선출된 지 5일 만에 제8대 대통령 간접선거를 위해 서울로 향했다. 부산 지구 대의원 103명을 인솔하였던 시청 관계부서 직원들은 괴로운 곤욕을 치뤘다. 22일 밤 서울서 주선한 일류 여관에 짐을 풀자 대의원들 중 일부의 행세가 각별했던 탓이다.

"술 가져 와라."

"노름 밑천을 대라."

"우리를 뭘로 알고 대접이 이 모양이냐? 시장 불러와! 시장이 없으면 부시장이라도 불러라. 우리는 내일 대통령을 뽑을 대의원들이란 말이다."

여러 가지 요구를 하는가 하면 투정이 많았다(손점용, 1994: 76).

이처럼 국민회의 대의원들은 박정희 대통령을 선출하기 위한 거수기집단으로 전락하였다(김행선, 2014: 69). 다시 말해 대의원들이 자유롭게 찬성 혹은 반대할 수 없도록 조직되어 있었으므로 도저히 대의원들의 자발적 의사에 의한 자유선거라 할 수 없었다.

더욱 치명적인 것은 유신헌법이 대통령이 자신을 선출하는 기구인 국민회의 의장이 되도록 규정함으로써 권력구성기관의 장을 피선출될 권력자가 맡는 유례없는 헌법을 제정하여 선출과정 어디에서도 경쟁과 견제의 원리를 적용받지 않도록 했다. 근대 입헌주의를 정면으로 부정하는, 자기가 자기를 선출하는 셈이었다. 동시에 반대당이 국민회의에 진출할 수 있는 통로와 가능성은 원천적으로 봉쇄되었다. 반정부 계열이나 반대당 인사들은 출마에 필요한 유권자 서명조차 받을 수 없었다(김행선, 2014: 69).

이토록 독재적인 대통령 선거제도에 대해 박정희 대통령 자신도 비판했다는 증언들이 있다. 김성진 전 문공부 장관은 한 인터뷰에서 다음과 같이 말했다.

　"통일주체국민회의 대의원들이 대통령을 뽑을 때 토론 없이 투표에 들어가는 조항이 있었습니다. 박 대통령은 '이러면 선거의 기본정신에 위배되는 것 아닌가?'라며 문제를 제기했습니다. 그러나 중앙정보부 실무자들은 '우리가 단합돼 있다는 사실을 북측에 과시하려면 표결 결과를 북한처럼 100% 찬성까지는 못하더라도 대통령이 압도적 다수의 지지를 받고 있다는 결과가 나와야 하고, 그러기 위해서는 토론의 절차를 밟을 필요가 없다.'고 했어요."[18]

　중앙정보부는 박대통령의 문제제기에도 불구하고 북한식의 단합을 과시해야 한다는 강박에 사로잡혀 있었던 것이다. 그리고 박대통령은 그들의 논리를 수용했다. 하지만 대통령 선거제도에 대한 박대통령의 불만은 여전했던 것 같다.

　당시 대통령 경제담당특별보좌관으로 있던 남덕우 전 국무총리도 최근 펴낸 회고록에서 비슷한 증언을 했다. "어느 날 대통령과 특보들이 식사를 같이 하는 자리에서 조심스럽게 정국에 대한 이야기를 꺼집어냈다. 그런데 박대통령은 이렇게 말하는 것이었다. '내가 봐도 유신헌법의 대통령 선출방법은 엉터리야. 그리고서야 어떻게 국민들의 지지를 받을 수 있겠어? 헌법을 개정하고 나는 물러날 거야."[19]

---

18. 김성진 전 문공부 장관 인터뷰(월간조선 2009년 11월호) 참조
19. 고병우 인터뷰(월간조선 2009년 11월호) 참조

만약 박대통령이 대통령 선출방식에 대해 다소라도 이런 인식을 갖고 있었다면 통일주체국민회의라는 기구에 대해서도 엉터리라고 생각했을 것이다. 즉 통일주체국민회의가 유신헌법에 규정되어 있듯이 국민의 주권적 수임기관이자 통일정책을 심의·결정하는 최고기관이 아니라 한낱 거수기에 불과하다는 인식을 대통령이 갖고 있었다면 그가 통일주체국민회의를 장식물로 여겼던 것은 당연한 일일 것이다.

### (3) 국회의원 정수의 3분의 1에 해당하는 후보자 선출권

통일주체국민회의는 대통령과 더불어 국회의원 정수의 3분의 1에 해당하는 의석을 선출할 권한이 있다. 통일주체국민회의의 국회의원 선거 절차는 대통령이 국회의원의 후보자를 일괄 추천하고 통일주체국민회의에서 선거할 국회의원 정수의 5분의 1 범위 안에서 순위를 정한 예비후보자 명단을 제출하였다. 이후 통일주체국민회의 대의원들은 지역회의를 열어 대통령이 추천한 후보자 전체에 대하여 찬성투표를 하여 재적 대의원 과반수의 출석과 출석 대의원 과반수의 찬성으로 당선을 결정하였다. 예비후보자 명단에 대해서도 같은 방식으로 의결하였다. 통일주체국민회의가 후보자 추천을 거부하는 경우에는 대통령은 당선의 결정이 있을 때까지 계속하여 후보자의 전부 또는 일부를 변경한 명단을 작성하여 제출하고 선거를 요구하였다(장민지, 2017: 15).

1973년 3월 7일 지역별로 개최된 제2차 국민회의는 대통령이 추천한 73명의 국회의원 후보와 14명의 예비후보를 포함하여 87명에 대해 찬반투표를 실시해 이를 그대로 선출함으로써 제9대 국회를 구성하였다. 찬성률은 95.63%였다. 제1기 유정회 국회의원의 임기 만료를 앞두고 제2기 유정회 국회의원을 선출하기 위한 제3차 국민회의가 1976년 2월 16일 각 시도별로 개최되어 박대통령이 추천한 국회의원 후보자 73인과 예비후보자 5인에 대한 투표가 있었다. 그 결과 찬성률은 99.4%였다(김행선, 2014: 86-94).

통일주체국민회의의 국회의원 일부 선출권 역시 대통령 선출권과 마찬가지로 거수기 역할에 불과한 것임은 길게 논할 필요가 없을 것이다.

### (4) 국회가 발의 · 의결한 헌법개정안을 최종적으로 의결 · 확정할 권한

통일주체국민회의는 국회가 발의하고 의결한 헌법 개정안을 최종적으로 의결 · 확정하는 권한을 지니며 의결은 재적대의원 과반수의 찬성을 얻어야 한다(유신헌법 제41조). 이는 정파적 정치성이 개재되기 쉬운 국회가 의결한 헌법개정안을 초당적인 입장에서 심의하게 함으로써 헌법 개정에 신중을 기하기 위한 것으로 설명되었다(김행선, 2014: 33). 유신헌법 상의 개헌 발의는 대통령과 국회재적의원 과반수로 가능하나 대통령이 제안한 개정안은 국민투표로 확정되며, 국회의 개정안은 국민회의의 의결로 확정되게 하였다. 이는 국회가 경솔하게 헌법개정안을 의결하는 경우에 이를 방지하기 위한 것으로 설명되었다(갈봉근, 1973: 46). 이는 국회보다 통일주체국민회의가 주권적 수임기관으로서 국회보다 상위에 존재하는 유신헌법의 구조에서 비롯된 것이다.

하지만 유신헌법 기간 중 통일주체국민회의가 이 권한을 사용할 기회는 단 한 번도 없었다. 유신정부는 유신헌법의 개정을 요구하는 국민들을 긴급조치로 단죄하였다. 국회에서 개헌을 요구하는 야당은 구조적으로 과반의 의석을 가질 수 없었기 때문에 개헌안의 발의 자체가 불가능했다. 따라서 이러한 권한은 아무런 실효성이 없는 장식물에 불과하였다.

## 4. 통일주체국민회의 대의원에 대한 예우

통일주체국민회의 대의원에 대한 예우는 유신정부가 상당히 고심하였을 것으로 여겨지는 문제다. 헌법 상 통일주체국민회의가 국민의 주권적 수임기관이자 국가최고기관으로 규정되었지만 대의원들은 급여가 없는 무보수 명예직으로 일관했다. 물론 대다수는 생계에 문제가 없었지만 그럼에도 예우에 대한 불만이 제기되었다. 대의원은 회의출석수당과 여비만 지급받았는데, 특전이 있다면 전화 청약 시 국회의원과 같은 순위를 주고, 해외여행 시에는 관용여권이 발급되며, 대의원을 구속할 때는 법무장관의 허가를 받도록 하였다(장민지, 2017:20). 이외에 원칙적으로 대의원에 대한 물질적 혜택은 없었지만 현실적으로는 그런 요구들이 많았고 그런 요구를 일정하게 수용하는 분위기였다.

### (1)통일정책국민회의 대의원에 대한 예우지침

이와 관련하여 경기도가 1973년에 작성, 각 기관에 배포한 대의원예우지침을 살펴보자. 이 지침의 목적은 "통일주체국민회의 대의원은 … 국민적 대표, 사회지도자임을 자각하여 친절하고 정중하게 영접, 안내, 전송함으로써 대의원의 긍지와 인정감을 갖도록 예우코자 함"이다. 즉 대의원들이 인정감認定感을 갖도록 각급 행정기관이 명예직으로서의 예우를 갖추라는 것이다. 이하에 9가지 항목으로 나누어 예우의 구체적 내용을 적시하고 있는데 다음과 같다.

첫째, 대의원을 각급 행사에 참여시키는 것이다. 중앙이나 시·도의 주요인사 순시 때 대의원을 초청, 접견하고, 시·군에서 연초 운영계획이나 주요 업무 계획 수립 시 사전 설명 및 자문을 구하는 등이다.

둘째, 각급 기관의 간부나 읍·면장의 관내 순시 시 가급적 대의원을 방문한다.

셋째, 각종 행정기관의 자문위원회 등에 대의원을 우선적으로 참여시킨다.

넷째, 사회활동 참여로서 새마을부락 및 불우청소년과 자매결연 등을 주선하여 사회정화를 위한 선구자적 긍지를 갖게 한다는 것이다.

다섯째, 편의제공으로서 일손이 모자라는 대의원 농가에 우선적으로 농번기에 노력봉사 등을 지원하며, 대의원들의 생계 및 공사 간 어려운 일이 있을 때 최대한 편의를 제공한다는 등이다.

여섯째, 홍보활동 및 P.R 협조로서 대민 P.R 사항은 대의원에게 먼저 알리며 대의원들이 유신이념 구현이나 반공 P.R에 앞장서 주민을 계도할 수 있도록 행정지원을 한다는 등이다.

일곱째, 유대강화로서 대의원들의 단체 활동이나 자생조직 모임에 기관장 등이 가급적 참석하여 유대를 도모한다는 등이다.

여덟째, 대의원의 애경사에는 반드시 조문이나 축의를 한다는 것이다.

아홉째, 기타 예우로서 3가지를 들고 있는데 먼저 대의원이 물의를 야기했을 때 여론이 확대되지 않도록 신중을 기해 조속히 수습한다. 다음으로 대의원이 형사 및 행정사범의 대상이 되었을 때 사안의 경중과 신분을 참작, 신중을 기하여 오해 없도록 처리한다. 마지막으로 대의원 상호 간의 알력 발생 시 편파적으로 개입하여 오해를 받는 일이 없도록 한다는 등이다.

이상의 예우 지침을 보면 대부분 명예심을 충족시키는 내용인데 편의 제공도 포함되어 있으므로 경우에 따라 물질적 지원도 가능하도록 되어 있다(경기도, 1973: 1-4).

## (2) 통일주체국민회의 대의원들의 불만과 행태

그러면 통일주체국민회의 대의원들은 현실적으로 어떠한 불만을 갖고 있었는지 살펴보자. 대의원들의 품위유지비(경조사비 기타)가 많이 들어가는데 그에 대한 보상이 없다는 점, 행정관서에서 예우가 부족하다는 점, 물질적 혜택이 없는 점 등에 대한 불만이 많았다. 그에 대해 도시의 대의원 중 본인이나 아들을 회사에 취직을 시켜주는 경우도 있었고 각급 행정기관에 자리를 만들어 보수를 받도록 하기도 했다(장민지, 2017: 20-21). 일부라고는 하지만 자질 미달의 대의원들의 횡포도 적지 않았고 이들을 상대해야 하는 행정기관의 고충도 컸다. 한 전직 공무원은 다음과 같은 사례를 보고하고 있다.

내가 74년 부산시 해운대출장소장으로 있을 때 하루는 어느 구의 대의원이 찾아왔다. "해운대 동백섬 공원에 매점 허가 문제로 왔습니다." "자연경관을 살려야 하는 곳인데 매점이 설 수는 없는 곳입니다." "그 간단하게 몇 평에 불과한 자리에 음료수나 과자 부스러기나 팔자는 것인데 별 문제가 되겠습니까?" "선생님은 통일주체 대의원님이 아닙니까? 통일문제를 연구하고 대통령을 선출하는 점잖은 어른께서 그런 한심한 일에 마음을 쓰십니까?" "대의원이면 뭐 합니까? 누가 밥 먹여주오? 이런 건이라도 하나씩 해야지 … " "의원님 명함에는 XX실업공사 대표잖습니까? 그 곳은 주민들의 말썽 소지가 되면 해드리더라도 당국이 곤란해집니다." "그러지 말고 내가 오늘 저녁을 모시겠어요. 같이 나갑시다." 장시간 끈적거리는 입실랑이를 하다가 끝내 거절을 했더니 그는 돌아갔다. 다음날 본청에서 높은 분에게서 전화가 왔다. "자꾸만 찾아와서 귀찮게 하고 있으니 그 참 … 손 소장 그만 해 주시오." 씁쓸한 날이었다(손점용, 1994: 77-78).

## V. 결어

통일주체국민회의는 유신헌법에서 주권적 수임기관이자 최고기관으로 규정되어 있고 국가의 통일정책을 심의, 의결할 권한, 토론 없이 무기명투표로 대통령을 선출할 권한, 국회의원 정수의 3분의 1에 해당하는 후보자를 대통령이 일괄추천하면 이를 국회의원으로 선거할 권한, 국회가 발의·의결한 헌법개정안을 최종적으로 의결·확정할 권한을 부여받고 있다. 하지만 통일주체국민회의는 유신헌법이 시행되던 기간 중 대통령과 국회의원 3분의 1을 선출하는 일 외에 다른 권한을 행사하지 못했다. 또한 대통령과 국회의원 일부 선출조차 거수기 노릇 밖에 할 수 없었다. 통일주체국민회의는 태생부터 권력기관의 관리 아래 놓여있었으며 어떠한 자율성도 갖지 못한 기관이었다. 이 기관을 실질적으로 지배하는 것은 박대통령이었고, 박대통령은 이 기관의 권한을 3년 혹은 6년에 한 번씩 오직 자신과 국회의원 3분의 1을 선출하는 데만 이용했다. 그 외의 시간에 통일주체국민회의가 한 일은 1년에 한 번씩 정부의 통일안보 보고를 듣는 일, 유신체제의 홍보, 반공 및 총력안보 정신 홍보, 새마을사업이나 지역개발사업에의 참여, 세미나와 산업시찰 등이었다(김행선, 2014: 67-127). 통일주체국민회의는 국가의 최고기관이 아니라 전국 각 지역에서 유신체제를 지지, 홍보하는 선전대에 지나지 않았다.

## 참고문헌

### 1. 기사

강성재, 「통일주체국민회의의 대통령 선출의 내막」, 『신동아』 1986.

고병우 인터뷰, 「유신 2기 대통령 임기 종료 1년 전에 사표 낼 계획」, 『월간조선』 2009. 11월호.

김성진 인터뷰, 「박정희, 신직수 씨를 청와대 법률특보로 임명, 퇴임 준비」, 『월간조선』, 2009. 11월호.

송성빈 인터뷰, 2012, 「제8대 대통령 선거 비화 - 체육관대통령선거, 통일주체국민회의 대의원 송동헌의 육성기록을 통해 보다」, 『향토연구』 제36집, 충남향토연구회.

박승국 인터뷰, 2014, 「모름지기 정치란 민심을 받들고 실천하는 것 : 박승국 전 의원(제15·16 대 국회의원) 인터뷰」, 『국회보』.

동아일보(1972. 12. 9, 1997. 6. 23, 1972. 12. 2)

경향신문(1978. 4. 4, 78. 4. 14, 78. 4. 26)

### 2. 논문

갈봉근, 1973, 「통일주체국민회의의 역할론」, 『국민회의보』1, 통일주체국민회의 사무처.

강성현, 2015, 「예외상태 상례의 법 구조에 대한 비교 연구」, 『사회와 역사』 108집.

구범모, 1976, 「유신체제와 국민회의」, 『국민회의보』 제15호, 통일주체국민회의 사무처.

김민배, 1997, 「법체계를 통해 본 박정희 유신정권」, 『역사비평』 1997년 5월호.

김선택, 2007, 「유신헌법의 불법성 논증」, 『고려법학』 49권 고려대학교 법학연구원.

김선택, 2015, 「유신헌법 제53조와 동조에 근거한 긴급조치 제1, 2, 9호의 위헌여부에 관한 의견」, 『헌법연구』 제2권 제1호.

김승환, 2002, 「유신헌법 하에서 헌법학 이론」, 『공법연구』, 한국공법학회.

서중석, 2013, 「박정희 유신체제의 정치적 성격」, 『역사와 책임』 4호.

성낙인, 2002, 「유신헌법의 역사적 평가」, 『공법연구』 31호, 한국공법학회.

성낙인, 2000, 「프랑스 제5공화국 헌법과 유신헌법 상 대통령의 긴급권에 관한 비교 연구」, 『공법연구』 28호, 한국공법학회.

신종대, 2005, 「유신체제 수립 원인에 관한 재조명」, 『사회과학연구』 제13집.

이송순, 2016, 「1970년대 한국 대중의 정치의식과 '반공국민'으로 살아가기」, 『민족문화연구』 71호, 고려대학교 민족문화연구원.

임헌영, 2013, 「유신과 문화」, 『역사와 책임』 4호.

장민지, 2017, 「통일주체국민회의 대의원의 선거와 활동」, 숙명여대 석사학위 논문.

정태욱, 2013, 「유신체제에 대한 하나의 평가: 법의 분야를 중심으로」, 『역사와 책임』 4호

정태헌, 2013, 「경제발전을 위해 '반드시' 넘어야 하는 유신체제와 그 유산」, 『역사와 책임』 4호

최연식, 2011, 「권력의 개인화와 유신헌법」, 『한국정치외교사논총』 제33집 제1호.

최형익, 2008, 「입헌독재론: 칼 슈미트의 주권적 독재와 한국의 유신헌법」, 『한국정치 연구』 17
　　　집 제1호, 서울대학교 한국정치연구소.

황병주, 2011, 「유신체제의 대중인식과 동원 담론」, 『상허학보』 32호.


3. 단행본

갈봉근, 1973, 『통일주체국민회의론』, 광명출판사.

김철수, 1979, 『한국헌법론』, 박영사.

김영수, 2000, 『한국헌법사』, 학문사.

김행선, 2014, 『유신체제기 통일주체국민회의의 권한과 활동』, 도서출판 선인.

김형욱 · 박사월, 1985, 『김형욱 회고록 – 제Ⅲ부 박정희 왕국의 비화』, 아침.

문일석, 1993, 『비록 중앙정보부 Ⅱ』, 아침.

민주화운동기념사업회 연구소 엮음, 2009, 『한국민주화운동사 · 2』, 돌베개.

배성인 외, 2013, 『유신을 말하다』, 나름북스.

손점용, 1994, 『싹쓸이시대』, 지평.

심용환, 2017, 『헌법의 상상력』, 사계절

이경재, 1986, 『유신쿠데타』, 일월서각.

조르조 아감벤 저, 김항 옮김, 2009, 『예외상태』, 새물결

조우석, 2012, 『박정희 한국의 탄생』, 살림


4. 자료

경기도, 1973, 통일주체국민회의대의원예우지침.

추송례 구술 자료(차성환 면담, 2006)

계엄령 이후 구 시청 앞의 탱크

# 10.18 마산민주항쟁에서 계급행동

## 이 은 진

경남대학교 사학과 명예교수

## I. 머리말

부마항쟁에 대한 역사해석에 이견이 등장하고 있다. 부산항쟁 진상규명 위위원의 평가(참여 당사자), 참여 당사자의 소설 발간(정광민, 2016), 부마항쟁 관련자 단체들 간의 갈등이 표면으로 등장하였다.[1] 사실의 측면은 사실 관계로서 다툼을 벌이면 가능하나, 사실에 대한 해석에 들어가면, 갈등의 해결은 역사 해석에 대한 틀의 문제로 넘어간다.

역사해석이 당사자들의 이해관계에 근거하면, 해석에 대한 합의는 어려워진다. 그러나 역사의 흐름에 대한 지식을 바탕으로 접근하면, 역사 해석도 어느 정도는 참여 당사자간의 합의는 가능하다. 더욱 거시적인 역사해석, 민주주의, 민족국가 성립, 기본권의 향상과 같은 거시적인 주제 또는 문명사적 주제로 넘어가면, 역사관의 문제가 된다. 그러나 부마항쟁 당사자들 간의 참여자로서의 해석의 역할론, 평가방식에 대한 차원에서는 갈등이 심화될 가능성이 높다. 갈등해결의 방법은 역사의 무대라는 사회적 장에서 발생하는 집합행동을 계급적 관점에서 해석하려는 시도에서 찾을 수 있다.

### 1. 계급 상황

1979년 부마민주항쟁에 대한 기존의 평가는 세가지로 나눌 수 있다. 즉 도시 빈민 (유랑 노동자)에 초점을 맞추는 방식, 노동자의 불만과 정치의식에 초점(계급전)을 맞추는 방식, 대학생의 역할을 강조하는 방식이다. 그러

---

1. 부마민주항쟁 진상규명 및 관련자 명예회복심의위원회의 운영과정에서 나타난 위원들의 선임, 사퇴 등의 일련의 과정에서 나타난 현상을 지칭한다.

나 계급별로 구분하여 하나를 강조하기 보다는, 총체적인 접근, 즉 행위자간의 상호작용, 상호간의 사회적 기대의 내용과 밀도에 초점을 맞추는 것이 중요하다. 이는 계급을 하나의 독립된 실체로 보기보다는 계급은 사회의 계급구조, 계급간의 상호작용에 의거하여 형성되고 있다는 점을 의식한 것이다.

당시 마산의 계급상황을 개략하기 위해 직업별 인구구성을 살피면 다음과 같다. 즉 마산인구 38만명 중 수자지역 노동자 31천명, 일반제조업체 노동자 22천명, 고교생 28천명, 대학생 6천명으로 구성되어 있다. 즉 노동자계급이 15% 정도, 학생이 8%정도이다. 성인인구 비율로 추산하면, 즉 인구의 1/3정도가 성인이라고 가정하면, 노동자에 의존하여 가계를 영위하는 마산인구는 거의 저절반에 이른다. 이들은 일차적인 경제활동인구라고 한다면, 이들의 활동에 의존하여 이차적으로 생계를 유지하는 유동인구층이 있다.

마산에는 상당수의 유동인구가 존재하고 있었다. 학생들, 경제활동인구들 중 상당수(창원공단, 마산수출자유지역, 한일합섬)가 바로 그들이다. 1960년 3.15와 비교하면, 당시에는 일본 귀환민, 북한이주민, 피난민들 중 잔류자들이 마산에 누적되어 있었던 상황이고, 1979년은 공업단지 조성으로 외지의 인구 중 특히 20세 전후의 남성, 그리고 더욱 많은 10대 중후반의 여성 노동자들이 마산에 거주하고 있었다. 당시 인구는 42만 명 정도(현재 마산의 영토를 기준으로) 중 반수 이상이 외지 유입인구인 것으로 추정된다. 따라서 이들 대부분은 하숙이나, 기숙사에서 숙식을 해결하면서, 상대적으로 연고에서 자유로운 사회관계를 형성하고 있었으며, 이것이 사회적 권력의 공백기에 폭발적인 참여를 불러온 요인으로 평가된다. 이들은 정착민적 네트워크와는 대조적으로 유목민적 네트워크를 지녔을 것으로 짐작할 수 있다.

즉 전통적 연고(가족, 마을)을 벗어나 익명적인 사람들 간에 새로운 네트워크를 구성했다. 이는 하숙, 술집, 직장, 애인, 이웃으로 나타날 수 있다.

## 2. 계급 구분

일단 계급적인 분류로서 공식적 비공식적 무산자 집단과 유산자 집단으로 나누는 것, 그리고 일반적으로 촉매작용을 한다고 인정되는 지식인 집단으로 나누는 것이 적합한 것 같다. 이런 의미에서 1979년 10월 18일 마산민중항쟁의 상황에서는 다음과 같은 분류가 적당할 것 같다. 지식인집단은 경남대학생과 거리의 지식인(유랑지식인), 노동자는 조직노동자(안정적인 노동자계층)와 자유 노동자, 그리고 마지막으로 자영업자층을 시위에 참여한 자산가층으로 보는 것이다. 물론 이러한 집단 분류는 한편으로는 자의적이기는 하지만, 대부분의 시위가 지식인과 무산자 계층이 결합하여 발생한다는 점을 고려하면 그리 특이한 것도 아니다. 지식인은 분명하게 시위를 모의하고 주도한 경남대학생과 거리에서 결합한 대학생 계층으로 나누었으며, 무산자 층은 비교적 안정적인 수입을 보장받고 있는 집단인 조직노동자 집단과 불안정한 종사상의 지위와 보상을 향유하는 자유 노동자 층으로 나누었다.

마산민주항쟁의 총구속자 1563명 중, 군법회의에 회부된 87명와, 형선고 20명(학생 7명, 노동 1명, 공원 3명, 서적상, 엠네스티 부산지부 간부, 직공, 무직 4명, 목공 1명, 상인 1명)(김성선, 2016: 173)을 대상으로 이들의 직업을 분석하면 다음 [표 1]과 같다. 군법회의 회부자는 상대적으로 소요죄에 해당하는 적극적 폭력행위자로 분류된 사람들이다. 따라서 마산민주항쟁의 적극적 시위자들의 계급구성을 가늠할 수 있다.

| 직 업 | 분 포 |
|---|---|
| 학생 | 17명 |
| 공원, 실습생, 종업원 | 7명 |
| 목공, 전공, 석공, 양복공, 점원, 요리사 | 6명 |
| 노동 | 5명 |
| 사원, 강사 | 5명 |
| 상업 | 2명 |
| 농업 | 1명 |
| 무직 | 3명 |
| 합계 | 46명 |

[표 1] 마산 피고인의 직업 　　자료: 이은진, 2008: 25

또한 마산시위에서 즉결 심판에 회부된 사람들(121명)의 직업은 다음과 같다. 중고등학생과 재수생이 15명, 전문대와 대학생이 8명, 월급을 받으면서 일을 하는 공식분야 취업자가 38명, 노동자가 11명, 자영업 또는 가족종사자가 36명, 무직이 13명으로 기록되어 있다. 따라서 즉결심판 회부자의 65%는 경제활동을 하고 있는 사람으로 볼 수 있다. 즉, 높은 세금과 경제 불황에 영향을 받은 사람들이라고 추정할 수 있다. 따라서 당시 시위 주체의 특징은 (1) 대학생들이 주동한 점, (2) 시위동조자들은 육체노동자들이었으며, (3) 밤 늦은 시위에서는 자영업자들이 동원되었고, 10월 19일에는 고등학생들이 적극적으로 참여하였다는 점을 들 수 있다.

## 3. 계급 행동의 유형

계급행동의 유형은 다음 7가지로 분류하였다. 이론적 근거보다는 마산민주항쟁의 재판기록을 섭렵하면서, 확인한 참여행동을 분류하고, 분류에 근거하여 계급상황을 추론할 수 있다고 판단하였다.
(1) 모의자 - 대학생(외부 지식인들과의 교류)
(2) 조직자 - 학내 조직자, 거리의 조직자

(3) 선동자(시위촉발자) - 학내의 선동자, 거리 시위의 선동자

(4) 폭력가(시위중 돌을 던지고 각목을 들고 다닌 사람들) - 방어적 폭력자

(5) 파괴자(건물 파괴, 면접적 상태에서 대인 폭력 행사)

(6) 구경자(거리에서 관찰하고 행동하지 않은 사람들) - 기회적 참여자

(7) 방관자(건물 내에 머무른 사람들) - 고뇌의 기회 고민자.


## 4. 자료 검토

시위에 참여한 시위군중들의 계급적 성격을 기분으로 (1) 김원 (2006), 도시폭동, (2) 미국대사관 보고, 계급전, (3) 경찰보고, 시위계층에 대한 보고, (4) 이은진, 조직노동자와 주변노동자의 구분 등으로 4가지 해석이 존재한다.

이 논문이 활용한 자료는 다음 7가지이다. 자료가 특정되지 않았지만, 가용한 일차자료에 의거하여 서술하였다.[2]

(1) 재판기록 - 이 글에서 특별히 명기가 되지 않고 인용되는 참여자의 진술은 재판기록에 의거했다.

(2) 부마민주항쟁 진상규명 및 관련자 명예회복 심의위원회 수집 자료중, 경찰과 군자료.

(3) 부마민주항쟁기념 사업회, 1989, [부마민주항쟁 10주년 기념 자료집]

(4) 부마항쟁 기념사업회 엮음, 2011, [부마항쟁 증언집: 마산편, 마산, 다시 한국의 역사를 바꾸다](창원: 불휘 미디어) 40명의 증언들 -〉노동자 등 13명 채록

1) 피살자 가족: 유성국(마산거주, 19세, 아버지가 피살되다)

---

2. 이 글에서 이미 이름이 인쇄물로 공간되어 있는 자료는 자료에 나와 있는 실명을 사용하였고, 미공개 자료를 활용한 것은 익명으로 처리하였다.

2) 재판회부자: 주대환(서울대 제적, 마산거주, 25세), 지경복(마산거주, 17세), 황성권 외국어대 휴학생, 26세, 부산에서 검거)

3) 피검자: 양석우(기획사 운영, 27세), 진이호(메이커 가구 대리점 운영, 26세), 정혜란(마산거주, 24세, 부산에서 피체)

4) 참여자: 김태만(창원공단 대한중기, 24세), 박홍기(자동차보험 대리점 운영, 28세), 손해규 (마산시민, 29세), 이승기(마산시민, 40세), 정현섭(마산시민, 23세), 한철수(회사원, 27세)

(5) 정주신, 2017, 「10월 부마항쟁사: 유신체제의 붕괴」 중 참여기록.

(6) 민주주의 사회 연구소 엮음, 2013, 「부마민주항쟁 증언집 부산편 2」 (부산민주항쟁기념사업회) 노동자 10명, 자영업 5명 증언 수록

(7) 차성환, 2009, 「참여노동자를 통해서 본 부마항쟁 성격의 재조명」(부산대 정외과 박사학위 논문)


## II. 학내 시위

### 1. 모의자

대학생 집단은 상대적으로 국가나 사회의식이 투철하고, 사회경제적 조건의 구속에서 벗어나 있으면서 자율적인 집단이다. 물론 여기에는 고등학생까지도 포함될 수 있다. 왜냐하면 1970년대까지만 하여도, 고등학생은 가족 내에서 하나의 특권적인 지위가 부여되어 나머지 가족의 희생에 바탕하여 선발되어 교육을 받게 되게 때문이다. 따라서 고등학교 교육이 대중화된

현재와는 달리 당시에는 고등학교 학생은 가족과 사회적로부터 도덕적인 의무감을 부과받고 있던 시기이다. 따라서 이들은 상대적으로 사회의식이 강하였다. 당시에는 거리에서 배회하는 재수생들까지도 포함하여 사회적으로는 지식인적 역할을 담당하였다. 반면에 독립적인 지식인은 상대적으로 발달되어 있지 않던 시기로 볼 수 있다. 기껏해야 교육기관에 고용되어 있는 교육자들이 사회적으로 지식인으로 인정받고 있었다.

1979년 경남대 학생들의 특징은 1세대 대학생이라는 점이다. 즉 자기 가족에서 처음으로 대학 생활을 경험하는 세대의 등장이었다. 이는 가족들의 구성원이 상승하는 상공인 계층이거나, 하강하는 전통엘리트 계층이었을 것으로 추정한다. 이는 두가지 면에서 현재의 대학생 층와 구분된다. 하나는 가족의 사회적 기대이다. 가족들은 한편으로 대학생 자식이 가족을 대신해서 계층간 상승이동을 추구하면서도 동시에 사회적 책임감을 지닌 대학생을 상정하고 있다. 이는 비단 가족들의 바램일 뿐만 아니라, 사회적 기대에서도 대학생은 사회적인 의식면에서고 가족을 넘어서 사회적인 문제에 관심을 기울이도록 요구하였다. 그러나 반면에 학생들은 학내 사회관계애서는 학과, 학년, 고향과 동창 연계와 같은 전통적인 연고 동질성에 기반한 공동체 의식을 강하게 지니고 있었다. 이는 겉으로 드러나는 학내서클의 부진이라는 일각의 주장과는 배치되는 해석을 가능케 한다(문교부, 1970. 1월, [대학교육에 있어서의 과외활동 장려방안] (1970. 1. 9일 자 [조선일보]). "학생운동이 부진하고 침체되어 있다고 피부로 느끼는 것을 위의 통계가 어느 정도 뒷받침해 주는 듯하여 번잡스럽기는 하지만, 참조로 나열해 보았다"(남재희, 1970: 171). 그러나 학생들의 생활은 상당수가 학교가 단순한 교육을 위한 장소만이 아니라, 생활공동체의 성격을 지니고 있었다. 즉 학교인근에서 하숙을 학생들이 대부분이었으며, 이들은 학숙공동체를 기반으로 사회적인 의식을 공유하고 있었다. 아마도 전통적인 연고공동체를 대신하는 역할을 담당하고 있었을 것이다. 이들은 가족들이 경험하지 못한 이질적인 사회관계에 기반한 세계관과 인간관을 경험함에 따라, 정체성의 불안감을 해소하기 위해 학교를 기반으로 하는 연고와, 주거 공동체에 몰입되었을 가능성이 높다.

이에 더하여, 대학생들은 과목이나 강좌에서의 내용과 방식은 일방적 주입적이기는 하였어도, 그 내용은 강한 민주주의와 민족주의적 가치를 주입하는 내용이었다. 따라서 당연하게도, 이들 학생들의 이념은 민주주의와 민족주의에 기반한 성격이었고, 유신정권이 주장하는 한국적 민주주의, 그리고 민족주의적 성격은 오히려 대학생들에게 더욱더 민주와 민족의 가치에 의식을 맞추는 계기가 되었다(남재희, 1970: 174).

당시에 대학생들의 경제적인 상황은 취업 어려움과 사회적 불만으로 특징지어진다. 1979년은 경제적인 불황이 강하게 영향을 미치던 시기이다. 이는 시위자들에게 세 가지 면에서 영향을 미쳤을 것으로 예상할 수 있다. (1) 하나는 학생들의 경우에는 대학 졸업 후에 취직되기가 어려우므로 현재의 체제를 어떤 형태로든지 변화시키는 것이 필요하였다. 이는 표출되지는 않았지만, 시위 참가의 강한 유인이 되었을 것이다. 반대로 시위 참가에 따른 손해의 크기가 작아 졌음을 의미한다. (2) 둘째로 경제 불황에 대한 피해가 노동자가 상대적으로 밀집되어 있는 마산지역에서 더욱 심하게 그 피해가 나타나고 있었을 것이라고 짐작할 수 있다. 정 인권은 당시의 석유파동이 미친 영향을 강조하면서, "특히 근로자들 중에서도, 최대의 열악한 근로환경과 임금 속에서 허덕이는 마산의 공단사정은 타 지역보다 이곳의 불안과 근심을 더욱 가중시켰을 것이다"라고 분석하고 있다. (3) 세 번째로 경제적인 불황에서 대부분의 시민들이 겪고 있는 어려움과는 반대로 일부의 부유층들은 여전히 잘살고 있었다는 점에서 공동체의 위기, 그리고 경제적 불황의 원인 제공자로 이들을 지목하여 시위의 대상이 되었을 것으로 해석할 수 있다. 한 양수는 데모 동기로 "아직도 악덕기업체가 많다고 생각하여 이를 시정하여야 되겠다고 생각했다"고 진술하고 있다. 또한 신 정규는 시위 도중에 용마 맨션이 피해가 컸다고 지적하면서 그곳에 공화당사가 있었고, 그리고 가장 부유층이 사는 아파트였기 때문이라고 지적한다. 같은 맥락에서 정 인권은 석유파동의 영향이 차별적으로 미친 점을 지적한다. "그때는 서민들이 석유구하기 전쟁이었는데, 그래도 버젓이 굴러다니는 자가용을 보고 있노라면 정말 울화통이 치밀어 올랐으니까…"

## 2. 조직자

당시의 마산 시위의 조직자에 때해서는 경찰의 기록이 존재한다. 즉 써클을 중심으로 시위조직의 논의가 진행되고 있었으며, 마산경찰서에서의 수사기록에서는 5명이 하나의 집단이 되어서 논의를 진행해 온 것으로 묘사하고 있으나, 관련자들의 진술에 따르면, (1) 정인권, 한양수, 장정욱이 하나의 논의 틀을 갖추고 있으며, (2) 정성기와 신영규는 10월부터 독자적인 모임으로 등장하고 있다. 이 두 그룹 사이의 매개 역할을 한 이가 정인권으로 드러나고 있다.

서클조직은 상대적으로 선진적으로 시위를 기획하고 이끈 조직으로 평가할 수 있으며, 과조직은 시위에 조직적인 뒷받침을 해준 역할로 상정할 수 있다. 경찰의 수사 기록에 의거하면, 서클과 과조직의 결합 방식은 (1) 신정규와 정성기 정인권에게 사상적인 지도를 하였다. 사상적인 지도라는 표현은 경찰수사기록을 그대로 인용한 것이기는 하지만, 서클이 사회의식을 배양하는 조직이었다는 점은 분명하다. 반면에 정인권의 입장에서는 3년 선배들은 행동은 약하고, 이론은 강한 사람으로 묘사되면서, 어느 정도 시위에서의 역할 분담을 가정하고 수용하고 있었다. 3학생들이 아닌 2학년인 정인권이 주동한 이유는 모인 사람들이 2학년이 주동자가 되어야 한다고 하였고, 3학년들은 의지가 약하기 때문에 정인권이 주도하였다고 진술한다. (2) 또한 한양수와 박인준은 학생집결 책임적 행동대의 역할을 담당하였다. 최재호와 한양수 간에 타협이 있었다고도 진술되어 있다. 즉 시위의 조직에서 한 사람이 주도한 것이 아니라, 서클과 과조직, 그리고 이에 동조하는 학생들로 이루어져 있음을 알 수 있다.

그러면 어떻게 쉽사리, 경남대 학생들은 시위에 동원될수 있었는가? 이들의 사회관계적 조건에 그 답이 있다.

(1) 대학생들은 가족, 지역사회와 같은 연고 영향력에서 자유로운 점을 우선 지적한다. 또한 당시 20세 전후의 나이를 가진 사람들 세대의 역사적인 경험 분석이 시위에 가담하게 된 동기를 파악하는 중요한 관건이 될 것이다. 즉 1960년 전후에 출생하여 1960년대와 1970년대에 사회화가 된 세대이다. 즉 전형적인 박정희 체제에 의한 정치사회화가 된 세대라고 평할 수 있는 세대가 오히려 역으로 박정희 정권을 타도하는 시위에 앞장 선 셈이다. 따라서 이들의 일상생활, 학교 캠퍼스, 직장, 가족 생활에서 나타난 박정희 체제에 대한 저항의 뿌리를 이해하여야 시위의 촉매가 된 점을 이해할 수 있을 것이다. 당시의 20세라는 나이가 갖는 의미는 현재 20세가 갖는 의미와는 매우 다를 것이다. 즉 당시 20세는 이미 경제활동을 시작하여 스스로 자립하여야

하는 나이였으며, 이는 가족 내 생활에서는 물론이거니와, 사회와 시민적 생활에서도 마찬가지 상황이다. 현재는 20세는 가족 내에서 의존적이고, 사회나 시민적 의식도 약한 세대로 인식되고 있다.

대학생들은 희생적으로 시위를 하지는 않으나 항상 민중의 앞에 서서 시대의 앞날을 예견하고, 시대의 문제를 항상 자신의 것으로 소화하여 해결하고자 하는 의지가 강하였다. 물론 대학생 독자적으로 시위가 성공하지는 않지만 사회의 발전을 이끈 시위는 항상 지식층의 결합이 있었을 때 성공하였음을 알 수 있다. 경남대학생들의 선도적이며 희생적인 시위는 뒤이어 발생한 노동자층의 결합과 시민들의 참여로 성공하였지만, 시위를 촉발시킨 것이 경남대학생의 시위였다는 점만은 분명하다. 이는 1960년 3.15 시위나 4.11 시위 때 경남 대학생(당시 마산대학교)이 가장 뒤늦게 참여한 것과는 대조적인 현상이었다.

(2) 두 번째는 학생들 간에는 다른 사회적 집단과는 다른 정보교류의 자유로움이 있었고, 특히 중앙정치에 대한 정보에 대해 노출되어 있는 점이다. 당시 시위를 모의한 정성기에 따르면, 대학생들은 유신체제하에서, 2학기 초부터 이어지는 급격한 시대적인 상황을 공유하면서, 대학생들이 공분하고 있었다고 주장한다(정성기 인터뷰, 2007. 10. 2). 대학생들은 상대적으로 가족, 지역사회와 같은 연고 영향력에서 자유로운 편이다. 특히 대학생이라는 신분에서 오는 경제적인 압력에서의 자유로움, 그리고 상당수 학생들이 그렇듯이 고향이나 가족을 떠나 거주하는 환경에서 오는 혈연과 지연과 같은 연고에서 오는 영향으로부터 배제된 상황이었다. 이는 한 양수가 1980년 1월 25일, 재판부에 제출한 항소이유서에서 나타난다. "이러한 모든 일은 사회에

물이 들고 병들고 노쇠한 기성인들 보다 젊은이들의 외침이야 말로 국민 모두의 시원한 마음을 만들어 주리라 생각되었다. 결국 이번 마산에서 일어난 유신반대 학생사건은 조그마한 마산의 질서 혼란보다 대국적으로 조국의 미래를 생각할 때 일대 큰 운동임은 틀림없을 것이다. 이것은 고국의 민주주의 발전을 위한 큰 움직임에 틀림없을 것이다."

대학생들은 사회관계에서 오는 연고적 압력에서 자유로울 뿐만 아니라, 상대적으로 정보교류 면에서 자유로왔다. 즉 중앙정치에 대한 정보에 대해 노출되어 있고 쉽게 수용할 수 있는 태세가 갖추어져 있었다. 따라서 당시 외지의 사회활동과 연계된 지역의 거점에서 나오는 정보를 쉽게 접근하고 수용하였다. 최갑순은 이러한 경험을 "1979년 대학 3학년 때 옥정애 (월남성당에 다닌다)와 같이 정부에 대한 생각을 토로하고, 가톨릭계의 집회에 참석하면서 결정적인 계기가 된 것이 오원춘 씨 양심선언[3]을 알리는 월남성당의 집회에 참가한 후다"(10주년 자료집: 176–182)라고 진술하고 있다. 당시의 시위에서는 긴급조치 9호가 금지한 정부에 대한 비판을 할 수 없는 조치에 대한 강한 반발이 담겨 있었다. 한 양수는 데모 당시의 구호 중에 하나로, '학원 자유'가 나왔으며, 특히 학내 데모의 구호는 '학원 자유보장'이었다고 진술하고 있다.


## Ⅲ. 거리의 낮 시위

거리의 낮시위에 대해서는 그 시위의 규모, 거리 시위의 조직자, 시위의 강도와 격렬성에 대해 참여자들 가운데 논란이 있다. 논란의 원인은 시위가

---

3. 1979년 7월 17일 정의구현사제단은 오원춘 납치 폭행 사건과 관련한 오원춘의 양심선언을 발표한다.

아주 강력하게 전개되지 않았다는 점을 방증한다. 다만 시위가 있었다는 점만은 확실하다. 1979년 10월 18일 경남대의 상황은 당시 비슷한 시기의 전국적인 대학생황, 10월 16일부터 있었던 부산의 대학생위를 여두에 두고 평가하여야 한다. 즉 10월 15일부터는 통상적으로 유신반대 시위가 시기적으로 반복되고 있었으므로, 경찰들도 평상시 보다는 더욱 강화된 경비태세를 갖추고 있었다. 유신체제에서는 평상시에도 대학 캠퍼스에 정보경찰과 시위에 긴급대처할 수 있는 소수의 경찰을 잠복배치시키고 있었던 상황이었다. 그리고 더구나 10월 16일 이후 발생한 부산 대학생시위에 자극받아 경찰은 더욱 대학 캠퍼스내에서의 학생들의 시위 관련 상황을 모터너하고 있었다. 그럼에도 불구하고, 경남대 캠퍼스에서는 시위가 발생하였으며, 이것이 시내로 확산되었다. 경찰의 보고에서는 시위의 사전 발견이 실패했다는 점보다는 시위 발생후 대처가 미숙했다는 점을 강조하고 있다. 즉 시위에 대한 정보수집에는 성공하였으나, 시위 대처는 과잉대처로 시위를 키웠다는 점을 지적한 것이다. 시위 벽보도 발견하여 수거하였고, 시위 발생의 조짐이 나타나자, 학교당국과 협의하여, 휴업을 선언하였다. 그러나 휴업의 선언이 오히려 학생들의 반발을 샀고, 학생들은 교문 앞에서 경찰과 대치에 들어갔다. 사실상 교문 대치를 학생시위가 뚫은 것은 아니었고, 부산과 유사하게, 학교 담을 싸고 좁은 길을 통해 시내로 진출한 것이다. 진출하는 과정의 격렬성에 대해서는 논란이 있지만, 시위의 발생을 인식시키는 정도는 있었지만, 시위가 경찰과 대치하는 상황이라고 보기는 어려웠다.

경찰의 시위 진압에 대한 평가는 과감하지 못한 대처가 시위를 키웠다는 평가와 시위대를 자극하는 대처가 시위대의 응집력을 키웠다는 지적의 두가지 다른 평가가 있다. 어느 퍼여가가 옳을지는 판단할 수 있는 근거는 없다.

그러나 전반적인 상황을 염두에 둔다면, 시위에 대처하는 경찰의 태도는 정상적인 경로를 걷고 있었던 것으로 보는 것이 타당하다. 즉 경찰의 시위 진압은 대체로 정상적인 방식으로 진행되고 있었고, 시위가 완전히 진압되지는 못했다고 하더라도, 시위대를 키우는 방식은 아니었던 것으로 판단된다. 왜냐하면, 당시의 시위진압은 전국적으로 캠퍼스에서 행해지던, 시위진압에 비해 그다지 특이한 양상이 보였다고 여겨지지 않는다. 오히려 마산시위의 특징은 부산과 마찬가지로 시위대를 목격한 거리의 시민들의 반응의 차이에 있었다.

### 1. 대학생들의 동료의식

시내에서 경남대생들은 자신의 지위와 역할, 책임감을 갖고 시위를 조직하고 이끌고 있었던 것으로 분석된다. 대학생들 대부분은 시위 모의에 직접 참가하지는 않았지만, 시위에 동조하고, 더 나아가 학교 캠퍼스를 뛰쳐나와 적극적으로 시내로 진출하여 지휘부에 동조하고 적어도 비가 오기 전이나, 밤 늦기 전까지는 시위를 주도했다. 가두의 시위가 분산적으로 발생하였음에도 불구하고 애초에 의도한 것과 비슷하게 수출자유 지역 방향으로 시위대가 흘러가고, 구호와 함성을 유지하고 있었던 것은 교내에서부터 시위에 참여한 세력이 시내의 시위를 주도하였기 때문이라고 분석된다. 물론 상당수 대학생 피의자들은 자신들이 시내에서 시위에 참여하였다고 진술하고 있기는 하지만, 시위에 이미 진출해 있는 학내시위자들이 경남대학생으로서 동질감을 느끼고, 상호간의 신뢰에 바탕한 의사소통이 이루어져 시위에 합류하게 된 것으로 분석된다.

하 dw(19세, 남)는 시위에 참가하게 된 계기에 대해 군중심리로 저도 같이 하자해서 했다(신문조서, 10월 30일자)고 진술한다. 또한 수사결과 메모지에도 "18일 오후 6시 30분경, 창동 소재 대진 백화점 앞 노상에서 친구 경남산업 전문학교 1년 친구 (23세)와 합동으로 200~290 명의 데모군중에 가담하여 시민들을 선동하고, 시위에 앞장섰다"고 기록되어 있다. 또한 당시 상황에 대해서 검사는 "여대생까지 가담하여 돌을 운반하고 던지기도 했는데, 피의자는 옆에서 있었단 말인가요?(신문조서, 10월 19일자)"라고 지적하고 있다. 즉 검사의 질문은 여대생도 시위에 가담하고 있었다는 상황을 지적한 것이고, 만일 이것이 사실이라면, 남학생들의 경우에는 시위에 가담할 가능성이 더욱 높아 질 수밖에 없을 것이라고 추정할 수 있다. 이는 부산대의 경우에도 남성 우월주의를 여학생들이 자극하면서 남학생들을 시위에 참가 독려했다는 기록이 나오기 때문이다.

또한 상당수의 시위자들은 단독으로 참여한 것이 아니라, 사회적 연계를 가진 이들이 모여서 집단적으로 참여했음을 밝히고 있다. 즉 하숙집 동료들이 함께 참여한 경우가 이 dd, 이 ed, 이 wd, 최 xr, 김 tw, 양 tr 경우이다. 이들은 "모두 애국가를 부르기에 따라 불렀다"거나, "술 먹고 차 부서진 것을 구경하는 행위를 했다." 즉 몰려다니면서 시위에 동조하게 된 것이다. 또는 시내에서 친구를 만나고 있다가 아니면 여자 친구를 만나면서 시위에 참여한 경우도 있다(진 tc의 경우 10월 30일자 심문조서). 이 qt의 경우에는 "젊은 학생이고, 호기심에 그냥 갈 수는 없었다"(10월 30일자 신문조서)고 진술하고 있다. 적극적으로 시위에 가담하지 않아도 적어도 소극적으로나마 시위에 동조해야만 하는 사회적 압력이 작용하였음을 알 수 있다. 송 rt은 "구경하고 서 있으면 간접적으로 폭동에 가담하게 되는 것"(10월 31일자 신문조서)이 되어 버렸다고 진술하고 있다.

## 2. 자영업자들의 구경과 방관

1979년 마산 거리에 나타났던 소상공인들은 시위에 대해 어떤 태도를 취했는가? 이들은 시위가 자신들의 계급적 상황에 대한 불만을 표출할수 있는 기회가 되기도 하지만, 시위는 그들의 경제적인 이익 면에서는 대체로 손해를 끼친다. 즉 시위로 인해 영업 매출에 손실이 발생한다. 그럼에도 불구하고, 1979년이라는 시점, 그리고 마산의 소규모 자영업자들의 경제적 상황에 대해서 설명이 필요하다. 우선 1979년에는 경제 불황, 부가가치세제의 도입으로 소규모자영업자들의 불만이 증대되고 있었다. 따라서 자영업에 미친 영향은 부정적이었고, 따라서 자영업자나 자영업에 종사하는 피용자들도 불만을 서로 소통하고 있었다고 보여진다. 이들 자영업자들은 대부분이 영업장소와 거주지가 일치하거나, 영업이 대부분 사람을 상대하는 서비스 산업에 종사하므로 각종 손님들을 통해 바깥 세계의 동향을 폭넓게 파악할 수 있는 기회를 갖고 있었다. 공간적인 밀집은 또한 비공식 분야에 종사하는 사람들끼리의 의사소통의 밀집을 가져온다. 마산에서의 시위는 창동과 오동동이라는 시민들의 야간 밀집 장소를 중심으로 발생하였으며, 이곳은 또한 마산 시내외의 교통 통과점이었다. 따라서 비공식분야의 자영업주와 피용자들은 공간적으로 그리고 외부세계와 개방적으로 정보소통하는 구조적 위치에 있었으며, 따라서 체계의 상황에 대해 파악하고 있었던 것으로 이해된다.

두 번째로 지역고착적 자영업자 층은 지역인근 주민들과 판매, 구매 등 사업적인 이해관계를 가지며, 때로는 대면적인 사회관계를 장기간 형성함에 따라 매우 도덕적이고 정서적인 관계, 그리고 공동체를 형성하는 상태에 까지 나아가는 경향이 있다. 그러나, 이들의 지역고착적 특징은 국가의 관변기구, 어용기구화의 경향의 유혹을 강하게 받고 있다. 우리나라의 경우, 반상회, 도시 새마을 조직이 대부분 이들 지역에 기반을 둔 자영사업자로 구성되어 있다.

다른 한편 지역민들이 국가의 탄압으로부터 한계에 이른 탄압을 받을 경우, 그리고 국가의 공권력이 진공상태에 이르면, 지역 자영업자 조직은 지역민의 이익을 옹호하고, 대변하고, 적극적으로 방어하는 행태를 보이기도 한다. 아마도 1980년 광주민주화 운동 시에 이런 행동이 나타났을 것이다. 또는 1960년 3.15 마산의거 시에도 반공청년단으로 활동했던, 지역의 토착 조직들이 밤에는 오히려 지역민을 보호하고 의거에 참여하는 경향이 있었던 것도 하나의 예이다.

자영업자들의 시위참여는 항상 이중적이다. 즉 자신들의 이해관계가 표출되는 순간에는 참여하지만, 이들의 이익이 훼손받는다고 생각되는 순간 시위에서 물러나기 때문이다. 때로는 시위장소에서 시위를 억제하고, 국가의 억압장치에 동조하는 세력이 되기도 한다. (1) 즉 1979년에는 부가가치세제가 도입되고, 불황기에 접어들면서 거리의 자영업자들은 사회적 불만이 누적되고 있었던 상황이었다는 점, 그리고 상당수 자영업자들의 고객들인 노동자들의 정서를 읽고 있었기 때문에 이들은 도덕적으로 동조하여야 하는 상황에서 실제로 시위에 호의적으로 동조하는 경향이 발생하였다. (2) 그러나 다른 한편 시위대에 의해 자신들과 이웃들의 피해가 발생하자(건물의 파괴와 상점 영업의 손실), 이들은 나중에 경찰과 국가 행정기구에 동조하여, 시위에 가담한 이들을 색출하는 작업을 도와주는 일을 담당하기도 한다.

## Ⅳ. 거리의 밤 시위

### 1. 노동자의 정치의식

1979년 마산 민주항쟁 당시에 참가한 50여 명을 인터뷰하고 기록한 마산 민주항쟁의 기록에(박영주, 1985), 18일의 시위는 대학생이 선도하고, 노동자 들이 퇴근한 후에 참여함으로써 마산민주항쟁이 대규모의 시위로, 그리고 끈 질기고, 격렬하게 진행될 수 있었음을 보여주고 있다. 더구나 18일에는 밤이 깊어 질수록, 그리고 19일의 시위는 전적으로 대학생의 역할이 줄어들고, 대 신 노동자와 부랑노동자층이 핵심적인 역할을 하였음을 알 수 있다.

1979년 10월 18일 마산에서 발생한 민주항쟁에서 보여준 노동자들의 정 치의식에 대한 해석은 직접적으로 시도된 것은 없고, 다음 3가지 해석을 준 용하여 해석하는 것이 적합하다고 판단하였다. 우선 (1) 김상봉(2009)은 "서 로 주체"의 관점을 제시하였다. 이때 서로 주체는 공동체적 관점을 일차적으 로 의미한다. 즉 한 사람이 아닌 집단적인 사람으로 나아가는 과정을 의미한 다. 두 번째로는 (2) 소틸로와 스타레이스-나타시(Sotillo and Starace-Nastasi, 1999: 249-276)가 노동자의 편지를 통해 정치의식을 분석한 것이다. 이는 언론 편집자에게 보낸 노동자들의 편지를 분석하여, 정치적인 이슈에 대한 무기 력감을 포착하였다. 1979년 10월 18일 마산시위 노동자들에게서 편지를 구 하기는 쉽지 않지만, 이들이 재판과정에 표출한 정치의식은 거의 유사한 것 으로 보여진다. 즉 겉으로 표출하는 무관심과 무력감을 보여주고 있지만, 권 력의 공백상태에서 보여주는 저항적 행동이 그것이다. 세 번째는, (3) 알제리의 하층 프롤레타리아트와 프롤레타리아를 계급적으로 구분하는 원리를 차용하였다. "그리고 토지를 상실하고 절망에 빠진 대중의 반란에로의 성향과 다른 한편, 미래의 주인이 되기 위해 자기의 현재를 충분히 통어하는 조직된 노동자들의 혁명적 성향 사이를 구별하는 원리는, 물질적 존재조건 속에 객관적으로 새겨진 미래와의 관계 속에 있다"(피에르 부르디외, 1976/1995: 8). "1960년대의 알제리라는 저개발사회에서 비교적 안정된 직업적 지위에 있는 프롤레타리아와, 일정 직업을 갖지 못한 압도적 다수의 하층 프롤레타리아가 그들의 계급 상황을 규정하는 객관적이고 집합적인 미래의 시간에 관한 성향의 형성과정에서 보여주는 차이를 부각하고 있는데, ... 전자는 자본주의적 경제에 적합한 행동의 성향(아비투스)를 갖추고 있는데 반하여, 후자는 새로운 경제에 적합한 아비투스를 형성하지 못했고, 이것이 식민지 체제하의 알제리 사회의 큰 모순이며, 오늘날에도 여전히 잠재하는 모순이라는 것이다"(번역자 최종철, 1995: 132). 즉, 노동자도 이미 자본주의에 적응하여, 시장경제의 과실을 누리는 경우에는 체제 순응적 노동자로 변하고, 적응하지 못한 노동자는 체제 저항적 노동자로 남는 것이다 이에 따르면, 1979년 10월 18일 마산의 노동자들은 1세대 노동자로 전통적 사회관계에 적응되어 있고, 시장적 사회관계에 적응되어 있지 않은 노동자들이었다.


## 2 마산수출자유지역 노동자

밤의 시위는 노동자들이 대거 참여하였고, 수출자유지역 노동자들은 퇴근시간인 오후 7시 이후에 집으로 향하면서, 그리고 사회적 모임을 위하여 시내로 모이면서 시위에 참여하게 된다. 따라서 적어도 오후 8시 이후의 시위는 대학생들이 주도하였다고 하더라도 숫자나 그 정열적 참여는 노동자들의 참여로 가능하였다고 평가된다.

마산 수출자유지역 노동자들은 10월 18일 목요일 대개 오후 7시경에 작업을 마치고 시위에 참가하는 과정을 거친다. "수출자유지역 노동자들이 10월 18일 오후 8시 5분경부터 합세한 것으로 이해된다"(이은진, 1998: 269). 그리고 당시에 수출자유지역 노동자들을 구체적으로 지적하지는 않았지만, 한국 주재 미국 대사관이 미국 국무성에 보낸 전문(10월 22일 자)에는 "10월 19일의 시위에서는 여성노동자들과 고교생들이 많이 참여하였다"고 적혀있다(광주항쟁 자료집에 수록). 물론 이러한 지적의 근거는 제시하고 있지는 않으나, 어느 정도 타당성이 있다고 보여진다. 왜냐하면 애초에 경남대학생들이 시위를 모의할 때에도 수출자유지역 노동자들의 퇴근시간에 맞추어서 시위를 산호동으로 이끌고 가는 것으로 나타나고 있다. 즉 퇴근하는 노동자들을 시위에 합류시키는 전략을 구사하고 있었고, 의도적인지 아닌지는 알 수 없지만, 당시의 시위도 시내 중심지에서 서서히 수출자유지역으로 대열이 이동하고 있었음은 분명하다. 따라서 노동자들의 시위가 특히 수출자유지역의 대다수를 차지하는 10대 후반 여성노동자들의 참여가 많았으리라는 점은 쉽게 추측할 수 있다. 그렇다고 우리가 다루는 노동자들이 여성은 아니다. 분명치는 않지만, 9명의 노동자 중 여성은 2명이고 나머지는 남성노동자이다. 9명 중 6명이 시위 참가 계기를 밝히고 있다.

아울러 노동자들의 시위 참가는 대학생에 영향을 많이 받은 것도 사실이다. 즉 거리의 시위자가 대학생이었다는 사실은 같은 연령 또래의 노동자로서 자신들이 대학생들과 같이 사회적 고민에 동참한다는 사회적 연대감을 형성하는 계기가 되었던 것으로 보인다. 이는 대부분의 진술자들이 시위 참여 계기를 대학생들이 시위를 주도하는 것을 관찰하고, 또한 거리에서 권유하였다는 점을 시위 참여의 동기로 제시하고 있었다는 점에서 나타난다.

수출자유지역 노동자들은 사회의식의 수준은 스스로의 저항 이념을 내면화하거나 자신들의 행위를 정당화할 수 있는 수준은 아니었으나, 자신들이 적어도 사회에서 지배적인 이데올로기가 무엇인지는 깨닫고 있었고, 이를 기반으로 자신들을 적극적으로 방어할 수준이었다. 그리고 이들이 공장 내의 임노동자가 되면서 한편으로 강렬한 사회적 상승이동의 열망, 연고 또는 친족 공동체적 사회적 관계의 감시망을 벗어나서 열린 사회의 공동체망을 지향하고 있었을 것이라고 짐작할 수 있다. 이들이 가족의 감시와 사회관계의 네트워크를 벗어난 개방된 그리고 새로운 사회관계를 동료들과 또는 일반 시민들과 맺어지는 과정에서 강한 사회적 열망과 동시에 희망과 좌절을 동시에 느끼게 되었을 것이다. 즉 보다 상위의 대학생을 보면서, 자신들의 교육을 통한 상승열망을 쌓아가고 있었고, 다른 한편 이들을 모방하려는 욕구도 강했다. 따라서 마산 수출자유지역 노동자들은 매우 상한 사회적 열망을 갖고 이를 성취하려고 노력하는 노동자였음을 알 수 있다. 이러한 사회적 배경은 공장 내의 억압적이고 착취적 상황에 대해 매우 민감하게 감수하고 있었을 것이다. 왜냐하면 당시 마산수출자유지역은 한편으로 임노동이라는 근대적인 직업을 제공하고, 때로는 야간학교를 다닐 수도 있고, 새로운 사회관계를 맺는 계기가 되는 장소였다. 즉 근대적인 경험을 축적시킬 수 있는 기회였다. 그러나 반면에 이들의 근대적 공장경험은 당시 일본 기업이 한국에 진출한 그리고 수출자유지역이 애초에 목표한 대로, 낮은 임금, 강압적이고 착취적인 노무관리, 열등감을 심어주는 문화적 분위기, 파편화되고 고립된 노동자들이라는 경험을 누적시킨다. 이는 강한 열망을 가진 노동자들에게는 한편을 이것을 감내하는 결과도 가져오지만, 동시에 이것을 민감하게 느끼는 측면을 동시에 가져왔다. 이는 곧 모순적인 공장 상황을 체화시킨 불만의 무의식에의 누적을 가져오게 한다. 이러한 모순적 경험의 누적이란 현실의 상황을 합리적이고 사회에서 받아들이는 방식으로 설명할 수 있는 이데올로기의 부재를 가리킨다. 자신의 모순적이고 누적된 불만을 설명할 수 있는 사회적 이데올로기와 대항 조직적인 권력의 부재는 모순이 무권력적인 상황에서 간접적으로 표출될 수밖에 없었다고 해석된다.

### 3. 창원 기계공단 노동자들

1979년 10월 18일~20일 사이에 발생한 마산 민주항쟁의 과정에서 총 500여 명의 연행자가 발생하였는데, 이중 약 1/3 정도가 공식부문의 피용자로 추정되고 있다(남부희의 취재기록). 공식부문의 피용자란 구분이 애매하기는 하지만, 이중에는 생산직 노동자, 사무직 노동자가 모두 포함된다. 당시 마산은 현재의 창원을 포함하고 있었고, 창원의 기계공업단지에 약 3만여 명의 노동자가 고용되어 있었지만, 창원에 미비한 거주 조건으로 이해, 반 수 이상의 노동자들이 마산에 거주하고 있었고, 또한 마산에 상업, 교육, 사교 시설이 밀집되어 있었다. 따라서 마산에 창원의 노동자들이 왕래할 가능성이 높았다.

이들의 시위 참여동기는 지리적 근접성, 사회적 관계의 망, 거리의 도덕적 감시망 등으로 설명이 가능하다. 즉 시위가 발생한 곳에서 사회적 교류나, 교통이 이동하고 있었으면, 당일 사내 시위로 말미암아, 교통이 차단되었고, 따라서 퇴근길에 걸어가면서 자연스럽게 시위장소를 지나야하는 상황이 되어 버렸다. 이는 시위 참여의 가능성을 높여주게 되었다. 또한 거리의 시위에서, 그리고 사회적 교류가 발생하는 창동, 오동동에서 사회적 관계는 홀로 고립되어 있을 때에 비해서 참여를 독려하는 사회적 도덕적 압력을 더 많이 받는 상황이 되어 버렸다.

### 4. 부랑노동자

비공식 분야 종사자들은 지역에 고착적이고, 독립된 숙련으로 보유하고 있으며, 또는 부랑 (주변) 노동자로서의 성격을 지니고 있다. 따라서 이들의 특징을 한 마디로 규정하기는 어렵다. 그러나 이들의 특징을 노동과 관련된 저숙련, 아니면 고도 숙련, 그리고 지식을 가진 계층으로 지역 고착적, 또는 지대적인 성격의 부동산이나 금융자산을 소유하지 않은 층으로 나눌 수 있다. 물론 지역 고착적이고 기업특수적 이익을 소유하지 않은 계층이다. 따라서 이들은 지역, 기업, 연고 등에 얽매이지 않은 계층으로서 이해관계는 오로지 자신의 몸과 지식 등 체화된 형태로만 보유하고 있다. 보편적인 이해관계를 대변하고, 지역 이동, 그리고 지역고착적 이해관계, 연고적 이해관계에서 자유로운 계층이다. 이들은 자율적으로 세계관을 형성하고, 자신들의 행동에 정보수집, 판단, 행동으로 나아가는 일관되고, 행동적인 성향을 지니고 있다.

공식 분야 종사자들에 비해서는 많은 비율이고, 피의자들 중에는 대학생이 더 많은 비율을 차지한다. 따라서 대학생들은 적극적이고 주도적인 참여를 하였다고 한다면, 비공식 분야는 시위에 더 광범위한 참여를 한 세력이라고 평가할 수 있다. 1979년 마산 민주항쟁 시위에 나선 사람들은 대학생이 주도하고, 이들의 뒤를 공식분야 노동자들, 그리고 마지막으로 비공식분야의 종사들이 따른 것으로 보인다. 물론 거리의 지식인, 주변노동자, 젊은 청소년들도 참가하였다.

주변노동자들이 시위에 적극적으로 참가한 증거는 군법회의, 즉결심판, 훈방된 피의자들의 직업을 살펴보면 드러난다.

⑴ 군법 회의에 회부된 피의자들 중 목공, 전공, 석공, 양복공, 점원, 요리사, 막노동(일용) 등에 종사하는 사람이 13명으로 30%정도를 점유하고 있으며, 구체적으로는 피고인 46명의 직업 중 학생 17명, 공원 5명, 노동 5명, 사원 4명, 상업 2명, 실습생 1명, 목공 1명, 전공 1명, 선생 1명, 석공 1명, 농업 1명, 종업원 1명, 양복공 1명, 점원 1명, 요리사 1명, 무직 3명, 그리고 가야백화점 내 신발소매상 경영, 목공, 한일기능공업사 경영, 실내 야구장 종업원, 노동 등이다.

⑵ 즉결심판에 회부된 121명 중 노동, 자영업 및 가족 종사자들도 47명에 달하여 40%에 달하고 있다.

구체적인 직업을 나열하면, 노동 11명, 자영업과 가족 종사자 36명 등 47명이 비공식 분야 종사자가 있다. 개별적으로 직업을 나열하는 것이 주변노동자의 성격을 이해하는 도움이 될 것이다. 음식점 종업원, 치과기공으로 고용원, 주물직공, 양화공 직공 - 제화공, 양화점 직공, 전공, 잡화상, 주점 웨이터 7개월 후 무직, 제일 카렌다 상사 상업, 회원시장에서 주류 판매 상업, 무직, 양화점 점원, 노동, 주점 종업원, 노동, 재봉사, 무직, 양복업, 공원, 점원, 무직, 무직, 무직, 오동동 소재 신명철공소 공원, 주점 종업원, 주점 악사, 트럭 운전수, 운전수, 노동, 공원, 식당종업원, 상업, 노동, 항구철공소 공원,

신명공업사 용접공, 무직, 경남치과 기공, 부산 소재 회사의 철재 공원, 무직, 고교 졸업하고 대학 실패- 군 제대하고 음악공부- 무직, 오동동 거성회관 주점 종업원, 건어물 상업, 노동, 복장사 상업, 식품상 점원[4], 방직부에 2년 근무후 무직, 3년전부터 용접공, 무직, 4년 전부터 양장점 재단 보조, 현대 양행 철공으로 2년 근무후 무직, 대입준비중 무직, 택시 운전수, 산호동 소재 진양정밀 철공소 직공으로 3년째 근무, 장군동 소재 현대산업 철재공업 주식 회사 철재가구점 공원, 산호동 소재 진양정밀 공업사 공원 4년째, 산호동 소재 동진공업사 열쇠공 3년째, 남성동 소재 금성냉동 기술학원 강사, 창포동 에서 부친과 같이 신진 용접, 창동 소재 세무 회계사무실 직원, 신발류 상점 점원, 대동난방사 점포일을 도운다, 양화점 제화공, 마산 소재 현대 제화 양 화공으로 10년째, 어업 2년후- 동아 화공기업사 공원, 오동동에서 특수복 맞 춤 상업 8년째, 유상학원 재수생, 목공, 양화점 양화공 등이다.

(3) 즉결심판에서 가벼운 참가로 연행된 사람(처리 평정 B)은 석전동 성 일전자 상사 점원- 삼촌과 공동 영업, 이발업을 10년째, 합성동에서 형이 경 영하는 제일 안경점 점원, 중성동 소재 부평지업사 지폐공장 공원, 산호동 제 일병원 옆 신명공업사 양조기계 회사원 4년째, 중앙동에서 구두닦이 등이다.

주변 노동자들의 참여동기는 음주의 효과, 심리적 해방감, 거리에서의 도 덕적 사회적 관계의 압력 등을 들 수 있다. 즉 이들은 정치적인 의식을 강조 하기 보다는 오히려 정치적 무관심을 스스로 고백하고 있다. 반면에 음주, 심 리적 해방감, 거리에서 다른 이들을 보면서 느낀 감정을 언급하면서 시위 참 여의 동기를 진술하고 있다.

비공식분야의 종사자들은 가정의 사회경제적 배경, 교육, 그리고 현재의

---

4. 형사 기동대 파량 파손 사진과 견적서, 그리고 진술서가 첨부되어 있다.

취업상의 위치에서 낮은 평가를 받는 위치에 있다. 따라서 거리의 대학생, 공식분야 노동자, 유랑 지식인, 주변 프롤레타리아트, 청소년들에 대해서 사회적인 차별적 열등감을 갖고 있었다. 거리의 시위를 주도한 이들의 시위에 대해 초기 단계인 낮에는 주도적으로 참여하기 어려웠다. 아직 직장에서 퇴근하지 않았고, 초기 시위 진입단계의 희생가능성이 크기 때문이다. 그러나, 부산의 시위소식, 대학생들의 주도, 공식분야 노동자들이 퇴근과 동시에 시위에 참여하자, 자신들의 퇴근에 맞추어 밤 시간에 주로 시위에 참여하게 된다. 이러한 시위는 또한 격렬하고, 폭력적인 양상을 띠게 된다. 짧은 시간, 어두움, 매우 익숙한 지형, 그리고 시위 참여를 통해 집단 연대감을 맛보게 된다. 정상적인 생활에서는 이웃의 집단에 비해 열등한 위치에 있었지만, 시위를 통해 주위의 사람들과 협조하고, 자신들의 시위에서의 우위의 위치를 보여줄 수 있는 기회를 맞게 된다.

주변노동자 층은 일용 내지 비공식적 분야에서 종사하고 있는 떠돌이 또는 자유 노동자 층이다. 이들은 대부분 자신들이 정치에 대한 관심이 적고, 경제적인 이유와 문자 해독률이 낮아서 정치에 대한 이해 수준이 매우 낮음을 의도적으로 강조하고 있다. "공장직공으로서 정치에 대한 것으로 어떻게 생각했겠습니까?" "아무런 불만이 없다". "평소에 정부에 불만이 없다". "저는 초등학교 밖에 나오지 않았으니, 어떻게 시국을 알겠습니까? 제 살기에 바쁩니다". "나이가 어려 세상이 어떤 줄을 잘 모르고 겁이 나서 휩쓸리게 되었다". "초등학교 밖에 나오지 않아 시국이 어떤가는 잘 모르고", "현역으로 제대한 지 얼마 되지 않아, 아직도 투철한 군인정신이 남아 있으며", "부친이 경찰 고위간부로 근무하였기 때문에"

그러나 다른 한편, 이들은 권력의 공백기에 항상 가장 잃을 것이 적은 층으로 자유롭게 행동할 수 있는 층으로 분류된다. 따라서 마산 민주항쟁의 밤 시기에 늦게까지 권력의 공백기에 활동한 층이며, 폭력과 방화로서 가담한 층으로 분류된다. 이들의 활동에 의해 국가의 통치기구들은 물리적으로 파괴되고, 위협을 받게 된다.


## Ⅴ. 요약과 토론

민주항쟁을 계급행동으로 분석하려는 시도는 역사적인 분석에서는 보편적으로 적용된다. 즉 독재에 대한 저항, 참정권의 요구, 물자부족이나, 물가 상승, 복지 지원의 취약에 대해 저항한다. 이러한 저항의 대상이나 이슈가 다르더라도 궁극적으로 계급적이해에 의해 사후적으로 해석된다. 계급적 상황과 계급적 행동을 구분하는 경우에도 일차적인 분석을 계급상황에 대한 분석이다. 따라서 1979년 10월 18일 경남대 시위 분석은 계급 상황에 대한 분석이 기본을 이룬다. 다만 학생이라는 계급 신분에 대한 분석은 단순치 않다. 이는 학생 신분의 가족적 배경, 기족가 주변의 사회적 기대를 동시에 고려하여야만 가능하다. 가족과 자신의 삶의 기회를 결정하는 계층이동의 가능성, 경제적 상황에 대한 분석이 일차적으로 이루어져야 한다. 이럴 경우, 1979년은 산업화가 급속도로 진행하다고 주춤한 시기였고, 이는 기대 상승 열망에 찬물을 끼얻는 상황이 되어버린 것이다. 가족과 사회, 그리고 주변의 전반적인 상황은 시위유와 갈등을 부추키는 상황으로 되어 버린 것이다.

시위를 부추키는 상황이 곧바로 시위로 전이되는 것은 아니다. 즉 시위 발생과 대학생 시위에 일반 시민이 참여하는 상황은 이를 억누르는 능력과 상관관계를 맺는다. 즉 아무리 불만이 높더라고 이를 억누르는 이념적 사회적, 물리적 억압의 수준이 높으면, 불가능하다. 따라서 1979년 10월 18일 경남대를 중심으로 전개되는 억압능력을 평가하여야 한다. 당시에 국가는 억압체제를 상시적으로 유지하고 있었다. 역으로 설명하면, 국가는 당시의 상황이 억압이 아니고서는 통치할 수 없는 정치 경제적 상황이었다는 점을 인식하고 있었다. 이것이 유신체제이다. 따라서 경남대의 상황은 전국적으로 특이한 상황은 아니었다고 보여진다. 다만, 이러한 억압의 준비태세가 미흡했거나, 아니면 시민들의 저항이 거세었다는 점을 주목해야 한다. 억압태세가 미흡했다는 점도 경찰이나, 국가의 기록으로 보면 타당하지 않은 것으로 보여진다. 즉 경찰이나 국가기록에 따르면, 다른 지역과 마찬가지로 시위를 가상하고 10월 15일부터 경찰은 대비태세에 들어갔으며, 시위가 발생하였을 때에도 신속하게 경찰과 군 병력을 동원하여 진압하였던 것으로 평가된다.

경남대학생들이 주도한 1979년 10월 18~19일의 마산민주항쟁은 예기치 못한 사건이었다. 경남대학생 단독으로 모든 시위가 이루어 진 것은 아니지만, 경남대생들이 시위를 모의하고, 시내의 시위를 주도하고, 이에 동조하여 시민들이 시위에 합세한 것만은 사실이다. 따라서 예기치 못한 경남대생들의 시위는 다른 대학과는 특이한 점을 지적하여여 설명할 수 있어야 한다. 즉 다른 대학에서도 이미 많은 시위가 있어왔고, 그러나 대부분의 시위는 단발적으로 끝나고, 곧 진압되었다. 경남대의 시위가 성공하였던 이유를 일차적으로 경남대가 갖고 있는 공간적 구조를 통한 사회관계의 형성에서 찾아 보았다. 공간적으로 작은 공간에 학생들이 자주 만나고, 오랜 시간을 도서관, 잔디밭, 강의실에서 만나면서 친밀감을 형성하였다. 여기에 과, 써클, 동창이라는 연고가 작용하면서 사회관계는 연대감이 강력해 진다. 이러한집단적 연대감이 과의 전통과 선배와의 도덕적 연계, 학업이 우수한 학생들의 영향력, 외부의 정보와 조직의 침투와 수용을 거치면 경남대학생들 내에서도 강력한 조직적 결합이 생길 가능성이 높아진다.

잠재적 가능성은 종합대 승격의 실패에 따른 재단과 정부에 대한 불만, 인근 부산대에서의 시위에 따른 도덕적 부담감, 김영삼을 지역과 동일시하는 데 따른 지역민들의 기대감으로 조직들은 고민하고 내적으로 불만은 연소시키면서 행동을 향한 가능성을 높여간다. 학교에서의 휴교방송, 중간고사의 스트레스, 17일 밤의 도서관에서의 술주정, 18일날 발견된 벽보등은 학생들에게 더욱 큰 자극으로 다가오고, 마침내 정인권의 선동연설로서 시위는 발생하게 된다. 시내에서의 시위는 경남대생들이 주도하고, 이들을 뒤따르는 안정적인 공단 노동자는 물론이고, 떠돌이 노동자들이 합세하여 더욱 격렬해진다. 이들의 동기는 대학생 시위로 인한 도덕적 규범의 설정, 물가 상승과 불황에 따른 경제적 고통, 어둠이 주는 익명성, 술이 주는 대담함, 비가 가져다주는 비극적인 분위기가 어울려서 시위는 촉발적으로 지속된다. 그러나 여전히 인과적 틀의 부족과 다른 사례를 통한 실증적 뒷받침의 문제가 남아 있다.

따라서 경남대의 시위가 민주항쟁으로 나아간 것은 바로 진압의 약한 고리, 시민들의 합세가 결정적이었다고 보여진다. 경남대 학생들과 시민들의 상태를 계급의 관점에서 해석하여, 상태와 행동으로 나누어서 점검하였다. 상태는 가족과 사회의 기대를 중심으로, 1세대 대학생으로 묘사하였다. 이들의 행동은 상대적으로 전통적인 공동체적 사회관계를 유지하고 있고, 새로운 상황에서 오리혀 연고적 공동체는 강화되는 것으로 판단하였다. 공동체적 기반으로 토대로 항쟁 행동이 과감하게 전개되었던 것이다.

이글은 애초에 계급행동에 초점이 맞추어져, 10월 16~20일 사이에 발생한 부산 마산 민주항쟁에 참여한 이들의 장소와 시기에 따른 역할을 규명하고자 시작되었다. 부산과 마산의 경우에 장소와 시간은 다르지만, 시위의 양상은 일치하고 있다고 여겨진다. 일단 마산을 중심으로 서술하였지만, 부산의 경우에도 현재까지 일견한 자료에 따르면, 마산과 거의 유사한 패턴틀 보여주고 있다. 부산의 경우에는 재판 기록이 없으므로, 파편적인 자료와 증언에 의존해야 하는 어려움이 있지만, 계급행동의 사실 복원에는 어려움이 없을 것으로 예측한다.

역사의 무대에는 다양한 세력들이 자신들의 소임을 하면서 참여자들의 관점에서는 부당하게 평가받는 경우가 정당하게 평가받는 경우보다 더 많다고 생각한다. 이 글을 계기로 역사의 참여자들이 부마 민주항쟁에서 자신들의 사건에서의 소임을 이해하고, 역사는 다양한 역할을 가진 이들이 계기적으로, 공분하여 행동함으로써 발생한 사건이었다고 이해하는 계기를 마련하기 바란다.

## 참고 문헌

김상봉, 2009, 「귀향, 혁명의 시원을 찾아서: 부끄러움에 대하여」, 서중석 외, 『부마민주항쟁의 역사적 재조명』, 민주주의 사회연구소 : 59-141

김성선, 2016, 「부마민주항쟁은 어떻게 시작되고, 어떻게 전개되었는가?」, 『성찰과 전망』, 20권 (4월)

김 원, 2006, 「부마항쟁과 도시하층민」, 『정신문화연구』, 29권 2호

남재희, 1970, 「청년문화론」, 『세대』, 2월호, 이중한 편집, 1974, 『청년문화론』 (현암신서)에 「젊은 세대의 문화형성고」로 재수록

박영주, 1985, 「10.18 마산민주항쟁의 전개과정」, 『마산문화』, 4호 (12월)

부르디외, 피에르, 1958-61/1995, 『자본주의의 아비투스: 알제리의 모순』 (동문선)

이은진, 2008, 『1979년 마산의 부마민주항쟁: 육군고등군법회의 자료를 중심으로』 (불휘)

정광민, 2016, 『부마항쟁 그후, 장편소설』 (시월의 책)

정성기, 2010, 「박정희 체제하 한국 산업화 민주화의 문화적 성격 연구: 마산창원지역 산업화와 부마항쟁 - 이슬람 혁명 비교를 중심으로」

정주신, 2017, 『10월 부마항쟁사: 유신체제의 붕괴』 (프리마)

Sotillo, Susana M., and Dana Starace-Nastasi, 1999, 「Politicaql Discourse of a Working-Class Town」, Discourse and Society, 10, 2: 249-276

# 부마민주항쟁시기의 지역 경제와 사회적 배경

## 정 승 안
동명대학교 자율전공학부 교수

# I. 들어가며

일반적으로 나는 누구인가? 우리는 누구인가?에 대한 의식을 정체성이라고 한다. 한 사회의 역사적 시기와 경험에 대한 '집합의식'이나 '기억'들 또한 정체성을 구성하는 주요한 요소 중 하나이다. 지나가버린 과거의 기억과 오늘과의 끊임없는 대화를 통해 그 연속성과 동질감을 형성해 나가려는 노력들이 이어지기 때문이다. 역사는 단절된 과거와의 부단한 대화이자 오늘과 함께하는 어제의 이야기이다. 그러므로 현재는 오직 '서둘러 빠져나가는 미래에로의 계단에 불과하다'는 유명한 문구의 지적에서처럼 역사적 사건들은 끊임없는 현재성을 지니기 마련이다. 다양한 측면에서의 조망과 담론을 통해 사회역사적 정체성은 새롭게 형성되고 부단히 재구성되기 때문이다.

한국자본주의가 짧은 시기에도 불구하고 압축적인 경제성장을 이루고 국가독점자본주의로의 성장을 이루었던 성장의 동인들과 내용들에 대한 많은 논의들은 있어왔다. 그러나 부마민주항쟁시기만을 특정해서 경제적 요인과 정치적 격변과의 관계를 논한다는 것은 경제결정론적 논의로 이어지는 것을 피하기 어렵다. 기존의 선행연구들에서 전체적인 사회구조적 변화의 주요한 여건들 중에 경제적인 측면을 끼워 넣는 방식으로 논의를 전개하고 있는 이유도 여기에 있을 것이다.

지역마다 운동사와 항쟁을 추모하고 기억하는 공원들이 늘어나고 있다. 가까운 당대의 기록으로서의 87년 6월항쟁이나 80년 5월의 광주민주화운동에 비해 박정희정권의 몰락을 가져왔던 부마민주항쟁에 대한 관심과 기억들은 너무나 초라한 실정이다. 부마민주항쟁을 기념하는 공식기념관도 건립되지 못했다. 더구나 34년 만에 만들어진 '부마항쟁법'을 통한 진상규명위원회의 부실한 활동은 분노감을 자아낼 정도로 최소한의 사건사의 기록조차 담아내지 못한다는 비난을 피하지 못하고 있다. 독재와 맞선 민주화운동과 민주주의를 연구하는 단체조차도 제도적 틀로 편입되면, '인사권'이라는 민주적 절차를 비민주적인 내용으로 채울 수 있다는 민주주의의 역설을 마주하게 된다. 결국 "한국의 상류층과 지식인은 민족적이지도 않고 민중적이지도 않으며, 민족과 민중은 한국의 지배층이 결코 아니다. 이런 의미에서 한국의 보수주의는 결코 안정적이지 않으며 한국 정치는 본질적으로 불안정하다"는 이종오(2002)의 지적에서처럼 지배적인 층의 관심과 논의의 뒤안길에 놓여있었던 부마민주항쟁에 대한 논의와 관심의 물결은 박정희를 키워드로 하는 보수적인 정권에게는 존재의 위기감을 가속화시키는 아킬레스건이었음에 분명하다.

우리 사회가 촛불시민혁명을 통해 다양한 영역에서의 정체성 재구성작업을 시도하고 있는 가운데 사회정치적 위상을 가장 높게 부여받고 있는 것이 바로 부마민주항쟁에 대한 기억을 둘러싼 투쟁이다. 사건사로서의 부마민주항쟁을 넘어, 지역사회와 경제영역을 아우르는 다양한 측면에서의 논의들과 시민들의 관심이 절실히 필요한 이유이다.


## Ⅱ. 민주화운동으로서의 부마민주항쟁과 시민사회

### 1. '민주주의'와 한국 시민사회의 특수성

민주주의 운동사나 항쟁사를 연구함에 있어서, '저항의 당사자'와 '피해의 광범위성' 그리고 '지역적 성향'과 '사회적 관계망'들과 같은 사회적 자본들은 매우 중요한 변수로 영향을 미친다는 사실에 주목한다. 그러나 특정의 사회 운동이나 사건사를 고찰하는데 있어서 우리가 주목해야 하는 것은, 스쳐지나갔다고 생각되는 해당 사회운동들이 현재의 사회정치적 상황이나 인물들 그리고 정치권력의 문제들과 밀접하게 연관되어 움직이는 현재진행형의 사회적 사실이라는 점이다. 사회운동이 '권력'의 문제와 관련되어 논의될 수밖에 없는 이유이다.

최근 들어 미시사에 대한 관심의 증가와 더불어 '자기역사쓰기'(정경원, 2003)가 대세라고 한다. 그러나 지나간 역사에서 특정한 사건이나 운동사를 어떻게 기술할 것인가?는 '누구'의 관점에서, '어떻게' 접근할 것인가에 따라 첨예하게 대립하며 논쟁의 대상이 된다. 기억투쟁이 사회적 쟁점으로 부상하는 것도 '누구'와 '어떻게'가 나름대로의 주장과 근거를 지니고 있기 때문이다. 결국, 이는 부마민주항쟁에 대한 재구성작업들 또한 부산경남지역의 사회정치적 '정체성'에 대한 논의와 밀접하게 관련되어 있다는 것을 의미한다.

일반적으로 '민주화'나 '민주주의'에 대한 개념정의 자체가 복합적이며 확정하기가 어려운 측면이 있다. 그 개념의 발전과 역사성 또한 끊임없이 새롭게 규정될 수 있기 때문이다. 이종오(2002: 19)는 이러한 민주주의의 담론에 대해 "19세기 이래 전통적 사회주의 노동운동과 제3세계의 반제민족해방운동은 자기규정에 있어서 혁명Revolution개념을 보편적으로 사용하여 왔다. 이들 운동내부에 있어서 주된 개념적 경계선은 '혁명', '개량', '보수', '반동'이다. 혁명진영 내에서 민주주의 담론이 본격적으로 등장하는 것은 파시즘의 대두 이후 나타난 통일전선론, 인민전선론의 인민민주주의론, 신민주주의론부터라고 할 수 있다."고 지적한다. 이러한 논의가 '민주주의 담론을 자유민주주의 혹은 부르조아민주주의로 협애화하지 않고 민주주의를 좌익진영의 보편적 언어로 사용하게' 되었으며, 이를 통해 '계급적 단순화'의 논리를 극복하고 있다는 것이다. 그러나 우리나라의 경우에는 전통적인 민주주의의 담론이기보다는 "70년대 이래 남부유럽(스페인, 그리스, 포르투갈) 및 중남미 그리고 한국, 필리핀 등 아시아에서의 친미 우익적 성향의 군부통치 및 권위주의 정권에 대항한 자유주의 내지는 사민주의적 성향의 운동에서 유래한다."고 지적한다. 이는 사실 반독재민주화를 기치로 한국사회의 변혁운동을 모색하던 80년대의 한국의 사회운동세력에게는 충분히 공감되었던 내용들이다.

이러한 민주주의를 둘러싼 정치적 대립에는 '기업'과 '경제'를 대하는 태도가 반영되기 마련이다. 특히, "미국의 지배적 영향력 하에서 군부, 대기업, 관료의 복합적 지배라는 이들 지역의 공통적 속성은 한국의 경우에도 그대로 적용되며 이런 의미에서 한국 민주화운동은 70년대 이래 제3세계 민주화운동의 일환을 이룬다."는 언급에서처럼 쿠데타를 통한 군사독재정권의 정치적 지배력이 확고했던 한국사회의 상황에서도 반독점'과 반파시즘'을 둘러싼 사회적 논의는 보편성을 지닌다. 이와 더불어 세계에서 유래를 찾아보기 어려운, 분단이라는 적대적 대립상황아래에서도 압축적인 경제성장을 통해 성장한 한국 소비 자본주의의 '특수성' 또한 한국의 민주화운동이나 시민사회운동에 지대한 영향을 끼쳤다는 것은 주지의 사실이다.

## 2. 민주화운동으로서의 부마민주항쟁

민주주의에 대한 이러한 일반적인 논리들은 1979년의 '10.16부마항쟁'이나 1980년 '5.18광주항쟁'를 민주화운동의 연장선상에서 파악할 수 있는 논리적 정당성을 충분히 얻을 수 있게 한다. 민주화운동기념사업회법 제2조(민주화운동의 정의)에서는 다음과 같이 정리하고 있다.

> "이 법에서 '민주화운동'이라 함은 3.15의거, 4.19혁명, 부마항쟁, 6.10항쟁 등 1948년 8월 15일 대한민국 정부수립 이후 헌법에 보장된 국민의 기본권을 침해한 권위주의적 통치에 항거하여 국민의 자유와 권리를 회복 · 신장시킨 활동으로서 대통령령이 정하는 활동을 말한다"(『민주화운동기념사업회법』, 제2조)

부마민주항쟁이 파시즘에 기반한 유신체제로서의 국가권력에 저항하는 대국가적인 저항운동이자 민주화운동이었다는 사실은 한국 민주주의 운동사의 맥락에서도 그 의의와 정당성을 충분히 부여받을 수 있게 한다. 일반적으로 파시즘지배아래에서의 사회운동의 성격은 반파시즘투쟁을 위한 연대와 인민민주주의적인 전략이 우선시되기 마련이다. 1980년대 중반까지 유지되었던 군사독재정권의 파시즘체제하에서의 정치적 전략은 반독재민주화를 위한 민중주의적 전략에서 벗어나지 않았지만 반파시즘을 위한 민중연대의 형식을 취했던 것은 세계사적으로도 보편적인 양상을 보인다. 주된 슬로건은 '민주화'라는 민주주의의 일반론적 원칙이 관철되었던 것으로 보인다.

결국 한국에서의 '민주화운동'이라는 언어사용에는 시대적 보수화의 반영이라는 측면과 동시에 '민주주의'나 '민주화'를 협의의 '부르조아 민주주의' 혹은 '대의민주주의'로 이해하는 것이 아니라 '사회질서의 일반원리'라는 보다 보편적 의미로 사용"하고 있었다는 것이다. 그러므로 "60년에서 87년까지 전개된 정치적 사회운동은 민주화운동, 민족민주운동, 민중운동, 민족해방운동, 통일운동 등 다양한 명칭과 개념으로 통용되고 있다. 이 모든 명칭과 개념은 공통적으로 이 시기에 존재한 권위주의적 정권과의 직, 간접적인 정치적 투쟁의 의미를 내포하며 이런 의미에서 이 시기의 모든 운동은 민주화운동의 일환"이었다(이종오, 2002:17).

이에 대해 조희연(2002: 169)은 60년대 이후 한국의 민주화운동이 "법적, 형식적으로 이식된 민주주의가 국가의 근대적 원리로 정착하기 위한 투쟁으로서의 성격, 근대 민주주의공화국으로 자신의 정체성을 포방하고 있으나 실제로는 반민주주의적 예외국가로 전락한 권위주의 정권에 대항하는 투쟁으로서의 성격, 나아가 개별정권이나 정부, 정책수준에서 출현하는 반민주적 폭력성을 극복하고자 하는 성격을 동시에 가지고 있다"고 지적한다. 결국 한국의 민주화운동은 다양한 영역에서 전개된 아래로부터의 투쟁이었으며, '중층적, 압축성장형 민주주의 투쟁'이었다는 것이다.

조희연(2002:159)은 이를 시기구분하기 위해서, 한국에서의 반공주의-개발주의 군부권위주의정권에 대한 저항을 시기별로 나누어 정리하고 있다. "권위주의체제에 대한 낮은 수준의 투쟁과 그에 대한 억압(5.16쿠데타이후 60년대의 권위주의와 저항운동의 갈등)-억압에 대응하는 투쟁의 점진적인 고양(60년대 말-70년대 초의 민주화운동)-고양되는 투쟁을 통제하기 위한 '전체주의'화된 억압체제로서의 재편(72년 10월 유신의 성립) 그러한 강화된 억압체제를 균열시키게 되는 투쟁의 고양(반유신 민주화운동의 고양) 이에 대응하는 권위주의 정권의 유혈적 재편(80년 광주학살과 전두환 정권의 등장) 이에 굴하지 않는 민중투쟁의 클라이맥스화(87년 6월 민주항쟁)와 군부정권의 퇴진 및 제도적 민주화"(조희연, 1992)의 시기이다. 이러한 조희연의 논의는 옆의 표와 같이 정리해 볼 수 있을 것이다.

| 5.16쿠데타<br>-<br>60년대 | 60년대말<br>-<br>70년대초 | 72년 10월 | 70년대 후반 | 80년 5월 | 87년 6월<br>민주항쟁 |
|---|---|---|---|---|---|
| 권위주의와의<br>갈등 | 민주화운동 | 유신의 성립 | 반유신<br>민주화운동<br>의 고양 | 광주학살과<br>전두환정권<br>의 등장 | 민중투쟁의<br>클라이맥스<br>화 |
| 권위주의체제<br>에 대한 낮은<br>수준의<br>투쟁과 그에<br>대한 억압 | 억압에<br>대응하는<br>투쟁의<br>점진적인<br>고양 | 고양되는<br>투쟁을<br>통제하기<br>위한<br>전체주의화된<br>억압체제로의<br>재편 | 강화된<br>억압체제를<br>균열시키게<br>되는 투쟁의<br>고양 | 권위주의<br>정권의<br>유혈적<br>재편 | 군부정권의<br>퇴진 및<br>제도적<br>민주화 |

위에서의 논의를 정리해 보면, 1970년대에서 1980년대라는 이 시기 전체를 걸쳐서 정치사회적인 공감과 광범위한 대중에의 인식의 정도를 고려해 본다면 '민주화운동으로서의 부마민주항쟁'이라는 성격규정과 개념정의가 가장 부합한다 할 수 있을 것이다.


## Ⅲ. 1970년대의 세계체제와 한국경제

### 1. 부마민주항쟁시기의 경제적 측면에 대한 선행연구들

다양한 논의들에도 불구하고 암울한 시기, '유신체제에 결정적인 종말을 고한' 사안의 중요성이나 파급력에 비해 1979년 10월의 부마민주항쟁은 정당한 평가를 받아왔다고 보기 어렵다. 1980년 5월 광주민주화운동을 둘러싼 연구 성과들과 내용에 비추어본다면 민망할 지경이다. 물론 이것이 어느 운동이 더 '의미있다'거나 '우월한' 지위가 부여될 수 있다는 것을 의미하지는 않는다. 특히, 부마민주항쟁이라는 특정시기의 사회운동만을 경제적 요인과 정치적 격변과의 관계를 중심으로 논한다는 것은 결과적으로 경제결정론적 논의로 이어지는 것을 피하기 어렵다. 기존의 선행연구들에서 전체적인 사회구조적 변화의 주요한 요소 중 하나로 경제적인 측면을 끼어 넣으면서 논의를 전개하고 있는 이유도 여기에 있을 것이다.

일반적으로는 1970년대를 다루는 사회운동론에서 당대의 사회운동의 정치적 영향력을 설명하기 위해서 '자원동원론'적 관점이나 '정치적 기회구조론'을 중심으로 하는 논의들이 주를 이루어왔다. 최근 들어서는 기존의 논의와 더불어 '가부장제'적 요소에 대한 비판이나 여성노동자들의 기억에 주목하는 '여성주의'적 관점에서의 논의들이 늘어나는 추세이다.

물론, 한국에서 시민사회를 다루는 본격적인 논의가 진행된 것은 80년대 후반이었다는 점을 고려하면, 1970년대의 시민들의 삶과 여건에 주목하는 시민사회론적 논의를 언급하는 것이 다소 생소한 느낌도 든다. 그러나 사회경제적 측면에 대한 논의들과 국가통계라는 본질적 한계에도 불구하고 민초들의 실제적 삶의 면모를 기존의 통계자료의 재구성작업을 통해서 당대의 생활세계를 간접적으로는 읽어낼 수 있을 것이다.

사회정치적으로는 군사쿠데타 이후 등장한 박정희 정권과 유신체제에 대해 김진균(2002: 5)은 '민족주의적 자존을 훼손하면서 종속적 자본주의 발전의 길'을 걸었으며, '내외적 조건에 반응'하면서 형성된 것이 1972년의 '유신체제'라고 평가한다. 1970년대의 한국사회는 이미 인구구조의 사회적 구성의 측면에 있어서도 '비농민 도시 거주자가 인구의 반을 넘어서고 있었고, 종속적 자본주의의 발전에 필요에 동원될 인력은 공식적 교육제도에 의하여 크게 성장하고 있었다'는 것이다. 따라서 박정희정권이 채택했던 종속적인 자본주의적인 경제발전 계획들은 사회구조의 급격한 분화를 초래하였는데, 대규모 공장에서는 생산규모의 확장과 더불어 노동자계급이 성장하고 있었으며, 중간계층도 기능분화에 따라 다양하게 출현하고 있었다. 이들은 한편으로 노동조건과 환경에 대한 개선요구 및 정치적인 인식을 갖추기 시작하였고, 중간계층들도 기능적 자율성을 확보하는 것에 필요성을 느끼기 시작하였다는 것이다.

박철희(2006)는 1970년대의 시민사회에 관해, 박정희 정권의 경제발전전략이 본격화되면서 국가의 발전에 상응하는 사회의 중간집단이 성장하였는데, 1970년대의 산업거점을 중심으로 지역차별적 발전전략을 추구하면서 한국의 시민사회는 근본적인 전환을 하게 된다고 지적한다.[1] 이렇듯 사회의 중간집단들이 중앙의 정치권력을 배경으로 만들어지기 시작했으며 지역사회 조직과는 분리된 조직이었다는 것이다. 특히 이러한 중간집단들의 성장이 '개발독재형 권위주의 정치체제 및 지역집중적 산업발전 전략'을 배경으로 하고 있다는 지적은 당시의 '지역적 기반을 가지지 않는 상부통제형 중간조직이 발달한 것이 1970년대 한국시민사회의 모습이었다'는 것이다.

손호철(2003)은 중화학공업화 정책이 위기국면을 맞이하면서 마이너스 성장을 경험한 경제적 상황에서 IMF의 지원을 요청하게 되었으며, IMF의 요구에 따른 구조조정이 민중들의 삶을 피폐하게 만들면서 유신 이후 한국에서 최초의 대중시위가 발생했다고 주장한다.

하나의 역사적 사건을 둘러싼 공통의 경험들은 시대의식과 집합의식 및

---

1. 농협은 전국 중앙조직을 갖추었으나, 기본적으로 농촌지역을 기반으로 한 조직이었으며, 양곡생산 지를 중심으로 정착되었다. 그리고 관변형 노동조합인 대한노총은 국가가 전략적으로 육성한 산업 단지인 울산, 구미, 포항 등을 중심으로 전개되었고, 전경련은 한국형 대기업인 재벌의 협의체 성격을 지닌 관계로 서울 및 수도권을 기반으로 성장하였다(박철희, 2006: 268~269).

정체성에 지대한 영향을 미치기 마련이다. 그들의 공통의 역사적 체험과 경험, 집합의식이 만들어지는 장면에 대해 톰슨(Thompson, 2000:273)은 계급에 대해 '노동계급의 형성은 경제사적 사실 못지않게 정치사, 문화사적인 사실이다'는 점을 강조한다. '계급은 물질적인 객관적인 조건뿐만 아니라 일상적인 경험을 통해서도 형성된다'는 것이다. 그러므로 노동이나 삶 또는 계급적 조건과 같은 삶의 다양한 영역에 대한 접근과 분석 그리고 연구작업을 통해 정리하는 것이 필요할 것이라고 본다. 최근 들어 70년대의 노동연구에 있어서 비숙련, 아동노동, 착취형 공장에서의 여성노동자들에 주목하는 연구들이 나타나고 있다. 여성노동에 있어서 1970년대의 정치적 상황과 경제적 상황에 대한 자세한 묘사와 여성노동자들의 노동현실에 대한 기술을 시도하고 있는 사례들이 그것이다. "70년대 청계, 동일, 원풍, 반도, YH등의 대표적인 섬유산업의 대표적 민주노조에 속했던 노동조합의 운동은 70년대 노동운동을 특징지우는 상징적인 장면들이다. 이들 노동의 정치사회적 속성에 비해 사회문화적 속성들에는 주목하지 못한 감이 있다"(이재성, 2004:344)는 것이다.

이러한 논의들은 전통적인 논의와 해석을 넘어선 새로운 관점의 적용을 통해 부산·마산지역에서의 운동에도 적용해 볼 여지를 남긴다. 물론 1970년대의 경제적 상황과 사회정치적 조건을 고려해 본다면 부산지역 경제에서 여성노동이 차지하는 비중은 매우 많은 비중을 차지하였다. 신발산업을 중심으로 한 대규모 공장들과 경공업에의 여성노동의 비중은 매우 높았기 때문이다. 특별히 세계경제의 변화와 한국경제의 심화가 중화학공업의 폭락과 경공업중심의 몰락에 비추어 본다면 제2도시로서의 부산지역의 경제비중의 성장과 추락의 계기를 여기에서부터 찾아볼 수 있을 것이다. 이와 관련한 선행연구와 자료들은 찾아보기 어렵다. 이어지는 작업에서는 구술자료나 면접을 통해서라도 자료를 구축할 필요가 있다는 생각이다.

## 2. 1970년대 세계경제체제의 위기와 구조조정

국가정책의 변화를 살펴보는 데 있어서 주변 국제관계의 변화와 세계화의 진행 양상에 귀 기울이지 않을 수 없다. 내부적인 요인이나 단일차원에 해당하는 정부의 의지와 정책만으로 평가하기에는 한계가 많다. 당시의 시대적 상황을 세계사적인 여건과 상황에 비추어 살펴보는 것이 필요한 이유이다.

1960년대 말까지 진행되었던 세계경제의 역동적인 발전은 1970년대 접어들면서 마무리 되지만 세계사의 장면들은 새로운 국면으로 전개된다. 이에 대해서는 유창선(1986:12-33)의 논의를 참조해서 정리해 볼 수 있다. 1970년대 세계경제위기가 시작된 시점에 대해서는 크게 1970년대 초반으로 보는 견해와 1974~75년에 세계적으로 동시에 진행되었던 스태그플레이션이 진행되었던 시점을 기준으로 하는 견해로 나뉜다. 이를 경제성장 및 광공업생산증대 등의 지표를 중심으로 살펴보면, 1973년까지의 시기와 1974년 이후의 시기와는 그 양상이 확실히 구분된다. 따라서 1974~75년을 경제위기 국면의 시점으로 보는 것이 타당하다 할 수 있을 것이라고 본다. 그러나 다른 한편으로는, 경제위기로의 이행의 시점을 1960년대 말에서 1970년대 초로 볼 수 있는 경제적 사실들이 분명히 존재한다는 사실도 기억할 필요가 있다.

이를 열거해 보면 1) 1965년 이후 베트남전쟁에 대한 미국의 군사지출과 대외지불증대에 기인하는 미국의 대내적, 대외적 경제위치의 급격한 악화, 2) 1969-70년에 이미 미국의 스태크플레이션 발생, 3) 1971년부터 미국 무역수지의 적자, 4) 1973년 2월부터의 국제통화의 새로운 격동, 5) 1970년대 초

국제무역마찰을 둘러싼 문제, 6) 1960년대 말부터 발전도상국 경제상황의 악화 등이다. 이와 같이 이미 1970년대 초반에 세계경제는 중대한 전환점을 맞으며, 동시에 팍스아메리카나체제도 변화한 국제조건들 위에서 재편을 시도하고 있었다.

두 번에 걸친 세계대전을 거치면서 선진자본주의 국가들의 기업들은 전후 복구와 시장발전을 거치면서 비교적 높은 경제성장율을 기록하였다. 특히 국내에서의 안정적인 성장을 보장 받을 수 있었기 때문에 특별히 국제관계로 시각을 돌릴 필요가 없었다. 당시 미국 정부는 소련의 팽창을 저지하기 위해 서유럽 경제와 일본경제를 재건하는 것이 필수적이라 여겼기에 자국 기업들이 유럽이나 일본에 투자하는 것을 적극적으로 지원하였다. 이렇게 미국과 유럽, 아시아에 걸쳐 현지법인을 건설하고, 세계적인 규모와 차원에서의 생산과 교역을 통제하는 초국적 기업들이 등장하기 시작한다.

그러나 1970년대 접어들면서 선진자본주의 국가들의 경제성장률은 급속히 둔화되기 시작하였다. 특히 선진자본주의 국가에서의 기업들이 직면한 심각한 이윤율저하는 이때까지의 기업규제와 세금에 대한 반감을 불러일으키기 시작하였다. 전 세계적으로 나타나기 시작한 자본주의의 위기는, 특히 복지국가를 구현했다고 하는 서유럽에서도 뚜렷하게 증가하는 실업율로 인해 사회적인 복지정책들에 대한 재검토를 고려하게 되었다. 여기에다가 산업생산력의 원천으로서의 석유를 중심으로 하는 산업구조가 몇 차례의 오일쇼크 Oil Shock[2]로 인해 새로운 시장을 찾아야 한다는 압박까지 가중되었다. 세계

---

2. 1973~4년의 중동전쟁(아랍-이스라엘)으로 인한 아랍 산유국들의 석유 무기화정책과 1979년 이란 혁명의 두 차례에 걸쳐서 일어났던 중동지역의 전쟁과 갈등으로 인해 전 세계에 걸쳐서 원유값이 급등함으로써 전 세계 각국에 경제적인 위기와 혼란을 가져왔던 사건을 말한다. 오일쇼크 또는 석유파동이라고 한다.

경제상황을 악화시킨 오일쇼크는 석유에 의존하던 세계경제체제에서 갑자기 석유가격이 폭등하게 됨으로써 엄청난 비용인상을 겪게 되었다. 경쟁이 악화되는 가운데 비용의 상승은 기업환경을 더욱 불안정하게 만들었으며, 이는 세계 경제 전체의 장기적인 침체를 심화시키는 요인으로 작용하였다. 이러한 상황에서 대부분의 정부들은 기업에 대한 세금부담을 늘리는 데는 본질적인 한계가 있었고, 통화팽창이나 부채증가를 통한 생산성향상은 인플레이션의 우려가 많았다. 이러한 도전을 넘어서기 위해 등장한 것이 정보기술산업에 대한 투자의 증대였다. 정보통신산업이 1970년대의 세계적인 경제위기를 넘어서 세계무역시장의 증대와 새로운 활력의 원천으로 등장하였다. 이와 더불어 세계적인 차원에서의 시장재편과 구조조정이 진행되기 시작한 것이다.

이렇듯 1970년대 후반부터 본격적으로 나타나기 시작한 경제위기의 양상은 기업의 채산성 악화와 도산, 이어지는 경제위기로 인해, 세계경제는 1980년대까지 장기적인 불황으로 이어졌다. 일시적인 경기회복 없이 불황이 지속되었던 것이다. 기업들은 이제 새로운 선택을 하지 않을 수 없게 되었다. 경쟁력을 회복하기 위해 본격적인 구조조정이 시작된 것이다. 구조조정은 몇 가지 차원에서 이뤄진다.

첫째, 공장의 이전이다. 공장을 이전하는 가장 큰 이유는 임금과 비용 때문이다. 값싼 노동력을 찾아 공장을 이전해야 한다는 것이다. 한국과 같은 제3세계의 비용이 저렴한 국가로 이전하거나 같은 국가 내에서도 노동조합이 없거나 세제지원이 많은 지역을 찾아 이동하기 시작한 것이다. 둘째, 비제조업 분야의 투자증가이다. 1970년대까지 세계경제를 이끌던 분야는 제조업이었다. 자동차, 석유화학, 중공업, 기계제조업 등을 주축으로 세계경제는 초

고속성장을 할 수 있었다. 이들 기업의 특징은 엄청난 규모의 설비투자를 통한 규모의 경제를 추구한다는 것이다. 뿐만 아니라 대규모 단위의 노동력을 고용해야 한다. 수 천 명에서 수 만 명에 이르는 노동자들이 하나의 공장에 집중되어 생산을 한다. 그러나 1970년대 이후 중화학 공업 분야의 세계적 경쟁은 매우 격화되었고, 저가격 경쟁자의 진입과 석유가격 폭등으로 인한 기업들의 채산성은 매우 악화되었다. 결과적으로 이윤이 별로 남지 않게 되었거나 파산에 직면하게 된 것이다. 셋째, 제조업 내부의 구조조정이다. 심화되는 국제적인 경쟁상황에서 기업들은 보다 유연한 슬림화를 지향하게 되며, 이는 기업조직의 변동으로 나타난다. 이를 위해 기업들은 우선적으로 생산라인을 축소하기 시작하며 제3세계로 시선을 돌리기 시작하였다.

## 3. 한국 경제의 발전과 경제정책

위에서 살펴본 것처럼 세계경제의 구조적인 변화는 한국경제에도 지대한 영향을 미친다. 1961년의 군사쿠데타를 거친 지 10여년이 흐르면서 한국사회에서는 구조적인 변화의 다양한 양상들이 표출하기 시작하였다. 한국자본주의의 발전단계와 양상에 대한 논의는 박현채의 논의를 통해서 살펴볼 수 있다.

"한국 자본주의에 있어서 국가독점자본주의적인 성장정책의 추구는 자력으로 이루어진 것이 아니다. 그것은 선행적 단계가 보여주는 것과 같이 외국자본의 도입과 진출이라는 세계자본주의의 일환으로 한국을 편입시키는 과정에서 전개된다. 1965년 한일국교정상화에 따른 일본자본의 대한진출은 획기적인 의미를 지니는 것이었다. 그뿐 아니라 국가독점자본주의적인 성장정책은 외자와의 관련에서 광점위한 국영 및 정부투자기업의 창출에 의해 주어지고 있었다. 따라서 주요기간산업에 있어서 외자의 논리의 관철은 국민경제에 있어서 종속적인 대외 의존적 구조로 될 수밖에 없었다. 그리고 이런 현상은 한국경제의 성장과 발전을 기한다는 이름 밑에 주어진 외자에의 광범한 유인의 제공에 의해 밑받침되었다"(박현채, 1990:331).

### (1) 한국경제의 단계별 발전과정과 특징

이와 같은 1970년대의 거시경제흐름을 살펴보기 위해서는 단계적 특징들을 중심으로 살펴볼 수 있다. 한국경제에서의 종속적 경제구조의 구체화를 통해 한국자본주의가 발달하기 시작한 것에 대해서는 박현채(1983)는 '1단계(1943~49) 원조적 국민경제의 재편성단계, 2단계(1950~61) 경제위기 심화, 경제적 민족주의 고양의 시기, 3단계(1962~71) 1·2차 경제개발계획의 시기, 4단계(1972~76) 제2차 경제개발계획의 시기 그리고 5단계(1977~81) 세계경제의 불황과 경제위기의 심화로 나타난 제4차 경제개발계획의 시기'로 나누어 설명하고 있다(박현채, 1979; 박현채, 1983).

여기서는 특히, 4-5단계(1972~76)의 시기에 주목해 볼 필요가 있다. 4단계의 시기는 제2차 경제개발계획의 시기이다. 이때에는 1965년 8월 이후의 세계적 불황에 동참함으로써 국민경제의 성장모델이 대외개방형으로 고정화되고 안팎으로 그간의 고도성장이 한계에 직면하고 있다는 징조를 보이기 시작하였다. 광범한 외자도입의 소산인 차관기업의 부실화는 국민경제의 파국을 예견케 했으며, 정치적 상황에서도 유신維新과 함께 6.3조치를 구체화시켜 기업회생정책을 시도한다. 그러나 '석유파동'이라는 외부적인 충격과 녹색혁명에 의한 농업생산력의 증가는 저곡가정책으로 빛을 발하고 8.3조치의 후속으로 기업공개와 증권시장 육성책이 발표된다. 이 시기에 재벌급 독점자본은 계열화와 기업합병으로 광범한 축적을 이루어 민간 자본의 영역에서 독점의 실현을 완성하게 된다(박현채 외, 1985: 156참조).

5단계(1977~81)는 세계경제의 불황과 경제위기의 심화로 나타난 제4차 경제개발계획의 시기이다. 세계경제의 불황속에서도 한국경제의 대외수출은 100억 달러에 이르게 되고, 불황속에서의 수출지속을 위해 국민경제의 대외개방을 추구한다. 부등가교환에 의한 수출은 국내에서는 비싸게 팔고 밖에서는 싸게 파는 2중가격의 현상을 낳는다. 이 시기에 세계경제의 불황과 함께 우리 경제의 불황이 더욱 악화된 것은 '수출입국'형으로 모색된 중화학공업화가 좌절되어 국가개입에 의한 조정이 불가피하게 되었기 때문이다. 비정상적인 각종의 재정지출과 중화학공업의 구제를 이한 지출은 인플레이션과 함께 각종 위기의 중요한 요인으로 작용하면서 새로운 경제질서의 정립이라는 요구 앞에 몸부림치고 있는 세계 경제적 불황과 함께 오늘의 위기를 적응키 어려운 것으로 만들(박현채 외, 1985: 156~157)었다.

### (2) 국가독점자본주의의 확립과 중화학공업중심으로의 정책전환

60년대 말부터 현상된 경제위기와 더불어 분출되기 시작한 민중의 저항은 미중관계개선과 미국의 동아시아전략의 변화등과 같은 국제정세의 변화와 맞물리면서 한반도에서도 지배방식의 전략적 변화를 요청하는 상황을 마주하게 되었다. 국가가 직접 독점자본에게 노골적인 지원과 혜택을 부여하기 시작한 국가개입 양식의 변화가 뒤따랐다. 부실기업의 정리와 국가기업의 민영화과정에서 인수와 합병을 통해 독점자본에게 자본의 집중이 가능한 여건을 제공하기 시작한 것이다.

이러한 와중에 선포된 1972년 10월의 유신헌법을 통해 등장한 유신체제는 이병천(1987: 34)의 언급처럼 "고도축적의 본질적 모순을 구성하는 노동자 계급의 고양되고 있는 방어투쟁을 억압 분쇄할 뿐 아니라 나아가 그것의 새로운 단계로의 전환을 선제공격하는 예방전쟁의 성격"을 지닌 것이었다.

박정희 정권은 73년 1월 대통령 연두기자회견에서 '중화학공업화'를 선언하고, 8월에 「우리 경제의 장기전망(1972~1981)」을 통해 '중화학공업화 계획'을 발표하였다. 이는 '제3차 경제개발 5개년 계획'의 기본노선을 탈피하여 중화학공업을 중심으로 하는 정책전환의 서막이었다. 여기서 만들어진 '중화학공업화추진위원회 기획단'에서는 공산품수출 중에서 중화학공업제품의 수출촉진을 통한 산업구조의 고도화에 주안점을 두었다. 특히 '철강', '비철금

| | 제3차 경제개발 5개년 계획 | | 우리 경제의 장기전망 | |
|---|---|---|---|---|
| 특    징 | 산업별 수요예측과 생산목표, 투자계획을 제시 전략산업을 지정하지 않음 | | 6개 산업(철강, 비철금속, 조선, 기계, 전자, 화학)을 전략산업으로 지정 | |
| GNP 성장률 (연평균) | 1972–76년 | 8.6% | 1972–76년 | 9.0% |
| | | | 1977–81년 | 11.0% |
| 수    출 | 1976년 | 35억 달러 | 1976년 | 44억 700만 달러 |
| | | | 1981년 | 109억 7천만 달러 |
| 1인당 GNP | 1976년 | 389억 달러 | 1976년 | 488달러 |
| | | | 1981년 | 983달러 |
| 중화학공업/제조업 부가가치 | 1970년 | 35.9% | 1972년 | 35.2% |
| | 1976년 | 40.5% | 1976년 | 41.8% |
| | | | 1981년 | 51.0% |
| 중화학공업제품/공산품수출 | 1972년 | 23.3% | 1972년 | 27.0% |
| | 1976년 | 33.3% | 1976년 | 44.0% |
| | | | 1981년 | 65.0% |

출처: 石崎菜生(1996: 69)에서 인용

속', '조선', '기계', '전자', '화학'과 같은 6개 전략산업분야를 중점육성산업으로 지정하고 생산목표와 물동계획까지 준비하기 시작하였다.

이러한 산업정책의 변화에는 1968년 11월에 발생한 '무장공비침투사건'으로 국가방위산업관련성의 필요성에 대한 자각을 고려[3]한 정치적 판단도 있었다고 봐야 할 것이다. 베트남에서의 미군철수문제와 이에 대한 위협을 느낀 박정희정권이 자주국방을 기치로 내걸면서 중화학공업화(방위산업)에 박차를 가한 것은 그 추진동기에 있어서 군사적 성격을 명확히 하고 있는 지점이라고 할 수 있을 것이다.

1981년까지 연평균 GNP성장률을 10%로 목표하며, 제조업의 증가에 의해 경제성장을 주도하고 제조업의 증가는 중화학공업화에 의해 선도되게 함으로써 산업구조의 고도화를 이룩한다는 구상은, 제1차 석유파동과 뒤이은 불황으로 한때 일부계획이 축소 연기되기도 하였지만, 호황국면에 접어든 1976년부터 보다 강력하게 추진되었다.[4]

1973년 5월에 대통령령으로 중화학공업추진위원회가 설치되어 중화학공업중심의 발전계획을 추진하는 것과 동시에 재정측면에서의 재정융자확대와 같은 지원정책은 1974년 이후 1980년에 이르기까지의 재정투자에서 80-90%를 차지하였다. 중화학공업에 대한 지원금이 차지하는 비중도 67.1%에 달하였다(재무부, 1982). 조세측면의 지원도 중화학공업을 비롯한 소위 14개 중요산업에 대해 '세제직접감면', '투자액공제', '관세감면혜택'(경제기획원,

---

3. 1972년 7.4일 남북공동성명발표와 함께 북한을 방문했던 한국의 방문단이 북한의 중화학공업의 발전상에 압도당한 사실로 인해 60년대 이후 경공업중심의 경제발전전략에 위기를 느꼈다는 점과, 베트남에서 미군철수를 통해 박정희 정권이 느낀 위협도 중요하게 작용한 것으로 보인다.
4. 철강 비철금속, 조선, 기계, 전자, 화학 등 6개 산업분야에 대한 육성계획을 추진하기 위해 당시 정부는 1973-1981년 사이 총 투자액의 22.1%, 제조업 부문 투자액의 63.9%에 달하는 총 2조 9,800억원(1970년 불변가격)의 투자를 계획하였다. 이를 위해 중화학공업육성을 위한 정부기구 및 조직의 개편 재정금융조세상의 지원, 그리고 사회간접자본의 확충이 이루어졌다(김대환, 1987).

1981: 107)등의 많은 수혜가 있었다. 또한 1973-1980년 동안 이루어진 중화학공업에 대한 산업은행의 대출금 중 80%가 중화학공업에 대한 금융지원이었다. 사회간접자본의 확충을 통한 중화학공업에 대한 지원 역시 80.5%를 차지할 정도였다.

또한 정부가 중화학공업화 계획에 입각하여, 각 업종별로 산업입지를 정하여 공단을 조성하고 필요한 도로, 항만, 용수 등의 부대시설을 제공함으로써 산업기지를 건설하고 입주하는 기업들에게 금융 및 조세측면에서의 혜택들이 주어졌다.[5]

이렇듯 중화학공업화정책을 수립하고 실행해나가는 과정에 있어서 수입대체를 위한 노력과 중화학공업제품의 수출을 통한 경제개발계획은 기본적으로 자원배분과 수출목표달성을 위한 국가개입의 역학을 강화하는 방향으로 진행될 수밖에 없었다. 특히 석유화학산업의 경우에서처럼 석유화학제품의 수입대체과정과 자원배분과정에서의 국가의 가격통제정책은 이를 단적으로 보여준다.

결과적으로 60년대 이후의 국가와 독점자본과의 관계 재편은 8.3조치 등의 위기탈피를 위해, 박정희 정권의 사활이 걸려있던 수출지향적 중화학공업화를 중심으로 축적구조를 재편해나가기 위한 기반을 조성하는 것이었으며, 중화학공업화를 추진하는 과정에서 정치체제로서의 유신체제와 같은 파시즘적인 동원전략이 짝을 이루는 가운데 진행되었다. 그러나 수출증가가 수입의 증가를 유발하는 경제구조는 자본축적과정에 있어서 본질적인 취약상을 보이게 되고 이는 외자유치와 도입에 주력하게 될 수밖에 없는 구조가 형

---

5. 자세한 논의는 이상철, 1960-1970년대 한국 산업정책의 전개-위계적 자원 배분 매커니즘 형성을 중심으로 「경제와 사회」 겨울호(통권 제56호), 비판사회학회, 2002, pp127~131 논의 참조.

성되었다. 수출지향적인 공업화전략은 경제성장의 비율만큼이나 외채의존성과 종속성이 높아지는 구조적 문제를 노정할 수밖에 없었기 때문이다.


## Ⅳ. 1970년대 지역경제와 사회적 여건

### 1. 산업단지 조성과 지역경제의 기반 형성

유신조치를 통해 안정적인 정치적 기반을 확보한 박정희정권은 '수입대체공업화'전략과 '경제개발5개년계획'을 통해 진행되던 경제발전 전략을 '중화학공업화'정책 중심으로 방향전환을 시도한다. 물론 여기에는 북한의 경제성장에 비해 뒤떨어졌다는 평가들과 국방안보에 대한 정치적 고려들이 있었다고 봐야할 것이다.

수입대체를 위한 노력과 중화학공업중심으로의 기업육성전략의 기조 변화는 결과적으로 전국적인 공장증설 붐을 불러일으켰다. 민간기업의 역할을 증대시키는 방향으로도 전개된다. 그러나 공산품생산과 달러를 획득하기 위한 수출중심의 주요정책들은 결과적으로 국가의 개입을 강화시켰고, 수입대체공업화의 추진과정에서도 국가독점자본주의적 속성들이 한층 강조되는 방향으로 진행되었다. 수입대체산업을 중심으로 급성장한 기업이나 공장들의 대외적인 경쟁력확보와 신규기업에 대한 진입제한은 독점적인 재벌기업 중심의 육성과 지원정책으로 귀결되었다. 그러나 수입대체를 목적으로 급증하기 시작한 공장들의 규모확대와 생산능력의 급증은 70년대 후반기에 이르러서는 국내외 수요초과와 과잉생산이라는 필연적 문제를 불러오기 시작하였다. 이를 해소하기 위한 국가의 정책 역시 수출을 통한 활로모색으로 이어질 수밖에 없었다. 이러한 과정에서 정부개입과 차관, 은행대출 등에 대한 권력의 개입이 강화되었고, 국가독점자본주의적 속성들을 더욱 심화시키는 방향으로 전개될 수밖에 없었다.

그러나 의도하지 않은 결과들도 있었다. 중화학공업중심의 정책수립과 실행과정에서 국가가 자원의 배분과 동원에 적극적으로 참여하였는데, 각 업종별로 산업기지를 정하고 공단을 조성하는 과정에서 조성되었던 산업기지 건설의 과정은 지역적인 분할을 통한 지역경제의 발전에도 기여한 측면도 있었다는 지적들이 그것이다. 결과적으로는 이러한 공단과 산업입지에 대한 구획과 구분을 통해 조성된 지역적 분할은 오늘날까지도 그 기본적인 틀을 유지하고 있다. '마산 수출자유지역' 지정이 대표적인 사례일 것이다. 사실상 지역경제에 대한 논의를 여기에서부터 시작해야 되는 이유가 여기에 있다.

그러나 60년대 말의 누적된 모순과 문제점들이 부실기업의 문제로 대두되자 그 대책으로 등장한 것이 이른바 8.3조치이다. 국가가 기업에 대한 폭력적인 개입을 중심으로 하는 이 대책은 독점적인 기업들에게는 '산업합리화'[6]라는 명목으로 엄청난 혜택을 부여하는 것으로 귀결되었다. 70년대 초의 중화학공업육성책을 실현하기 위해서는 전체의 60%를 외자를 통해 유치해야 했으므로 차관을 통한 자금유치가 적극적으로 진행되었다.[7] 70년대 초의 외채위기를 겪은 후 한국경제는 화폐자본 중심의 외자도입에서 해외독점자본의 직−합작투자 유치로 옮기려고 시도하였다. 직접투자를 활성화시키기

---

6. 산업합리화자금은 72년 165억, 73년에 283억원으로 448억원에 달했다. 기간산업에 60%가, 외화획득산업에 22.4%, 원자재 공급산업에 11.2%가 공급되었다.

7. 70년대 후반에 접어들면서 IBRD나 ADB로부터의 재정차관이 급증하고, 상업차관의 종류들도 금융기관을 통한 단기성 차입, 외화표시발행 채권의 형식으로 전환되기도 하였다.

위해 70년 1월 '수출자유지역 설치법'을 제정하여 '마산'과 '이리'(현 익산)를 '수출자유지역'으로 지정하고 이 지역에서 외국인의 자유로운 기업 활동을 보장하는 한편, '외국인 투자기업의 노동조합 및 노동쟁의 조정에 관한 임시 특례법'을 제정하여 외국인 기업에서의 노동운동을 원천적으로 봉쇄[8]하는 조치도 취해졌다.

## 2. 사회경제적 갈등의 심화와 위기의 일상화

부마민주항쟁의 사회경제적 배경에 대해서는 위에서 살펴본 것처럼 세계적인 경제위기의 심화와 국내적으로 진행된 노동집약적인 경공업위주의 공업구조라는 구조적인 요인들도 있었다. 특히 마산·창원지역에서의 중화학공업의 중복과잉투자와 같은 국가독점자본주의의 한계들이 맞물리며 영향을 미쳤다고 보아야 할 것이다.

박정희정권은 중화학공업에서의 투자실패와 오일쇼크로 인한 경제위기 국면에서 IMF에 구제금융을 신청한다. IMF는 구제금융의 조건으로 '긴축정책'등의 전제조건을 제시하는데 이를 통해 등장한 것이 1979년 4월의 '경제안정화종합시책'이었다. 그러나 IMF의 이러한 정책은 경쟁력이 없는 중소기업과 서민들에게는 '상대적인 박탈감'과 '궁핍감'을 매우 강화시키는 방향으로 전개되었다(손호철, 2003).

홍장표·정이근(2003)에 의하면 합판, 섬유, 신발 등 경공업 중심의 수출산업으로 구성된 부산지역에서의 산업에서는 이윤율은 전국 산업에 비해 크

---

8. 이 조치로 외국인 직접투자는 1970년대에 대폭 늘어나는데, 70년에 5,890만 달러, 71년에 1억 3,290만 달러, 73년에는 2억 6,830만 달러로 늘어난다(경제기획원, 1976, 『주요 경제지표』).

게 낮은 수준이었다. 이렇듯 극도의 저임금 산업이 집중되어 있는 현실에서 중화학공업부문으로의 과잉투자로 인한 위기는 지역경제에도 큰 영향을 미쳤다고 한다.

부산지역의 경우에도 1960년대 이래로 신발, 섬유, 합판 등과 같은 경공업 부문이 주종을 이루었고, 마산의 수출자유지역에서도 섬유, 종이, 식품 등이 주종을 이룬다. 이는 수출의존성이 높은 노동집약적 업종들이며, 저임금과 장시간 노동에 기초한 부문이었다. 이는 구조적으로 민중들의 취업불안과 저소득으로 인한 생활고를 야기하고 영세기업의 저임금 노동자, 실업자 등 하층 노동자와 도시 빈민층의 사회적 불만을 야기(차성환, 2014:167)시킬 수 있는 산업군이었다. 특히 이러한 취약한 산업구조적 여건위에서 마주한 1978년의 오일쇼크와 같은 경제적 위기는 다른 지역들보다 부산·마산 지역에 더 큰 충격을 가져온 것으로 보인다. 당시의 경제성장율에 있어서도 다른 도시에 비해 하락의 폭이 크게 나타났다. 무엇보다도 유가상승으로 인한 원단, 원목, 고무 등의 원자재 수입가격이 폭등하면서 충격의 폭은 더욱 컸다고 봐야 할 것이다.

부산의 부도율 역시 1971년도에 비해 전국평균 2.4배에 달한 것으로 나타난다. 특히 마산지역의 경우 부도율은 1979년도에는 전년도에 비해 37% 증가한 것으로 나타났다. 1979년 휴업업체수가 5개였으나 입주기업체는 88개 회사로 감소했다(부산민주화운동사 편찬위원회편, 1998). 김원(2006)의 논의에서처럼, 1979년 부산지역 제조업체의 연쇄부도와 실업률 증가로 인한 도시빈민, 실업자, 노동자들의 고통은 가중되었고, 양극화도 심화되었다.

이렇듯 세계적인 위기와 국내정책실패의 위험은 민초들의 삶에 직접적인 영향을 미친다. 이와 더불어 1977년도부터 도입된 '부가가치세의 도입'과

1979년의 물가상승율은 민중생활의 악화에 직접적으로 영향을 미친다. 부가가치세도입으로 간접세가 직접세를 초과할 정도였다는 데서 더욱 두드러진다. 이는 미국 중앙정보국(CIA) 의 자료에서도 뚜렷하게 확인가능하다.

> "가장 큰 문제는 소득분배에 양극화가 일어나고 있다는 대중의 생각이다. 대중들은 기업 중역과 노동자들 사이에 거대한 소득차를 인식하고 있을 뿐만 아니라 부자들이 저소득층은 받을 수 없는 불공정한 세금혜택을 받고 있다고 주장하고 있음. 관료들은 상품가격 폭등을 또 다른 문제 지적하고 있으며, 1979년 25~30%, 그리고 1980년은 20%에 달하는 물가상승률을 예상하고 있음(CIA, 2016)."

1970년대 후반에는 부산마산지역의 노동운동도 고조되었다. 유신체제가 수립되기 직전의 2-3년 동안 부두, 선원, 철도, 버스, 건설, 섬유, 철강업체 및 금속노조, 석탄공사, 금융노조 등의 노동자들이 쟁의와 파업으로 체불임금 및 임금인상을 요구하는 투쟁을 전개하였다. 그러나 74년 초의 긴급조치와 국가보위법등으로 노동운동은 위축되고 대학가에도 침묵이 고조되었다.[9] 1978년 접어들며 대학가에서 등장한 이념서클들과 노동운동과의 만남들이 시도된다. 종교 및 인권운동은 개신교의 도시산업 선교활동과 가톨릭의 JOC 활동 등을 중심으로 종교-노동-학생이 인적관련을 맺기 시작하며 노동운동도 활성화된다.

청계피복노조로부터 시작된 민주노조운동은 새로운 노조를 결성하거나

---

9. 그럼에도 불구하고 부산지역에서는 74년 10월의 부산지역 대학연합시위, 75년 반정부유인물배포사건, 77년 중부교회사건, 78년의 양서조합의 설립 등의 학생운동은 이어지고 있었다.

노조민주화를 위한 노력들로 표출되었다. 1978년 10대 국회의원 선거에서 신민당이 승리를 한 이래로 시민들의 저항은 유신체제의 종말을 재촉하고 있었다. 동일방직, 삼원산업, 반도상사, 한국모방등으로 확대되었다. 그러던 와중에 1979년 8월 9일 'YH무역'의 여성노동자 170여명의 신민당사 농성과 10월 4일 '김영삼 신민당총재의 의원직 제명' 등과 같은 정치적 사건들은 대중운동으로의 촉발요인의 하나로 작용하였다. 2학기 개강과 더불어 학원가에서의 시위와 정권의 탄압에 대한 대중적 항쟁의 도화선이 불붙기 시작한 것이다(이소선, 1990; 구해근, 2003).

## 3. 부마항쟁시기의 지역경제의 몇 가지 특징적 양상들

1960~1970년대의 산업정책을 어떻게 이해할 것인가에 대해서는 많은 쟁점들이 있다. 물론 한국의 공업화가 강력한 정부의 개입아래에서 이루어진 '국가주도산업화'(변형윤, 1996: 112)로 특징지어진다는 것에 대해서는 대체적으로 암묵적인 합의가 있는 것으로 보인다. 이러한 수출지향 공업화정책의 추진과정에서 지속적으로 추진된 수입대체공업화 노력, 그리고 1973년 이후의 중화학공업화정책에 이르는 일련의 산업정책수립, 집행과정에서 점증되었던 정부개입의 성격과 특징을 분명하게 밝혔을 때 그 성격은 더욱 분명하게 드러나게 될 것이다.

이와 별도로 기존에 많이 논의되고 있는 박정희정권에 의해 강압적으로 타결되었던 '한일협정'의 문제와 '월남파병'에 눈길을 잠시 멈출 필요가 있다. '차관'과 '파병'의 과정에서 획득한 '달러'라는 해외자본의 국내유입은 한국사회의 산업화에 지대한 영향을 미치기 시작했다는 것은 회피하기 어려운 사실이기 때문이다. 사실상 여기서 획득한 해외자본이 한국 자본주의의 압축적인 성장을 가져온 계기가 되었다는 '주장'들에도 부분적인 동의를 표할 수밖에 없을 것이다. 이 시기를 거치면서 한국사회는 '구호물자'로 연명하던 시대에서 '수출입국'과 '하면된다'는 슬로건의 시대로의 변화를 시작한다. 동시에 전국적으로 진행된 '이촌향도'의 열풍과 '도시화'는 한국사회 전체를 꿈틀거리게 하였다.

　1970년대를 기점으로 급격한 변화양상을 보이는 '인구구성비'를 통해서 확인할 수 있다. 인구의 계층별, 계급적 구성의 변화는 농촌인구중심에서 도시중심사회로 뚜렷한 변화상을 보인다. 1차산업, 농업생산사회에서 상공업을 중심으로 하는 근대적 자본주의 사회로의 변화도 수치로 확인된다. 국가주도의 독점적인 자본주의가 안정화되어가는 시기에 정부주도의 재정투자는 대도시 중심으로 집중되었다. 수출지향적 산업구조로의 재편과 도시화를 통한 자본주의적 전환이 이루어지면서 지역인구의 비중도 높아졌다는 사실도 인구증가와 관련한 지역인구의 주요변수의 하나로 고려해 볼 수 있을 것이다. 이는 노동자구성의 변화에도 그대로 나타난다. 직종별 노동자구성의 비율의 변화를 살펴보면, 공업화를 통한 노동집약적인 산업으로의 뚜렷한 변

〈표〉 직종별 노동자구성의 추이　　　　　　　　　　　　　　　　　　　(단위 ; %)

| 직종＼연도 | 1960 | 1966 | 1970 | 1975 | 1980 |
|---|---|---|---|---|---|
| 전문기술직 | 9.1(81.8) | 7.5(78.8) | 7.0(76.1) | 7.0(74.1) | 9.0(71.6) |
| 행정관리직 | 1.3(98.6) | 1.6(99.1) | 0.9(98.7) | 0.8(97.0) | 0.9(98.8) |
| 사무직 | 11.6(94.3) | 12.8(89.0) | 14.8(83.0) | 16.2(76.6) | 21.5(66.7) |
| 판매직 | 3.2(83.9) | 4.5(76.8) | 5.2(74.5) | 5.4(71.3) | 5.5(67.3) |
| 서비스직 | 23.6(52.9) | 13.1(40.7) | 12.8(42.2) | 10.7(43.9) | 9.5(51.5) |
| 농림, 어업직 | 16.8(92.4) | 16.3(82.6) | 14.0(68.0) | 10.8(68.8) | 2.7(72.5) |
| 생산직 | 34.3(83.2) | 44.2(82.4) | 45.3(77.6) | 49.2(72.2) | 51.0(71.4) |
| 전직종 | 100(79.0) | 100(77.5) | 100(72.8) | 100(69.8) | 100(68.6) |

자료 : 이동선(1985: 210)

화가 나타나고 있다.

1970년대 중화학 공업의 성장과 더불어, 생산직노동자의 비중이 높아지는 것을 확인 할 수 있다. 특히, 인구구성에서 연령별 변화를 보이는 통계자료들에서는 18~29세층과 40세 이상의 층이 증가하고, 서울, 부산 등 대도시에서의 인구집중현상이 계속되고 있는 것으로 나타난다. 생산직에 종사하는 젊은 노동자들이 대도시에 집중되기 시작한 것이다.

부산의 경우 1960년대 전반기의 인구증가율을 살펴보면 연평균 3.0%로 전국 평균과 비슷하였다. 경제성장이 본격화되는 60년대 후반부터 71년의 시기에 연평균 7.5%의 높은 증가율을 보인다. 이는 산업입지조성과 항구도시로서의 부산의 도시기능 확장과 더불어 인근지역으로부터의 인구유입이 활발하게 이루어진데 기인하는 것으로 보인다. 특히 부산의 경우, 1960년대 중반이후의 소비재와 노동집약적인 산업의 발전에 힘입어 1970년대 초반에 인구 200만의 도시인구를 확보함으로써 상공업도시이자 제2도시, 수출입관문도시로서의 역할을 수행하기 시작하였다. 50년대의 100만 인구가 200만 인구로 성장하는 데에는 17년여가 걸리지만, 70년대 중반의 고도성장의 과정에서 300만 인구(1979)로 성장하는 데에는 7년여가 채 되지 않았다는 사실도 눈길을 끈다.[10]

부산은 1963년 직할시로 승격되면서 도시 외곽지역의 대한 집중적인 개발이 진행되고, 도시기반시설이 확충되기 시작하였다. 특히 경제개발계획 2차년 시기였던 1967~1972년의 시기에는 산업집적과 수출호황으로 부산항

10. 물론 인구구성의 변화에 있어서 의미있는 두 시기(1972, 1978)의 경우에도 자연증가율이기보다는 시경계구역의 확장을 통한 행정구역의 변경을 통한 증가라는 점은 주의 깊게 살펴봐야 하는 지점이다.

〈표〉 부산의 인구추이 (단위: 명)

| | 인구(전체) | 남 | 여 | 인구밀도 | 세대 | 세대당인구 |
|---|---|---|---|---|---|---|
| 1955 | 1,049,363 | 529,112 | 520,251 | 4,776 | 190,341 | 5.5 |
| 1960 | 1,163,671 | 578,748 | 584,923 | 5,297 | 191,236 | 5.7 |
| 1965 | 1,419,808 | 698,395 | 721,413 | 3,941 | 256,164 | 5.5 |
| 1970 | 1,842,259 | 905,351 | 936,908 | 4,936 | 371,228 | 5 |
| 1975 | 2,453,173 | 1,222,153 | 1,231,020 | 6,536 | 503,813 | 4.9 |
| 1978 | 2,879,570 | 1,430,287 | 1,449,283 | 6,604 | 593,883 | 4.8 |

을 중심으로 하는 인구유입과 도시확장이 본격화된 시기였다. 1972년 이후 사상에 만들어진 공단지역에 기업들이 본격적으로 입주하기 시작하고, 1978 년에는 김해지역이 시역확장으로 부산시에 편입되어 도시개발이 서부지역 으로 확산되기 시작하였다는 사실들과 인구구성은 비례하고 있다.

인구이동의 경우에도 60년대부터 70년대 중반까지는 고른 변동율을 보 이지만 1977~80년 시기에는 높은 이동율(평균 57%)을 보이고 있다. 급격한 산업화과정에서 농촌인구의 유입과 더불어 급격한 사회적 구성의 변화가 진 행되고 있었음을 보여주고 있음을 알 수 있다.

그러나 인구구성의 변화에서 눈여겨봐야할 지점 중 하나는 청년층의 분 포이다. 80년대까지 부산경남지역의 유학생들과 다양한 학생들의 '혼재'현상 을 통한 문화복합현상에도 주목할 필요가 있는 것이다. 부마민주항쟁의 직 접적인 촉발요인은 부산대학교 학생들의 시위에서부터 비롯하였다. 70년대 의 지역사회운동에 있어서 노동계와의 만남의 운동사적 연결은 '양서조합'이 나 '도시산업선교회'였겠지만 이촌향도를 통한 가족구성의 변화와 다양한 지 역에서 온 전입자의 뒤섞임현상은 부산지역의 새로운 문화이자 '야당'문화로 서의 공감대를 만들어 내었음에 분명하다. 야당도시로서의 '지역성'은 항만 을 중심으로 하는 해양도시의 기질적 요인, '자유분방함'과 '포용성', '잡종성'

등과 같은 해양과 관련한 기질들이 많은 영향을 미쳤음에 분명하다. 이는 추가적인 논의를 통해 살펴볼 필요가 있는 지점이다.

## V. 나가며

부마민주항쟁에 대한 다양한 각도에서 진행될 수 있을 것이다. 그러나 부마민주항쟁에 대한 역사적 평가는 한국사회민주화운동과의 긴밀한 관련성 속에서 파악되어야 한다. 물론 항쟁에 대한 객관적 평가나 기준 그리고 역사적 의의에 대해서는 상반된 평가도 있을 수 있다. 이종오(2002: 25)의 "역사적으로 성공한 모든 사회운동이 초기에 보이는 관념적 급진성을 극복하여 성숙한 대중운동, 정치운동으로 발전한 사례가 한국의 경우에는 일어나지 못했다"는 지적은 부마민주항쟁의 경우에도 적용될 수 있을 것이다. 청년학생의 선도적인 운동이나 급진적 민족주의적인 방식으로 지식인의 일부와 결합한 운동이었을 뿐, 중산층이나 노동자 대중과 결합하는데 성공하지 못하였다는 평가를 회피하기도 어렵다. 운동사에 대한 평가와 논의는 차치하고, 본 논의에서는 부마민주항쟁시기의 사회경제적 배경과 조건들에 대한 논의에 주목해서 살펴보고자 하였다.

1979년 부마민주화항쟁의 배경을 논하는 대부분의 논의들은 '오일쇼크', '중공업 중심의 산업화'의 모순, '부산 경제구조의 낙후성'에 주목한다(전재호, 2016). 세계경제체제의 구조조정으로 인한 경제위기라는 외부적인 요인과 중화학공업화정책의 실패라는 경제정책의 실패라는 요인은 여러 가지 면에서 확인된다.

중첩된 경제위기들과 '부가가치세 인상'이라는 변수가 맞물리며 장바구니 물가의 폭등이 일어나며 사회심리적으로 광범한 불만의 진원지로 작용하고 있었다. 경제위기와 생활세계의 불만감은 '상대적 박탈감'의 주요한 요인이 되었으며 부마민주항쟁의 주요한 경제적 배경으로 작용하였다.

특히, 급격한 다양한 지역에서의 이촌향도를 통한 인구이동과 공장노동자화 과정을 통한 일상과 삶의 변화는 시대의식에도 지대한 영향을 미쳤을 것이라는 가설을 성립가능하게 한다. 농촌에서의 삶과 공장노동자로서의 정체성간의 괴리와 접합은 사회의식에도 지대한 영향을 미쳤을 것이다. 이는 부산대학교 학생들의 인적구성과 관련하여 추후의 작업을 통한 실증적인 연구가 필요한 지점이라고 본다.

마지막으로, 부산과 마산이라는 지역적 특성들과 부마민주항쟁과의 관련성에 대해서도 추론의 여지가 있다. 경공업중심의 노동집약적인 환경에서의 노동환경과 바다와 선원들을 중심으로 하는 수많은 인적교류가 이루어지는 항구도시에서의 본연의 '해양성'을 바탕으로 하는 '저항성'은, '우리가 남이가?'로 표출되는 '합일성'으로 나타난다. 사회적인 태도와 감정의 표출에서는 폭발적인 양상을 보이기도 한다. 이러한 큰 목소리의 상징으로서의 '경상도 사나이'의 전형적인 기질이 부산과 마산에서 두드러진다는 점은 눈길을 끄는 대목이다. 이는 한국민주주의운동사에서 결정적인 장면들에서 부산과 마산이 '기폭제'역할을 하였다는 사실과도 밀접한 관련성이 있다는 가설을 세우게 한다. 사회경제적 요인과 심리적 요소는 분리되어 설명될 수 없는 이유이다.

그러나 무엇보다도 부마민주항쟁의 결과 18년 박정희독재가 몰락했다는 사실에 주목해야 할 것이다. 더불어 2016-7년의 촛불시민의 민주주의혁명이 수 십 년 동안 유지되어왔던 강고한 부패의 연결고리와 '박' 정권의 잔재를 260만 시민의 힘으로 탄핵하고 끌어내릴 수 있었던 것도, 부마민주항쟁 이래의 한국 민주주의의 집단적 체험의 산물이기 때문이다.

**참고문헌**

경제기획원, 1976, 『주요 경제지표』

구해근, 2002, 『노동계급의 형성』, 창작과비평사.

김대환, 1987.

김  원, 2006), "부마항쟁과 도시하층민," 『정신문화연구』, 제29권 제2호, 419-453.

김진균, 2002, 「분단 반세기와 민주화운동」, 『한국민주화운동의 전개와 국제적 위상 - 독재와 항쟁, 그리고 민주발전의 동학』, 2002년 민주화운동기념사업회 연구소 국제학술심포지엄자료, pp.3-15.

미국중앙정보국, "경제장관들의 남한 국민의 경제적 불만에 대한 논의와 경제적 불만을 시정하기 위한 정책제언" 지주형 옮김, 『부마항쟁의 진실을 찾아서』, 선인, 336-339.

박철희, 2006, 사회집단 구성의 동태적 발전과 정치적 연계에 관한 한일비교, 시민사회의 정치과정-한국과 일본의 비교, 아연출판부, pp.268-269.

박현채, 1979, 「해방 후 한국경제와 민중생활의 변화」, 『민중과 경제』, 정우사.

박현채, 1983, 『한국경제와 농업』, 까치.

박현채, 1990, 「사회구성체론과 발전단계론」, 『한국자본주의론』 주종항편 , 한울. pp321-332.

박현채외, 1985, 「경제적 종속의 극복과 민족운동」, 『한국 자본주의와 사회구조』, 한울.

변형윤, 1996: 112

부산민주항쟁기념사업회, 1989, 『부마민주항쟁 10주년 기념 자료집』, 부산민주항쟁10주년 기념사업회. 石崎栄生, 1996,

손호철, 2006, 『해방 60년의 한국정치 : 1945-2005』, 이매진.

손호철, 2003, 「1979년 부마항쟁의 재조명」, 『부마민주항쟁 연구논총』, 민주공원.

유창선, 1986, 「80년대 한국사회를 보는 기본 시각」, 『80년대 한국사회, 쟁점과 전망』, 공동체, pp12-33.

이동선, 1985, 「노동자계급의 내부구성」, 『한국 자본주의와 사회구조』, 한울.

이병천, 1987, 「전후 한국자본주의의 발전의 기초과정」, 『지역사회와 민족운동』, 한길사.

이상철, 1960-1970년대 한국 산업정책의 전개-위계적 자원 배분 매커니즘 형성을 중심으로, 『경제와 사회』 겨울호(통권 제56호), 비판사회학회, 2002, pp127~131 논의 참조.

이소선구술, 민종덕 정리, 1990, 『어머니의 길-이소선 어머니의 회상』, 돌베게.

이재성, 2004, "70년대 민주노조운동의 현재적 의미를 묻는다", 『경제와 사회』 2004년 여름호(통권 제62호), p344.

이종오, 2002, 「한국 민주화운동의 전개과정」, 『한국민주화운동의 전개와 국제적 위상 - 독재와 항쟁, 그리고 민주발전의 동학』, 2002년 민주화운동기념사업회 연구소 국제학술심포지엄자료, pp.16-31.

전재호, 2016, "유신체제와 부마항쟁," 『부마항쟁의 진실을 찾아서』, 선인, 41-93.

정경원, 2003, 「노동자 자기 역사쓰기」, 『투쟁의 역사, 희망의 교육』, 역사학연구소.

조희연 편, 1992, 『한국사회운동사』, 한울.

조희연, 2002, 「한국민주주의투쟁의 보편사적 의의와 남겨진 과제들」, 『한국민주화운동의 전개와 국제적 위상 - 독재와 항쟁, 그리고 민주발전의 동학』, 2002년 민주화운동기념사업회 연구소 국제학술심포지엄자료, pp.147-198.

차성환, 2014, 『부마항쟁과 민중 : 항쟁 참여 노동자의 경험을 중심으로』, 한국학술정보.

Thompson, 2000

홍장표 · 정이근, 2003, "부마항쟁의 경제적 배경," 『부마민주항쟁 연구논총』, 민주공원.

계엄령 이후 부산대(공수부대가 진주)

# 부마민주항쟁의 역사적 배경과 의미
## – 부마항쟁과 2016촛불의 역사적 동질성

### 김 재 홍

서울디지털대학교 총장, 공익사단법인 정 이사장

## Ⅰ. 머리말 : 부마민주항쟁과 2016 촛불은 박정희체제 청산 위한 역사

부산과 마산 시민의 민주항쟁이 올해로 39주년을 맞았다. 부마민주항쟁은 한마디로 박정희 통치에 대한 정치 뿐 아니라 경제난과 생활고에 대한 항거였다. 박정희 체제의 청산을 요구한 민중봉기 방식의 항쟁이었다.

부마항쟁이 발발한지 1세대 이상의 시간이 흘렀지만 그 역사적 의미에 대한 평가와 정치학적 함의를 새로이 따져 볼만한 계기가 생겼다. 2016년 10월부터 서울을 중심으로 전국 주요 도시에서 벌어진 촛불집회와 시위가 그것이다. 해외 교민들도 마음을 모아 촛불을 들었다. 촛불시위는 촛불혁명이라는 용어로 자리 잡아 가고 있다. 아직은 혁명이 진행 과정이어서 더 지켜보아야 한다는 지적도 나온다.

현직이던 박근혜 전 대통령이 탄핵 파면됐고 이어서 이명박 전 대통령도 구속된 것을 촛불시위의 결과며 그 힘이라고 평가하는데 있어 큰 이견은 없을 것이다. 구시대 군사권위주의 정권 시기부터 뿌리 깊었던 국가정보기관의 온갖 공작정치와 국민여론 조작을 고발해 사직당국이 수사에 나섰으며, 사회 영역 곳곳에서 우월적 지위에 있는 사람들의 부당한 갑질 횡포를 파헤쳐 제재하는 일련의 상황을 보면 혁명적 상황으로 진전돼 가는 것으로 평가된다. 이미 헌법 전문에 명기된 4.19와 함께 부마시민항쟁, 5.18 광주민주항쟁, 6.10 시민항쟁이 헌법 개정 논의에서 중요하게 다루어지는 것 또한 동질적인 일련의 혁명과정으로 인식되기 때문이다. 다만 4.19혁명이 미완으로 막을 내린데 비해 이번에는 '촛불혁명'이 얼마나 성공적으로 완수되느냐를 지켜 볼 필요는 있을 것이다.

부마민주항쟁의 역사적 의미를 짚어보기 위해서는 그것이 특히 이번 촛불혁명과 어떤 역사적 관련성을 갖는지에 관한 분석이 긴요하다고 생각된다. 이를 위해서는 부마민주항쟁과 2016촛불혁명의 연결고리를 박정희체제의 청산으로 가설을 설정하고 이 가설을 입증해 가야 한다.

부마민주항쟁 이전 박정희체제에 저항한 민주화 운동을 뒤돌아보면 대학가의 학생운동이 중심축이었다. 1964~65년 대일굴욕외교 반대, 1969년 3선개헌 반대, 1971년 대학병영화 군사교련 반대, 1974년 민주청년학생총연맹의 유신체제 철폐요구 등이 그것이다. 박정희 통치 18년 동안 주기적으로 이어진 대학생 민주화운동이었으며, 그때마다 대통령 박정희는 계엄령과 위수령 발동으로 군대 동원을 수단화하여 독재권력을 유지, 심화시켜 갔다.

3~4년 마다 주기적으로 벌어졌던 박정희독재 반대 민주화 운동이 1975년 5월 선포된 긴급조치 9호 이후에는 한동안 얼어붙는 듯했다. 유신헌법이 규정한 대통령 비상대권과 긴급조치가 절대주의 전제군주에 못지않은 철권통치로서 효험을 거두는 것으로 보이는 상황이었다.

그러나 그것이 착각임을 알려주는데는 그리 많은 시간이 필요하지 않았다. 재야의 정치지도자와 종교인들이 정면으로 박정희 유신체제의 철폐를 요구하고 나선 것이다. 1976년 1월 원주 원동성당에서 천주교와 개신교의 성직자들이 기도회를 열고 '반유신 선언'을 발표했다. 이어 3월1일 서울 명동성당에서 재야 정치지도자들과 종교인들이 모여 유신철폐와 박정희 사퇴를 주 내용으로 한 3.1민주구국선언을 발표했다. 당시 재야인사들이 거의 모두 투옥된 뒤 반독재 민주화운동은 또 3년 여 동안 표면화되지 않았다.

그런 흐름 속에서 분출된 것이 1979년 10월 부마항쟁이었다. 부마항쟁은 당시 중앙정보부장 김재규가 10.26 거사를 결심하는데 큰 영향을 주었으나 10.26이 전두환 등 하나회의 12.12 군사반란으로 인해 박정희체제, 즉 군사권위주의 통치의 청산에 실패함으로써 목표를 성취하지 못하고 좌절하고 말았다.

그럼에도 불구하고 부마항쟁은 박정희 통치 아래서 첫 민중봉기식 항거였으며 유신체제를 붕괴시킬 수 있는 구멍을 냈다는 의미가 크다.

이 글은 부마항쟁에 대한 실증적 자료들에 바탕하여 경험적 방법론으로 쓰여진다. 39년의 시간이 흘러서 박정희 통치가 가지는 1인 종신지배의 극단적인 정치이기주의와 반민주적, 반인권적인 독소가 많이 잊혀졌을 것으로 생각된다. 또한 그래서 그에 항거한 부마항쟁의 역사적 배경과 의미가 희석되지 않았을지 우려되는 시점이다. 이런 상황에서 2016년 10월 '박근혜정권 퇴진 비상국민행동'이 주도한 촛불시위를 계기로 박정희통치의 실상과 그 잔재의 악영향을 다시 일깨우고 그 근본적인 청산의 길로 인도하는 일은 매우 의미가 크다고 아니 할 수 없는 일이다.


## Ⅱ. 한국 현대정치사 상의 군사권위주의 정권

### 1. 박정희 체제의 퇴행적 권위주의 통치

한국에서 군인들이 정치에 개입한 역사는 1961년 5월 16일 박정희 소장과 김종필 예비역중령 등이 주도한 군사쿠데타로부터 본격적으로 시작된다. 그 이전에 이승만 초대대통령도 군을 정치에 이용했지만 당시 군은 문민통제를 받았다는 점에서 쿠데타를 일으켜 정권을 찬탈한 정치군인과 달랐다. 이승만은 1952년 7월 헌병총사령관 원용덕을 계엄사령관으로 내세워 자신의 대통령 재선을 노린 직선제 개헌을 강행했다. 원용덕은 한국 정치군인의 효시였지만 자신의 독자적인 정치적 야망과 목표를 세우지 못했다.

정치군인 박정희는 두 번의 군대동원 쿠데타를 감행했다. 첫째가 61년 5.16쿠데타였고, 둘째는 72년 10월 17일 계엄령으로 국회와 야당, 그리고 언론의 제기능을 정지시킨 채 헌법을 새로이 제정한 유신체제 선포 쿠데타였다. 그는 헌법개정을 세 번 강행했으며 자신이 대통령 후보로 세 번 연속 출마할 수 있도록 한 3선개헌(1969년)의 경우 군대 동원 대신 중앙정보부와 군 보안사령부를 앞세워 여야 의원들을 위협하고 회유하는 정치공작 방법을 썼다.

박정희는 무려 일곱 차례에 걸쳐 군부대를 동원해 쿠데타에 의한 정권찬탈과 그 이후 계엄령이나 위수령으로 정치적 반대세력을 제압했다. 18년의 집권기간에 평균 2년 반에 한번 꼴로 군대를 동원한 것이다.

첫 번째는 5.16쿠데타였다.

두 번째, 일본과의 굴욕적 국교정상화 외교협상에 항거해 반박정희 투쟁에 나선 야당과 대학생을 진압 체포하기 위한 64년 6.3계엄령이다.

세 번째, 1965년 8월 26일 위수령을 선포하고 고려대와 연세대에 군병력을 투입해 학생들을 강제로 연행해 갔다.

네 번째, 1971년 10월 15일 정권집단의 부정부패와 중앙정보부의 횡포, 대학에 강제 시행한 군사교련과 대학병영화의 철폐를 요구하며 반독재 시위를 벌이는 대학생들을 체포하고 학원가를 진압하기 위해 위수령을 선포하고 전국 주요 대학에 군 부대를 투입했다.

다섯 번째, 1972년 10월 17일 계엄령을 선포하고 국회 의사당 정문에 탱크를 진주시킨 채 헌법을 새로이 제정한 유신체제 쿠데타를 감행했다.

여섯 번째, 1975년 4월 3일 민주청년학생총연맹 사건을 구실로 긴급조치 7호 발동과 함께 고려대에 휴교령을 내리고 군대를 진주시켰다.

일곱 번째, 1979년 10월 16일 부산 마산 시민들이 유신체제의 야당 탄압과 함께 인플레, 물가고, 부가가치세 등에 항의하는 항쟁에 나서자 계엄령을 선포하고 특전사 예하 공수부대를 투입했다. 부마민주항쟁이 박정희의 마지막 군대동원 현장이었던 셈이다.

5.18 광주민주시민항쟁 현장의 군 투입과 살상진압은 권위주의 체제에 의한 군 병력 동원의 극단적 사건이었지만 이것은 전두환 노태우 등 이른바 신군부의 비행으로 박정희 사망 후의 일이다.

## 2. 군사권위주의 개발독재의 공과功過와 부정적 유산

한국에서 군의 정치개입은 시민사회에 비해 군 장교들의 근대식 사관학교 교육과정을 배경으로 한 연대감 및 조직력이 상대적으로 높았기 때문에 비롯됐다고 여겨진다. 1950년대 후반 정규 육군사관학교에서 일한 한 미군 군사고문관은 당시 생도들이 고급장교가 되면 한국사회를 장악할 것이라고 예상했다(김재홍 1994a, 174~175). 군부가 왜 문민정부에 반란을 일으키는가의 의문보다도 거꾸로 어떻게 그때까지 복종해 왔는지가 놀라운 일이라고 해야 할 것이다(Finer 1975). 박정희와 만주군관학교와 일본육군사관학교 동기생으로 오랜 군 생활 동료인 이한림 전 야전군사령관은 회고록에서 박정희가 영관급 장교 때부터 '군사혁명'을 입에 달고 다녔다고 썼다(이한림 1994). 6.25 전쟁 중 부산 피난수도 시절 육군본부 정보참모부장이던 박정희 대령이 당시 참모총장 이종찬 중장을 찾아가 군사쿠데타를 주장하다가 질책받은 일은 널리 알려진 사실이다.

박정희를 비롯한 5.16 쿠데타 주모그룹이 그런 권력욕 외에 과연 최소한의 혁명적 이상과 정의감을 가졌는지의 문제는 여러가지로 논쟁적 사안이다. 쿠데타 직후 중앙정보부를 조직한 것이나 일반 정치인들에게 정치활동을 금지시킨 가운데 자신들의 정당으로 공화당을 비밀리에 사전조직한 불공정 게임, 정치자금을 조달하기 위해 저지른 슬로트 머신 사업의 허가이권 개입, 증권시장 조작 등 이른바 4대의혹 사건 등은 군사혁명의 명분을 희석시킨 것으로 평가된다. 이렇게 태어난 군사권위주의 정권이 개발독재로 얻었다는 경제성장의 공은 그 정치적 유산이 남겨놓은 문제점에 비교하여 평가해야 할 것이다. 지금도 촛불혁명의 주요 과제로 꼽히는 국가정보기관의 선거개입, 국민여론 조작, 사회문화계 블랙리스트 등 공작정치는 바로 박정희 체제 아래 중앙정보부가 만들어놓은 정치적 유전자였다.

군사정권이 안정기에 들어간 1960년대 후반이후 한국정치는 중앙정보부, 보안사령부, 대통령경호실 등 3대 권력집단이 좌지우지했다. 대통령 외에 국가 권력구조의 5대기둥은 공식적으로는 국무총리, 집권당 대표위원, 국회의장, 대통령 비서실장, 중앙정보부장이었다. 그러나 이들 중 대부분 군 출신이었던 중앙정보부장이 나머지 4인의 피고용자 격인 민간 정치인들을 항상 조정 통제했다. 그리고 국정의 중요한 문제일수록 그런 공식적 권력구조보다는 막후의 군 출신 실세들이 결정했다. 그 과정이 바로 항상 군 출신 실세가 차지했던 중앙정보부, 보안사령부, 대통령경호실에 의한 공작정치였다. 장기간의 군사정권이 남긴 폐해 중 첫 번째가 바로 공작정치 비행이다.

두 번째 폐해로는 군사정권의 핵심권력자들이 특정지역(TK, 대구경북) 출신의 동향인이어서 지역편중 인재등용과 지역개발 정책을 구조화했다. 한국

현대정치사에서 가장 고치기 어려운 고질병인 지역감정이 뿌리내린 시기가 박정희 통치기였다.

셋째, 사회계층적으로 군인이며 학연으로 육군사관학교 출신이라는 매우 동질적인 소수세력이 각 분야에서 지배권을 행사하는 소수지배체제oli-garchy를 뿌리내렸다.

넷째, 군사정권은 특히 언론에 대해 적대적이어서 비판적 언론인 강제해직과 언론통제를 자행했다. 박정희 통치기인 1975년 3월 동아일보자유언론투쟁위원회 기자들을 비롯하여 많은 언론인이 언론사에서 축출당하였고, 전두환 노태우의 내란 과정에서는 기자와 PD들의 강제해직과 언론사 통폐합을 강행했다. 언론탄압은 어느 나라든 군사권위주의 정권의 공통적 속성이다. 한국에서 언론자유는 군사정권이 종식되고 문민정부가 들어선 뒤에야 정상화됐다.

다섯째, 경제정책도 민간기업이나 전문가 중심의 자율성을 존중하는 것이 아니라 전반적으로 정부가 주도하는 관치경제였다. 내자동원, 은행여신, 외자 배분 등을 모두 정부가 결정했다.

무엇보다도 32년간의 군사정권 체제는 권위주의에 굴종하면서 냉소적인 신민형臣民型 정치문화subject political culture를 키웠다. 아직도 그 정치유산의 후유증은 잔존해 있다고 보아야 할 것이다. 권위주의형 지도자와 일사불란한 정치질서를 갈구하는 신드롬이 나타나는 이유가 그것이다. 대중적으로는 신민형 문화이면서 다른 한편 언론, 대학, 종교, 노조 등의 중간집단은 정부 불신, 저항, 불복종, 그리고 극단적으로 저항적인 정치문화에 젖었다. 정치문화의 이런 이중구조 때문에 민주화와 국가발전에 필수적 요소인 협력과 통합의 토양이 다져지지 못했다. 이런 군사정권의 나쁜 유산을 극복하는 노력이 앞으로도 한국민의 역사적 과제가 될 것이다.

이같은 반민주적 정치행태와는 구분되는 영역에 권위주의 경제개발 문제가 상존했다. 한국의 군사정권에 대해 경제개발을 치적으로 들면서 긍정적으로 평가하려는 경향이 특히 외국 학자들 사이에 강하다. 국내에서도 보수우파 지식인과 박정희의 출신지역 주민들에게 그런 입장이 강하다. 그러나 박정희의 애국주의적 부국강병 노선은, "산업화와 근대화를 위한 독재냐, 자신의 독재권력 강화를 위한 산업화냐"라는 쟁점에 부딪친다. 이 논쟁은 박정희가 3선개헌을 넘어 1인 종신집권을 위한 유신쿠데타를 감행함으로써 사실상 결론이 난 것이나 다름이 없다.[1]

어떤 경우든 군사정권이 조금이라도 긍정적으로 평가받는 부분이 있다면 그것은 경제성장의 추진력일 것이다. 개발독재 방식이라고 해도 가난의 고통에서 벗어나는 것을 최고가치로 여기는 일반대중에게는 경제성장 의지가 어필했다. 가난한 민주정치보다도 경제적 여유가 보장된 독재가 더 좋다는 생각인 것이다. 또 박정희 통치가 남긴 정치적 유산 중 하나로, 도덕성이 있으나 무능한 정부보다는 부패하더라도 유능한 정부를 선택하겠다는 병적 심리가 유포되기도 했다. 2007년 12월 대통령선거 당시 대두됐던 쟁점이었다. 서구학자 중엔 그것을 특히 아시아적 가치관 중 하나라고 지적하는 사람도 있지만 선진국에서도 빈민층의 경우 비슷한 생각을 할 가능성은 작지않다.

그러나 한국의 경제성장이 군사권위주의 체제의 강력한 리더십이나 근대

---

1. 박정희의 개발독재, 산업화가 자신의 권력 강화를 위한 것이라는 다수 견해는 다음의 5.16쿠데타 50주년 학술대회에서도 제시됐다. 이 학술대회에 주제발표자와 토론자로 참여한 인사들 중 김재홍 조국 임혁백 장상환 김동춘 정근식 김호기 교수 등이 그런 입장이었다. 이에 대해 전상인 박효종 교수 등이 반대 의견을, 그리고 최장집, 박명림 교수는 양자 절충적인 입장을 보였다. 민주평화복지포럼, "5.16, 우리에게 무엇인가 : 박정희 시대의 실증적 역사평가" (민주평화복지포럼이 2011년 5월16일 주최한 5.16쿠데타 50돌 학술대회자료집)

화 의지가 주요 원동력이었다고 보기는 어렵다. 한국 경제성장의 배경에 대해서는 개발독재 이외에도 6.25전쟁 이후 미국의 경제원조나 일제식민지 시대 건설된 전기, 철도, 도로, 항만 같은 인프라가 큰 힘이 됐다고 보는 학자들도 있다. 이는 모두 많은 논쟁을 안고 있는 가설이다. 만일 미국의 경제원조가 원동력이었다면 한국의 경제성장은 박정희 시대보다는 이승만 정권 때 더 크게 이루어졌어야 했을 것이다. 또 일본이 남겨놓은 인프라 덕이라면 그것이 집중돼 있었던 북한이 한국보다 훨씬 더 경제발전을 이루었어야 옳다.

한국의 경제성장은 군사정권의 리더십이나 외국의 지원보다도 한국 국민의 대중적 근면과 투지가 가장 큰 원동력이었다고 보아야 할 것이다. 한국민이 일제 식민통치 종식 후 15년 이상 서구 자유민주주의와 자본주의를 교육받은 시점인 1960년대 중반부터 경제성장이 시작됐다는 사실에 주목해야 할 것이다. 특히 해방 후 신교육을 받은 세대로 1960년대 중반 나이 25세 이후 30세에 들어 선 사회 기간계층이 서구 자본주의에 의한 경제번영을 꿈으로 간직하고 있었다. 바로 그 시점에 박정희 소장이 쿠데타를 일으켜 가난 추방과 조국근대화 기치를 내걸어 국민대중의 꿈과 합치할 수 있었다.

1970년대 한국의 경제기적은 군사권위주의 체제의 개발독재에 의해서가 아니라 서구식 교육을 받으며 성장한 청장년세대가 산업과 수출전쟁에서 선봉역으로 피땀을 흘린 결과였다. 더구나 군사권위주의 통치 아래서 저임금, 초과 근무시간, 산업재해, 미성년 노동 등으로 분투한 국민을 생각하면 경제성장의 공로가 독재정권에 돌아간다는 것은 역사 왜곡으로 이어질 위험성이 크다. 한국의 1960~70년대 산업화와 경제성장에서 개발독재 정부의 리더십과 국민대중이 흘린 피땀 중 어느 것이 더 중요한 역할을 했느냐에 대한 평가는 오래동안 매우 어려운 과제가 될 것이다.

## Ⅲ. 박정희 통치의 경험적 실상

### 1. 박정희 통치에 대한 평가의 방법론
  - 5.16쿠데타, 3선개헌, 유신쿠데타 등 시기구분론의 허구


박정희는 한국 현대정치사에서 처음으로 군사쿠데타를 감행한 군사권위주의 통치의 시조로서 그에 대한 평가가 아직도 크게 엇갈린다. 그는 자신이 18년, 그리고 그 후예들인 전두환 노태우 정권 14년, 모두 32년간의 군부독재 정권이 존속되도록 씨 뿌리고 또 만성병적인 정치 유산을 남겼다. 여기다 딸인 박근혜 정권까지 박정희통치 방식을 재현하려다가 국민저항에 부딪쳐 탄핵 파면당하게 됐다.

박정희 통치가 유신체제 전까지는 국가 근대화와 경제성장을 위한 개발독재로서 긍정적으로 볼 수 있으나 그 이후가 문제라는 식의 제한적 비판론도 있다. 박정희 체제를 분석적으로 평가하기 위해서 전기, 중기, 후기로 나누어 살펴 볼 필요는 있다. 그러나 그것은 시기에 따라 질적 내용이 변화하는 구분론이 아니라 정권 운용의 형태에 따른 구분일 뿐이다.

제1기인 전기는 5.16쿠데타 이후 69년 3선개헌 직전까지로 이때만 해도 민주헌정 추수기追隨期라 평가할 수 있었다.

제2기인 중기는 3선개헌 이후 72년 10월 유신체제 선포 때까지로 민주헌정 파괴기였다.

제3기인 후기가 본격적인 박정희 1인독재 실천기였다고 할 수 있다.

시간적 대상만을 평가한다면 1961년 5.16 이후 1979년 10.26까지 정치적으로는 반민주적 통치, 사회문화적으로는 불합리한 억압과 통제, 경제적으

로는 개발독재에 의한 산업화 성과 등 여러 측면에서 분리하여 논할 수 있을지도 모른다. 그러나 평가의 대상이 정권의 성격, 대통령의 리더십, 그리고 종합적으로 그 기간에 대한 역사적 평가라면 그렇게 분야별, 시기구분 별로 나누어 말할 수는 없는 일이다.

1969년 3선개헌 논란이 정치권과 함께 대학가, 종교계, 재야지식인 등 시민사회에 확산됐을 때만 해도 이들은 박정희 정권의 장기독재나 민주헌정 파괴위험에 대해서 그다지 심각하게 생각하지 않았던 것 같다. 그러다가 박정희 정권은 1971년 10월 15일 위수령으로 당시 가장 강한 거부세력이던 대학가를 평정한 데 이어 그해 12월 국가비상사태를 선포했고 다음해 10월 유신체제를 선포했다. 지식인층 다수가 박정희의 영구독재 의지를 확인한 것은 이때였다고 생각된다. 3선개헌으로부터 유신체제 선포까지 불과 2,3년 사이에 엄청난 헌정체제의 지각변동을 실감한 식자층 사이에 본격적인 반독재 민주화 운동이 벌어진 것은 이 시기인 박정희정권 후기에 들어서였다. 여기서 박정희정권은 유신체제의 무기인 긴급조치를 수차례 선포하면서 일반국민과 비판세력 뿐아니라 지배층 내부까지 중앙정보부와 군 보안사, 대통령 경호실과 비서실, 그리고 경찰 특수대와 공안검찰 등을 작동시킨 공포통치로 1인독재 체제를 유지했다.

결국 박정희 통치는 전기 중기 후기로 나누어 보아도 시기별 내용이 구분되고 차별화되는 것이 아니라 1인 독재권력으로 집중화 돼 가는 과정으로 연속선상에 놓여진다는 사실을 알 수 있다. 권력이 1인 집중과 종신집권으로 심화돼가는 일직선을 형성하고 있다는 사실을 확인할 수 있을 뿐이다.

## 2. 박정희 통치 18년의 통시적 평가 – 공작정치로 정당, 선거, 의회, 언론을 무력화

박정희 통치는 시기 구분론이 허구이므로 18년간의 통시적通時的 문제점을 짚어보아야 한다. 박정희 정권은 국민의 실질적 민주정치 참여를 뒷받침하는 정당, 선거, 의회, 언론을 모두 무력화시켰다. 국민과 정치권 사이에서 교량역할을 담당하는 중간집단인 시민단체와 노동조합, 그리고 대학도 제 역할을 할 수 없는 억압구조였다. 다시 말하면 민주주의의 실제 내용인 절차적 정당성을 무시한 독재정권이었으며 모든 권력은 분권이나 분점을 일절 허용하지 않고 대통령 1인에 집중된 퇴행적 독재체제였다.

첫째, 정당정치 면에서 박정희 통치 시대의 집권 여당인 공화당은 정당이라기 보다는 집권 세력이 정치공학적으로 조직한 관제단체 성격을 벗어나지 못했다. 정당이란 본래 정치적 뜻이 동질적인 사람들이 자발적이고 자율적으로 모인 집단이다. 그러나 공화당은 중앙정보부가 실질적인 조직의 산실이었다.

둘째, 박정희 체제에서 선거를 보면 1963년, 67년, 71년의 각 대통령 선거와 국회의원 총선거는 관권 개입 부정선거 시비가 끊이지 않았다. 선거 때마다 부정 시비에 시달린 박정희는 유신헌법으로 민주정치의 근간인 직접선거를 아예 없애버렸다. 대통령 선거는 통일주체국민회의 대의원에 의한 간접선거로 바꾸었고 국회의원 정수의 3분지 1을 임명제로 했다. 유신체제 아래서의 대통령 간접선거는 혼자서 출마하고 찬반 투표에 의해 추대받는 것으로 선거라는 용어로 규정하기는 어려웠다.

셋째, 박정희 체제에서 의회정치도 1969년 3선개헌 강행과 1972년 유신헌법 선포로 결정적으로 파괴됐다. 박정희는 집권세력 핵심인사들까지도 반대한 3선개헌을 관철시키기 위해 중앙정보부를 내세워 협박하고 공화당 당원에서 제명했다. 당시 여당의 핵심 실력자들이거나 정치적 스승격인 정구영 공화당 초대 총재, 김종필 전 당의장, 예춘호 전 당 사무총장, 양순직 국회 재경위원장 등이 3선개헌을 반대하다가 모두 그렇게 탄압을 당했다.

유신쿠데타 때는 군대를 동원한 상황에서 이같은 정치공작과 협박이 공포 수준에 이르렀다. 야당의 현역 국회의원 20여 명을 불법 연행해 구금해 놓고 약점잡이 식 조사와 협박으로 유신체제 선포에 협조할 것을 강압했다. 이때도 정권의 하수인으로 나서 체제폭력을 자행한 것이 중앙정보부, 군 보안부대, 군 헌병대였다. 이는 1976년부터 시작된 남미 아르헨티나의 군사독재자 호르헤 라파엘 비델라가 저지른 이른바 '더러운 전쟁'보다 앞선 체제폭력이 한국의 박정희 통치 아래서 자행됐음을 알려준다. 더러운 전쟁은 거의 모든 세계시사사전들에 실려 있는 용어다. 한국판 더러운 전쟁이 널리 알려진다면 다시 한번 국가적 수치가 아닐 수 없을 것이다.

당시 고문 당한 야당 국회의원들 중 13명이 후에 1975년 2월 28일 합동기자회견을 열어 비인간적 악행을 공개했다(김재홍 2012a, 185~192).[2] 유신체제 아래서 언론자유가 거의 고사한 상황이었기 때문에 주류 언론에 제대로 보도되지 못했으나 일부 비제도권 신문 등에 실려 전해진 것이다.

국민 대표기구로서 국회의 가장 핵심적인 권한이자 책임인 헌법 개정을 이런 식으로 강행한 것은 민주주의와 의회정치의 파괴였다. 그 뒤에도 국회의원의 정치활동을 문제삼아 국회에서 제명하는 일이 다반사였다. 대표적인 예가 1979년 10월 제1야당인 신민당 총재 김영삼 의원이 뉴욕 타임스와 인터뷰한 것을 '국가 모독죄'로 몰아 국회에서 제명하도록 공작한 일이다. 이것이 바로 김 의원의 선거구로서 정치적 기반인 부산 마산에서 시민항쟁이 발화

---

2. 박정희 통치 아래서 가장 극악한 체제폭력인 고문악행의 실상으로 아르헨티나 호르헤 정권의 '더러운 전쟁' 뿐 아니라 세계 어느 나라에서도 그 유례를 찾기 어려운 잔혹행위를 자행했음이 밝혀졌다.

한 원인이 되기도 했다.

박정희 정권은 국회의원들의 원내 표결행위까지도 사전 점검하고 통제했다. 중앙정보부와 청와대 비서실 등 대통령 박정희의 친위대 역할을 하는 권력기관이 정치공작을 담당했다. 심지어 청와대 경호실장도 나서서 여야 국회의원들을 정치공작 차원에서 접촉했다. 이 같은 사실은 1979년 차지철 청와대 경호실장이 본래의 직무가 아닌 정치공작에 개입하는 것을 김재규 중앙정보부장이 견제하면서 10.26 사건이 터졌다는 당시 군사법정의 관련 피고인 문답내용에서도 드러났다.

넷째, 언론과 국민 여론의 형성과정에 대해 박정희 체제는 철저히 사전 통제를 가했다. 언론의 비판 기능과 국민의 자유로운 정치적 의사 표현은 사실상 불가능한 상황이었다. 중앙정보부는 각 언론사에 정보원을 상주시키거나 상시적으로 출입시키면서 보도내용을 사전에 점검하고 조정했다. 이에 기자들이 기관원의 출입을 막으면서 자유언론 운동이 벌어지자 중앙정보부가 언론사의 수입원인 광고 수주를 못하도록 광고주들에게 공작했다.

정권 측은 자유언론 운동을 벌이는 기자들을 해직시키라고 요구하면서 언론사의 경영을 옥죄었다. 언론사 측은 결국 기자들을 강제 해직시키면서 정권 측과 타협의 길로 갔다. 우리의 언론 자유가 실종되는 과정이었다.

박정희 정권의 언론 공작은 국내 뿐아니라 해외의 유력언론을 상대로 해서도 감행됐다. 1970년 6월 6.25전쟁 발발 20주년을 맞아 박정희 정권은 해외 언론들에 공작을 벌였다. 전쟁의 폐허를 딛고 탁월한 영도자의 리더십 아래 경제번영을 이룩했다는 홍보에 나섰다. 이때 중앙정보부 공작요원이 영향력 있는 시사주간지 타임지에 박정희의 얼굴 사진을 표지로 넣기 위한 공작활동을 벌였다. 그는 영향력 있는 명문대학의 언론 전공 교수에게 로비자

금으로 5만달러를 제시했다는 증언이 나오기도 했다(김재홍 1988, 211~224).
1970년 5월, 당시 미국 하버드대 니만펠로 언론인연구과정의 책임자였던 제임스 C. 톰슨이 1996년 8월 11일, 니만펠로 과정을 막 수료한 필자에게 전화 인터뷰를 통해 증언했다. 증언할 당시 그는 브라운대 역사학 교수였다. 이 사건은 또 미국 내 영향력 있는 한국학자인 브루스 커밍스 시카고대 교수에 의해서도 공개됐다. 한국전쟁의 기원에 관한 수정주의 연구로 널리 알려진 커밍스는 1996년 5월 간행된 논문을 통해 박정희 정권이 중앙정보부를 시켜 미국내 학계와 언론계를 상대로 벌인 불법 로비실태를 맹렬히 비판했다(Cumings 1996).

이 논문에서 그는 박정희 정권의 탄압 뿐아니라 돈에 의한 유혹과 매수 등 모든 수단을 다 동원해 개인의 자유로운 견해에 수정을 가하려는 풍토가 한국사회의 특성이라고 썼다. 그런 독재권력 아래서 창의적인 연구와 표현의 자유를 차압당한 한국의 언론인, 학자, 문인들은 과연 어떤 존재인가. 한국의 지식인들을 부끄럽게 하는 공작정치였다.

다섯째, 박정희 정권은 강경한 반독재 운동을 전개하는 대학생과 비판적 교수들을 겨냥해 줄곧 탄압과 감시를 강화했다. 박정희 체제 내내 가장 강경한 반독재 저항은 대학의 학생운동권에서 벌어졌다. 정권 측은 강의 중 정부에 비판적인 발언을 한 교수들에 대해 감시하다가 이른바 '정치 교수'라는 죄목을 씌워 여러 교수들을 강제 해직시키기도 했다.

박정희 체제 아래서 대학은 자유로운 상아탑이 아니라 정치적 통제의 대상이었다. 실제 청와대 비서실의 업무 분장도 대학은 교육문화수석 비서관실이 아니라 정무수석 비서관실이 관장하도록 돼 있었다.

여섯째, 박정희 체제의 특성인 개발독재로 인하여 노조 조직과 노동운동은 철저히 탄압을 받았고 노동자들의 생활은 피폐했다. 특히 미국이나 일본 제조업체를 상대로 보세가공 무역이 성행하면서 기능공과 어린 여성 노동자들은 기준 노동시간 넘기기나 심야 노동이 보통이었으며 피땀어린 삶을 살아야 했다.

1970년대 말 무역회사 YH의 노동조합 위원장이었던 최순영 전 국회의원은 당시 미성년의 어린 여성노동자들이 기숙사 생활을 하면서 하루 17시간씩 일했다고 증언했다. 여들은 그렇게 강도 높은 노동을 하면서도 한 달에 기숙사비가 20만원일 때 겨우 25만원을 임금으로 받았다(최순영 2011). 최 의원은 한국의 경제성장에 대해 "세계 최저의 임금, 세계 최장의 노동시간, 세계 최다의 산업재해라는 노동자들의 피땀 위에 이룩 된 것을 박정희의 공이라고 한다면 분노를 느낀다"고 말했다. 1960~70년대 한국경제의 경이적 성장을 이끌었던 자영업자와 젊은 화이트칼라 층 샐러리 맨, 전문기능인들 역시 비슷했다. 이른바 '한강의 기적'이란 이들 노동자와 샐러리 맨들의 잘 살아 보자는 열망과 투지로 쌓아 올려졌다는 것이 실증적인 분석이다.

박정희 통치 시기 YH 노조위원장으로서 개발독재에 의한 산업화 과정을 경험한 산 증인인 최순영 전 의원은 이렇게 말했다.


"그래서 박정희에 대한 근본적인 재평가가 필요하다. 흔히들 박정희의 개발독재를 경제성장이라는 '공功'과 정치적 독재(라는 '과過'로 평가하고 있다. 경제성장이라는 '빛'을 위해서는 그 '그림자'로서 정치적 독재가 불가피했다는 식이다. 과연 그러한가? 수구보수 세력도 인정하는 정치적 독재자로서의 박정희의 '과'는 그렇다 치고, 우선 1960~1970년대의 경제성장이 박정희의 '공'인가? 오늘날 한국경제의 눈부신 발전의 토대

를 쌓은 '한강의 기적'이 과연 박정희의 '공'인가?"(최순영 2011)

그의 항변 섞인 이 연설이말로 바로 박정희 정권의 통시적 공과功過에 대한 실증적 평가에 해당한다고 생각된다.

## Ⅳ. 부마민주항쟁의 역사적 의미

### 1. 부마민주항쟁의 실상 ─정치적 항거와 경제적, 사회적 함의

부마민주항쟁은 민심이 폭발한 민중봉기 성격을 띄고 있었다. 대학생 뿐 아니라 일반시민 다수가 직접 가담하거나 시위대에 호응하고 도왔다. 부산의 민심 폭발은 그 지역출신 야당 총재인 김영삼 의원에 대한 박정희 정권의 터무니없는 탄압과 공작이 직접적인 도화선으로 작용했다. 당시 선명 야당 기치를 내걸고 박정희 정권에 대항했던 김영삼에 대한 정치공작과 탄압이 지역민심을 자극했다. 박정희 정권은 김영삼 신민당 총재가 미국 뉴욕타임스와 가진 인터뷰에서 유신체제에 대해 비판한 것을 국가모독죄로 규정하고 국회의원직 제명을 날치기로 강행했다. 그러자 신민당 의원들 뿐아니라 통일당 의원들까지 야당 의원이 전원 사퇴서를 제출한다. 이에 공화당과 유정회가 야당 의원들 중 강경파의 사퇴서만 선별수리하자는 정치공작을 제기한다. 이것을 두고 박정희의 측근 권력자들 사이에서도 자중지란이 벌어졌다.

부마시민항쟁은 정권측의 이같은 김영삼과 야당에 대한 정치공작과 탄압이 직접 도화선이었다면 사회경제적 배경이 그 화약과도 같은 구실을 했다.

사회경제적 배경요인을 분석해 보면 1970년대 말 사회경제적인 모순구조로 특히 부산지역의 경기 하락세와 생활고가 겹쳐 폭발요인이 잠재해 있는 상황이었다. 대도시 부산의 지역경제에서 작지 않은 비중을 차지하는 소비재 유통상인과 식당 등 서비스업종 사업자들이 크게 불만을 가진 문제는 정부가 1977년부터 시행한 부가가치세였다. 각종 다양한 세제를 단순화시켜 만든 새로운 조세정책이었지만 세금을 부담하는 일반 소비자 보다도 그 세금을 거두어 납세의무를 지는 상인들이 특히 조세저항을 크게 표출했다.

더 크게 부산지역의 거시경제를 보면 산업화 초기부터 신발, 섬유, 합판과 같은 소비재 경공업이 주축을 이루었고 수출자유지역인 마산 역시 섬유, 제지, 식품이 큰 비중을 차지했다(전재호 2016, 76-78).[3] 이는 부산과 마산 지역의 산업구조가 노동집약적인 한편 대외 수출의존형이었음을 보여준다.

박정희 정권의 권위주의적 산업화는 초기인 1960년대엔 수출지향적 경공업화가 중심을 이루었다. 이런 수출지향적 경공업화는 노동집약형 산업구조였는데 저임금, 장시간 노동, 산업재해 등 노동운동의 주요 이슈를 함께 안고 있었다. 거기다 1960년대 말부터 미국을 비롯한 경제대국들의 보호무역주의로 수출장벽까지 가로놓이는 상황이었다(홍장표·정이근, 2003, 101-104).

이에 대한 박정희 정권의 새로운 방향전환이 중화학공업화 정책이었다. 유신체제 선포와 함께 박정희 정권은 1973년 1월 중화학공업화를 선언하고 철강, 조선, 화학, 비철금속, 기계, 전자 등 6대 전략업종을 선정했다(홍장표·정이근 2003, 105). 1973~1981년간 이 중화학공업의 6대 전략업종 분야에 대한 투자규모가 제조업 전체 투자액의 64%에 달했다. 부산과 마산 지역의 경공업 산업구조는 곧바로 국가 재정투자에서 소외당하는 처지로 전락했다. 이

---

3. 1970년대 말 부산과 마산의 산업구조와 사회경제적 모순에 대해 잘 다루고 있는 논문이다.

야말로 정부 주도의 권위주의적 경제개발이 부산마산 지역경제에 가져다 준 피해였다. 거기다 1973년 1차 오일쇼크와 1978년 2차 오일쇼크까지 겹쳐 경제위기 의식과 불안감이 팽배했다. 이같은 다면적 경제불안정이 던져주는 부담과 피해는 주로 사회경제적 취약계층에게 가장 클 수밖에 없었고 이것이 바로 민심동요를 낳는 요인이며 곧바로 민중봉기 형태의 시민항쟁으로 폭발한 배경이 된 것이다.

이같은 부마항쟁의 실상에 대해 10월 17일 부산 현지를 시찰했던 중앙정보부장 김재규는 이렇게 말했다.

"제가 현지에 내려가기 전까지는 남민전이나 학생이 주축이 된 데모일 거라고 생각했는데 현지에서 보니까 그게 아닙니다. 160명을 연행했는데 16명이 학생이고 나머지는 일반시민입니다. 그리고 데모양상을 보니까, 데모하는 사람들도 하는 사람들이지만 그들에게 주먹밥을 주고 또 사이다나 콜라를 갖다 주고 경찰에 밀리면 자기 집에 숨겨주고 하는 것이 데모하는 사람과 시민들이 완전히 의기투합한 사태입니다. 주로 그 사람들의 구호를 보니까, 체제에 대한 반대, 조세에 대한 저항, 물가고에 대한 저항, 정부에 대한 불신, 이런 것이 작용해서, 경찰서 11개를 불질러버리고, 경찰차량을 10여 ㅓ 대 파괴하고 불지르고, 이런 사태가 벌어졌습니다."(김재홍 1994c, 153–154)[4]

당시 부마항쟁 현장의 구호에는 다음과 같이 유신체제 철폐 등 정치적 문

---

4. 1979년 12월 8일 계엄사 보통군법회의 2회공판 김재규 진술. 이 진술은 군법회의 녹음테이프를 정리한 녹취록임.

제와 경제적, 사회적 불만이 섞여 나왔다(이행봉 2003, 32-50).

- 유신철폐, 독재타도, 박정희 물러가라, 야당탄압 중지, 김영삼총재 제 명철회
- 부가가치세 철폐
- 언론자유 보장하라, 학원자유 보장하라, 학원사찰 중지, 구속학생 석 방하라

이런 항쟁의 실상은 부마항쟁이 박정희 정권의 정치, 경제, 사회 전반의 비정에 대한 민중봉기 성격이었음을 입증한다.

## 2. 김재규의 10.26거사에 미친 영향

대통령 박정희가 피살된 10.26의 배경은 여러 가지로 제시할 수 있으나 그 직접적 원인을 밝힐 근거는 무엇보다도 10.26을 주도한 당사자인 김재규 의 진술보다 더 중요한 것이 있을 수 없다. 김재규의 진술은 10.26 이후 진행 된 1심 보통군법회의 9회 재판과 2심 고등군법회의 3회 재판에서 이루어졌 다. 그는 상관이며 은인이라 할 수 있는 박정희에게 총을 쏜 이유에 대해 논 리정연하고 일관되게 진술했다(김재홍 1994c,d).

김재규의 군사재판 진술을 종합 정리하면 그가 박정희에게 총을 쏜 10.26 의 원인은 크게 세가지다.

첫째는 국내 정치적 요인은 강성 선명야당의 기치를 든 신민당이 유신체 제에 대해 강경노선과 도전을 펼친 점이다. 신민당의 도전에 대해 박정희 정 권이 제대로 대처하지 못한 채 정치상황을 더 악화시킨 것이다. 국내 학계 인 사 들 중에도 10.26의 원인으로 당시 집권그룹의 내부 자중지란을 부각시키

는 경우가 적지 않다. 그러나 집권그룹의 자중지란이 직접 원인이라기 보다는 그것이 파생시킨 다른 사안 때문에 김재규의 결심이 이루어졌다. 박정희의 신민당 분열공작과 김영삼 의원의 당 총재직 직무정지 및 국회의원직 제명안 날치기처리 등이 부산마산 시민들을 자극한 것이다

신민당의 선명야당 노선을 김영삼 총재가 주도해 가자 박정희는 김재규에게 야당 공작을 제대로 못한다고 질책했다. 1979년 5월 30일 정기 전당대회에서 재야의 김대중계와 제휴한 김영삼 의원이 총재로 선출됐는데 중앙정보부가 이것을 막아야 했다는 것이다. 그 후에도 박정희는 김영삼 의원을 구속해야 한다고 참모들에게 말했다. 다음은 10.26 당일 밤 김재규가 박정희에게 총을 쏘기 직전 상황에 관한 법정 진술이다.

"검찰관 : 아니, 김영삼 총재에 대한 발언이 있고, 차지철 실장이 그 직전에 또 한 얘기가 있었죠?

김재규 : 제가 총을 쏘기 직전에는, '김영삼을 구속해서 기소하라고 했는데, 유혁인 수석이 말려서 안 했더니만 역시 좋지 않아'라고 하면서

검찰관 : 그래서 그 때 '각하, 정치를 좀 대국적으로 하십시오' 하면서

김재규 : 그래서 제가 그렇게 말씀드렸습니다. '김영삼 총재는 이미 국회의원으로서 면직됐습니다. 사법조치는 아니지만, 아마 그걸로써 본인을 처벌했다고 생각합니다. 일반국민들이, 또 이 사람을 사법조치까지 하면 같은 건으로 이중처벌을 하는 인상을 줍니다.' 그 말씀을 드리고 곧이어 '각하, 정치를 좀 대국적으로 하십시오' 이렇게 제가 콱 흥분했습니다. 그래서 바로 총에 손이 갔습니다."[5]

─────────────────────────
5. 1979년 12월 8일, 계엄사 보통군법회의 1심 2회 공판에서 김재규에 대한 신문 녹음임 김재홍 1994c,

10.26 현장에서 김재규가 박정희에게 총을 쏘기 직전의 상황에서 오간 대화 내용은 야당인 신민당에 대한 정치공작 문제였던 것은 사실이다. 그러나 김재규가 법정에서 1심 사형선고 직전 행한 최후진술을 포함해 누차 밝힌 10.26 거사의 직접적인 결심 이유는 "다수 국민의 희생을 막기 위해 각하 한 사람을 희생시킬 수밖에 없었다"는 것이었다.[6] 이 대목은 박정희를 제거할 수밖에 없다는 논거로서 10.26의 정당성과 함께 부마항쟁의 역사적 의미와 관련된다고 볼 수 있다.[7] 이때 김재규가 말한 다수 국민의 희생이란 바로 부마민주항쟁에 대한 무력 진압을 뜻했다.

10.26 당일 저녁 궁정동 안가 연회장에서 신민당과 김영삼 총재에 대한 정치공작 얘기가 나오기 전인 초반에 박정희와 경호실장 차지철은 시민시위에 대해 '발포명령과 전차 압살' 등의 극언을 내놓았다. 김재규는 여기서 결정적으로 자극을 받았으며 거사 결심을 굳힌 것으로 분석된다.

둘째, 그래서 10.26의 직접적인 원인은 바로 부산마산 시민들의 민주항쟁이었다. 김재규는 10월16일 부산대 학생과 시민이 가세한 시위가 발생한 후 17일 급거 부산 현지에 내려갔다. 부산에서 중앙정보부의 현지 지부장으로부터 보고를 청취하고 시위 현장을 직접 살펴 본 그는 그것이 일부 학생운동권 선동이나 불순세력의 개입이 아니며 일반 시민다수가 자발적으로 참여하고 있음을 확인했다.

김재규는 자신이 박정희를 제거하면 국민 지지를 받을 것이라는 확신을 부산 시민항쟁에서 얻었다고 군사법정 진술에서 밝혔다.

81~82.
6. 위의 책, 151-152 ; 1979년 12월18일 계엄사 보통군법회의 1심 9회공판에서 행한 김재규의 최후진술 녹취록.
7. 박정희 정권에 항거한 부마항쟁의 정당성, 즉 박정희와 자유민주주의의 대립성과 양자택일에 대한 문제를 다음 논문이 다루고 있다. 김상봉 2009, 67.

"변호사 : 만약 그렇게 각하를 살해한 다음에 국민들로부터 찬성을 받거나 지지를 받을 수 있다고 생각했나요?

김재규 : 전체국민이 자유민주주의를 희구하고 있기 때문에 자유민주주의 회복에 대해서는 전체 국민이 이의가 없다고 생각합니다.

변호사 : 피고인이 전체국민이 찬성하고 지지할 것이라는 생각을 하셨다는데 그것이 독단적인 생각인지, 어떤 정보 따위에 의해서 근거가 있다고 판단하셔서 범행을 하게 되셨는지, 간단하게 말씀해 주십시오.

김재규 : 저희가 갖고 있는 여러 곳에서 들어 온 정보를 종합적으로 판단해서 그런 결론을 얻고 있었습니다. 부산사태는 그것을 입증해 주는 좋은 증거입니다."(김재홍 1994d, 236)

중앙정보부에 보고된 전체국민의 민주회복 요구가 이런데도 박정희와 차지철은 부마민주항쟁에 불순세력이 개입했다고 주장하면서 강경진압을 공언했다. 김재규는 오래전부터 유신체제가 오직 박정희 1인을 위한 종신 독재 체제라고 생각했으며 박정희 제거를 궁리했다고 군사재판 진술에서 여러 차례 밝혔다. 그러던 중 10.26 당일 박정희와 측근 연회가 있는 궁정동 안가에 도착하자마자 2층 방에 올라가 권총에 실탄을 장전했다. 그러나 그가 처음부터 권총을 휴대한 채 술자리에 참석했던 것은 아니었다. 그는 박정희와 차지철이 부마항쟁에 대한 발포명령 등 강경진압을 입에 올리자 밖에 나와 2층 방으로 가 준비해 둔 권총을 품에 넣은 채 술자리에 들어간 것이다. 다음은 이에 관한 김재규의 군법회의 진술이다.

"'각하, 체제에 대한 저항과 정부에 대한 불신이 이렇습니다'라고 보고하면서 각하의 생각을 좀 누그려뜨리려 했지만 또 반대효과가 났습니다. 각하 말씀은 '이제부터 사태가 더 악화되면 내가 직접 쏘라고 발포명령을 내리겠다. 자유당 말에는 최인규라는 사람과 곽영주라는 사람이 발포명령을 했으니까(4.19 후 혁명재판에서) 총살됐지, 대통령인 내가 발포명령을 하는데 누가 날 총살하겠느냐' 이렇게 말씀하셨습니다.

이런 문제에다. 차지철 경호실장 같은 사람은 캄보디아에서는 300만 명이나 희생시켰는데, 우리는 100만~200만 명 희생시키는 것쯤이야 뭐 문제냐는 얘기가 나옵니다. 들으면 소름끼칠 일들입니다."[8]

김재규의 10.26 거사에 영향을 준 세 번째 요인은 미국 행정부가 요구하는 민주회복과 인권탄압 개선에 대해 박정희가 반발하면서 한미관계가 악화 일로에 빠져들었으며 한미동맹에 의한 국가안보가 어렵다는 위기의식이었다. 김재규는 국가안보주의자였으며 한미동맹을 중시하는 성향이었다. 그는 박정희가 자신의 권력강화를 우선시하면서 인권 개선을 압박하는 미국을 백안시하고 주한미군도 철수하려면 하라는 언급을 하는 것을 보면서 10.26거사를 결심하게 된다. 김재규의 다음 진술에서 이같은 사실을 읽을 수 있다.

"제가 76년 12월 박동선 사건 때 중앙정보부장에 부임했습니다만 3월 하순경에 대통령께 말씀드렸습니다. '워싱턴 로비라는 것이 우리 한국만 하고 있는 것이 아니라 세계 각국이 다 하고 있는데 유독 우리만 문제가 되고 있는 것은 로비를 잘못했다기 보다는 유신체제를 미국애들이 마땅하게 생각지 않고 그래서 우리한테 비트느라고 결국은 그렇게 되는

8. 1979년 12월 8일 계엄사 보통군법회의 2회 공판에서 행한 김재규 진술 녹음내용. 위의 책, 154쪽.

겁니다'고 말씀드렸습니다. 미국도 이 체제에 대해 이렇게 좋지않게 생각하니 한 번쯤 완화해서 잘 해보는게 좋지 않겠느냐는 뜻에서 말씀드렸는데 각하 말씀은, '내정간섭을 받을 필요가 있느냐, 언젠가는 우리도 자주국방을 해야 되는데 한 1,2년 빨리 됐다고 생각하면 되지, 미국놈들 데려가려면 다 데려가라고 그래' 이런 식으로 강경하게 나오셨습니다."[9]

10.26의 원인은 이외에도 박정희의 술과 여자에 얽힌 부도덕한 사생활 또한 그런 사실을 가장 잘 들여다볼 수 있었던 김재규와 중앙정보부 소속 의 전담당 간부 등에게 환멸감을 준 것으로 분석된다. 10.26 당일 김재규가 권총 첫발을 차지철에게 쏘고 이어 두 번째로 박정희에게 발사했으나 두 사람 모두 절명하지 않은 상태에서 권총이 고장나고 만다. 그러자 김재규는 밖으로 나와 대기 중이던 측근 의전과장 박선호의 권총을 바꿔 들고 방안에 들어가 박정희에게 다가가 그의 목 뒤쪽에 대고 근접하여 사격했다. 확인 사살이었다. 이는 인간적 혐오와 환멸감 없이는 생각하기 어려운 냉혹한 행동이었다. 김재규는 군사법정 진술에서 부하들이 박정희를 병원으로 옮길지 여부를 물어왔다면 못하도록 제지했을 것이라고도 밝혔다. 단호하게 완전한 사살을 결심했다는 의사표시였다. 박정희의 술과 여자에 관해서는 대통령의 채홍사라는 별명까지 붙여졌던 중앙정보부 의전과장 박선호가 김재규와 함께 선 군사법정에서 증언한 바 있다.[10]

---

9. 1979년 12월 8일 계엄사 보통군법회의 2회 공판의 김재규 진술 녹음내용. 김재홍 1994b, 166.
10. 대통령 박정희의 부도덕한 술과 여자에 관한 증언격인 중앙정보부 의전과장 박선호의 군사재판 진술은 다음 녹음에 담겨 있다. 김재홍 1994d, 19~26, 342~344. 김재홍 1998, 28~38.

## 3. 5.18 광주민주항쟁의 좌절이 부마항쟁에 미친 영향

북한과 대치하고 있는 한국에서 군이 국민의 신뢰와 사랑을 누리기는 매우 유리하고 당연한 상황이다. 그럼에도 불구하고 상당한 기간 일반국민이 군을 경계하고 매도하게 된 이유는 말할 것도 없이 군이 본분을 망각한 채 정치에 관여했기 때문이다. 또 군이 정치에 관여한 방식도 최악의 방향으로 타락의 길을 걸었다. 초기엔 가난 추방이라는 대중영합적인 명분을 내세운 무혈쿠데타였다. 박정희 소장의 1961년 5.16쿠데타가 그랬다.

그러다가 군부내 주도권 장악을 위해 상관과 동료에 대한 살상행동을 자행한 쿠데타가 일어났다. 박정희 사후 1979년 12월 12일 전두환 노태우 등 군내 정치군인들에 의한 지하사조직인 하나회가 주도한 군사반란이 그것이다. 이는 일련의 반인륜적 하극상이었다. 이에 대해 반감을 갖지 않을 국민은 없었다. 그래도 그것은 군 내부의 대립과 살상이었다.

군의 정치개입 방식 중 용서할 수 없는 최악의 범죄는 직접 국민에 대해 총뿌리를 겨누는 일이다. 후진국 군사정권의 등장과 권력유지 과정에는 대개 국민대중에 대한 살상진압 행위가 공통적으로 나타난다. 한국에서는 1980년 5.17내란이 그것이다. 당시 정국주도권을 행사하던 보안사와 하나회 정치장교집단은 광주시민항쟁 현장에 진압군으로 공수특전부대를 투입했다. 이들 공수부대는 북한 후방에 침투해 파괴 암살 교란 등 가장 잔인하고 호전적인 임무를 수행하는 군인들이다. 이들은 광주에서 마치 적군에게 하는 것처럼 시위 시민학생을 향해 발포하고 잔혹하게 진압했다. 한국에서 집권세력과 국민 관계가 파탄에 이른 것은 이 사건이 결정적이었다.

박정희는 10.26 당일 술자리에서 "대통령인 내가 직접 발포명령을 내리겠다"고 했다. 차지철은 "캄보디아에서는 3백만을 죽였는데 우리라고 한 1,2 백만 못 죽이라는 법 없다"고 극언을 내뱉었다. 김재규가 권총을 가지러 자신의 사무실로 간 것은 두 사람의 이같은 극언을 듣고서였다.

　그러나 만일 이때 10.26이 없었다면 80년 광주에 앞서 부산 마산에서 발포를 수반한 살상진압이 가해졌을지에 대한 답변 또한 10.26의 정당성과 관련이 있다. 부마항쟁과 그 진압부대는 바로 7개월 뒤의 광주항쟁과 상황적으로 똑 같다. 당시 부산 마산에 진주해 있던 공수부대들은 80년5월 광주에 투입된 부대와 동일한 1공수여단, 3공수여단, 5공수여단이었으며 그 지휘관들도 박희도, 최세창, 장기오 등 동일한 하나회 장성들이었고 그런 상황대처를 주도한 보안사령부도 사령관인 전두환 소장과 허화평 비서실장, 허삼수 인사처장, 권정달 정보처장, 정도영 보안처장 등 하나회 막료들이 장악한 동일한 지휘부였다. 다만 광주와 다른 변수라면 부산 마산이 당시 범집권세력의 지역주의적 지지기반이었다는 점이다. 이 점에서 부산과 마산에 과연 광주처럼 무자비한 살상진압 행위가 가해질 수 있었을까에 대해 회의적으로 볼 수도 있다. 그런 살상진압이 부산 마산에서 자행될 위기였기 때문에 김재규가 거사했다고 해석할 수는 있다.

　10.26 당일 김재규의 거사 후 행동은 집권계획을 전혀 찾아볼 수 없었고 허술하기 짝이 없었다. 김재규가 거사 후 자신의 아성인 중앙정보부로 가지 않고 정승화 육군참모총장을 따라 육군본부로 간 것만 보아도 후속계획이 없었음을 보여준다. 김재규는 이 점에 대해 군사법정에서 "유신체제가 박정희 1인에 의해 유지되고 있었기 때문에 그 1인만 제거하면 나머지 모든 권력자가 자신을 따라 올 것으로 믿었다"고 진술했다. 그것은 단견이고 오산이었지만 당시 유신체제의 성격과 중정부장의 위상을 알려주는 한 단면이었다. 또

그의 거사목표가 박정희라는 판단력이 마비된 위험한 최고권력자를 제거하는 것이었지 정권을 장악하는 일이 아니었다는 주장의 증거로 인용되기도 했다. 변호사들이 정권찬탈이나 내란목적 살인이 아닌 단순살인이라는 변론을 편 근거였다. 내란목적 살인이 아니라면 사형은 면할 수 있으리고 본 것이다.

김재규에 대한 군사재판은 특히 12.12 군사반란으로 군권을 장악한 유신체제 유지세력에 의해 주도됐고 그후에도 박정희 없는 박정희 체제가 더욱 퇴행적 정치문화를 낳았다. 그 이유는 시민자체의 성숙된 힘으로 이루어진 혁명이 아니었기 때문이다. 오히려 서울의 봄과 광주항쟁이 무참히 짓밟히고 비판적 언론인과 야당정치인들이 강제해직과 투옥당하는 시련을 맞은 것은 역사적인 복고반동과 역풍이었다.

만일 5.18 광주항쟁이 성공을 거두고 후속 민주정부가 수립됐다면 부마민주항쟁에 대한 역사 평가는 두말할 것 없이 민주시민혁명의 전주곡으로 쉽게 자리매김 됐을 것이다. 광주항쟁의 3대 구호는 유신철폐, 전두환 하야, 김대중 석방이었다. 박정희가 이미 제거됐기 때문에 전두환 하야를 요구했을 뿐 광주항쟁과 부마항쟁은 본질적으로 일치되는 민주항쟁이었다. 그런 점에서 광주항쟁의 좌절이 부마항쟁의 역사적 위상 정립에도 난관을 던져준 것이다. 향후 2016 촛불혁명이 성공적으로 달성되면 부마민주항쟁, 광주항쟁, 6.10 시민항쟁은 모두 동질적인 민중봉기와 시민혁명으로 역사에 기록될 것이다.

## Ⅴ. 결어 : 부마항쟁과 2016촛불의 역사적 동질성

### – 박정희체제와 그 정치적 유산의 청산

부마민주항쟁은 정치사적으로 군사권위주의 독재정치의 극단 형태라 할 수 있는 유신체제에 구멍을 낸 첫 민중봉기였다. 부마항쟁의 영향을 받은 10.26으로 유신체제의 이름은 사라졌다. 그러나 유신체제의 본질적 내용은 청산되지 않은 채 대부분 전두환의 5공정권으로 이어졌다. 사라진 것은 헌법상 1인 종신집권 하나 뿐이었고 국민대표권을 인정받을 수 없는 이른바 대통령선거인단에 의한 간접선거, 그리고 대통령의 각종 독재권력을 보장한 헌법 규정 등으로 사실상 '박정희 없는 박정희 체제'가 존속한 것이다. 유신체제의 종식은 대통령 박정희가 피살된 10.26 이후에도 몇 차례 정치적 기복起伏을 거친 후에야 완성될 수 있었다.

부마항쟁의 특징과 역사적 의미 중 하나는 종전까지 반독재 민주화운동이 대학생층과 재야 지도자 중심으로 이어져 온 것에 비해 일반 시민대중이 가담했다는 점이다. 유신체제 긴급조치를 수단화한 독재정치 아래서 대학생층의 반독재 민주화운동에 일반 시민과 기층민중이 가세한 민중봉기 성격은 부마민주항쟁에서 처음 나타났다.

부마민주항쟁에서는 유신체제 철폐와 독재타도라는 정치적 요구 외에도 실업 및 물가고와 조세 정책에 대한 항의가 표출됐다(김재홍 1994c).[11] 이같은 사회경제적 생존권 보장과 관련한 노동자층의 요구가 터진 것이 부마항쟁 직전인 1979년 8월 YH무역의 노동조합 사건이었으나 이것은 다수의 민중적

---

11. 1979년 10.26 후 진행된 군사재판에서 김재규는 10월18일 부마항쟁 현장에 가 보았는데 학생운동권 뿐아니라 일반 시민들이 자발적으로 참여하고 있었으며 물가고와 조세정책에 대해 비판하는 목소리가 많았다고 진술했다.

참여 형태가 아니었다. YH의 여성노동자들이 야당인 신민당사를 점거하고 농성하며 일방적으로 폐업한 회사의 정상화를 요구했다. 1970년 11월 서울 청계천 피복노조 지도자 전태일이 노동3권 보장을 요구하며 분신한 이후 각 기업의 생산 현장에서 노동운동이 내연해 오다가 YH노조를 계기로 사회문제로 표면화한 것이다.

박정희 통치시기에 일어난 생존권 보장 요구는 개발독재를 정당화하는 최소한의 구실인 경제성장의 성과가 다수 국민이 아니라 소수 특혜층에게 돌아간다는 모순구조에 대한 항거였다. 박정희 개발독재 아래서 해외수출액과 경제성장율, 그리고 국민소득이라는 총량적 지표가 정기적으로 발표됐지만 그것이 국민 다수의 실질적인 경제생활을 보여주는 것은 아니었다. 오히려 다수 국민의 경제적 불평등과 실질적 생활상이 악화돼 가는 것을 은폐하는 가림막 노릇이 아니었는지 분석해 봐야 할 것이다. 제아무리 통계상의 거시적 경제지표가 좋다 해도 박정희통치 시기 실업율과 인플레율 및 물가는 어느 정부 시기보다도 높은 것으로 나타났다(김재홍 2012c, 228-245). 즉 국민 다수의 실질적 경제생활은 사회계층간, 도시농촌간, 농공상(農工商)의 산업간, 동서지역간 불평등으로 고난의 연속이었다고 분석된다.

더구나 그런 정치적 경제적 모순과 불만요인을 표출할 수 있는 언론과 표현의 자유 및 문화예술 활동마저 극단적으로 통제받고 억압당하는 상황이었다.

유신체제가 저항의 정점을 이루었지만 박정희통치 전체 18년에 대하여 정치적 저항과 경제적 불평등, 그리고 사회문화적 불만이 누적돼 민중봉기 양상으로 분출된 것이 부마항쟁이었다고 평가해야 할 것이다.

부마항쟁과 2016촛불의 역사적 동질성은 바로 박정희체제의 청산을 목표로 했다는 점에서 찾아진다. 부마항쟁이 유신체제 타도를 통해 박정희통치를 종식시키려 했고, 2016촛불은 박정희통치의 직접적 후계자인 박근혜 전 대통령을 탄핵 파면함으로써 박정희의 정치적 유산을 청산하고자 했다는 점에서 양자는 38년의 시간을 넘어 동질적인 역사적 맥락으로 연결된다.

첫째, 대통령 박정희가 수시로 구사했던 공작정치를 딸 박근혜 정권도 국민여론을 공작하기 위한 정보기관과 군의 인터넷 댓글과 각 분야 블랙리스트 등으로 답습했으며, 여기에 국가정보원이 종합적 하수인 노릇을 했다는 점에서 동질적이다.

둘째, 박근혜 전 대통령은 기업으로부터 부정한 돈을 끌어내 스포츠 재단 등을 설립하거나 최순실의 딸 정유라에 대한 지원금으로 쓴 것이 뇌물혐의가 되어 형사재판을 받고 있으며, 이렇게 기업의 돈을 동원하는 관행은 박정희 때 생긴 정경유착 행태다.

셋째, 김기춘 대통령비서실장을 비롯해 박근혜 정권에서 중용된 많은 고위직 인사가 박정희 정권 출신이거나 그 2세들이었다. 이는 박정희 부녀 정권이 똑같이 가산제 국가patrimonialism 방식으로 국정을 운영했음을 보여주는 연결고리였다. 가산제에서는 통치자가 국가를 개인 자산으로 간주하고 국사를 개인업무처럼 생각하기 일쑤며 관료들은 가신처럼 독재권력에 복종한다. 세월호 참사 당일 일과시간임에도 대통령이 집무실에 출근해 있지 않은 채 개인의 생활공간인 관저에 있었다는 것도 그런 가산제 의식구조의 산물이라 할 수 있다.

넷째, 박근혜 정권의 지역편중 인사와 소통 부재의 권위주의적 통치 행태가 그대로 박정희 정권의 재현이라는 평가가 많다.

다섯째, 촛불혁명의 원인이 된 박근혜−최순실 게이트야말로 박정희 정권아래서 김재규 중앙정보부가 내사한 한마음봉사단 총재 최태민 사건과 관련된 인적 구성까지 동일하다. 최순실은 최태민의 딸로 박정희 정권 아래서 퍼스트레이디 역할을 한 박근혜 한마음봉사단 명예총재의 수행비서처럼 수행했다. 중앙정보부장 김재규는 1979년 1월 박정희에게 최태민에 관한 중앙정보부의 내사결과를 보고했다. 그러나 박정희는 이에 대해 별 조치를 하지 않았으며 오히려 김재규를 신임하지 않게 되는 계기가 됐다.

대통령 박근혜는 이처럼 아버지인 대통령 박정희의 정치적 유산을 답습했기 때문에 촛불혁명이라는 국민저항에 부딪쳐 탄핵되고 파면당했다. 이 점에서 박정희의 유신체제 철폐를 요구한 부마항쟁은 2016 촛불혁명과 동질성을 가지며, 따라서 촛불혁명에 대한 역사적 평가도 박정희체제의 근본적 청산여부에 달려있다고 하겠다.

# 참고문헌

김상봉. 2009. "귀향, 혁명의 시원을 찾아서- 부끄러움에 대하여", 『민주주의사회연구소 연구총
　　서 8 : 부마민주항쟁의 역사적 재조명』. 부산 : 부산민주항쟁기념사업회.

김재홍. 2012a. 『누가 박정희를 용서했는가』. 서울 : 책보세.

김재홍. 2012b. 『박정희의 후예들』. 서울 : 책보세.

김재홍. 2012c. 『박정희 유전자』. 서울 : 개마고원.

김재홍. 2010. "1980년 신군부의 정치사회학 : 정치군벌 하나회 집단의 정권 찬탈 과정," 5월 14
　　일 5.18광주민중항쟁 30주년 민주화운동기념사업회 심포지엄 주제발표논문.

김재홍. 1998. 『박정희의 유산』. 서울: 푸른 숲.

김재홍. 1994a. 『軍 1: 정치장교와 폭탄주』. 서울 : 동아일보사.

김재홍. 1994b. 『軍 2: 핵개발 극비작전』. 서울 : 동아일보사.

김재홍. 1994c. 『박정희살해사건 비공개진술 속녹음 (상) : 운명의 술 시바스』. 서울 : 동아일보사.

김재홍. 1994d. 『박정희살해사건 비공개진술 속녹음(하): 대통령의 밤과 여자』 서울 : 동아일보사.

민주평화복지포럼. 2011. 『5.16, 우리에게 무엇인가?』 서울 : 민주평화복지포럼.

이한림. 1994. 『세기의 격랑』. 서울 : 팔복원.

이행봉. 2003. "부마민주항쟁의 개관, 성격 및 역사적 의의," 『부마민주항쟁 연구논총』. 부산 : 민
　　주공원.

전재호. 2016. "유신체제와 부마항쟁," 『민주주의사회연구소 연구총서10 : 부마항쟁의 진실을 찾
　　아서』. 부산 : 도서출판 선인.

최순영. 2011. "박정희는 이 나라의 공로자인가?" : 병 주고 약 주고 있다", 5월9일 민주평화복지
　　포럼 주최 5.16쿠데타 50년 강연회 발표문.

홍장표 · 정이근. 2003. "부마민주항쟁의 경제적 배경", 『부마민주항쟁 연구논총』. 부산 : 민주공
　　원.

Cumings, Bruce. 1996. "Korea's Academic Lobby", Published by Japanese Policy Institute
　　(May)

Finer, Samuel E. 1975. The Man on Horseback. London: Penguin Books.

Hook, Sidney. 1962. The Hero in History. New York: Beacon Press.

Huntington, Samuel P. 1985. The Soldier and the State: The Theory and Politics of Civil-Military
　　Relation. Cambridge : Harvard University Press.

Tucker, Robert. 1981. Politics as Leadership. Columbia : University of Missouri Press.

# '부마민주항쟁 진상보고서'의
# 작성 원칙과 내용에 대해서

## 홍 순 권

동아대학교 사학과 교수

## Ⅰ. 진상조사 보고서 작성 배경과 의의

1979년 10월 부마항쟁이 일어난 이후, 이 사건을 기억하고 그 정신을 기리고자 하는 노력이 다양하게 이루어져 왔다. 부산과 마산의 시민사회가 주축이 되어 매년 10월 기념행사를 치루면서, 부마항쟁의 정신을 계승하고 확산하기 위한 많은 노력을 기울여 왔던 것이다. 그럼에도 불구하고 부마항쟁은 여전히 제대로 기억되거나 그 정신이 시민사회에 제대로 뿌리를 내리지 못하고 있다. 무엇 때문인가? 이는 여전히 해명되어야 할 과제로 남아 있다.

부마항쟁이 제대로 기억되지 못하고 평가받지 못한 데는 부마항쟁에 대한 왜곡된 인식과 진상의 은폐도 한 몫을 하고 있다. 최소한 1500명 이상의 시민이 연행되어 구속을 당하고 고문을 당하는 등 큰 피해를 입었으며, 무엇보다 유신체제의 종말을 고하고 이후 민주화운동에 큰 영향을 끼쳤으나, 지금까지 사건의 진상과 그 역사적 의미가 제대로 규명되지 못했던 것이다. 또 부마항쟁의 기념이 여전히 시민사회 일각의 관련 시민단체의 자체 추모행사에 머물고, '공식적인 기념(일)'으로 인정받지 못한 탓도 있다.

진상조사 보고서 작성의 필요성을 문제제기의 원점에서 짚어보면 이러한 문제의식에서 출발한다. 지속적인 시민단체의 요구에 따라 2013년 6월 국회에서 「부마민주항쟁 관련자의 명예회복 및 보상에 관한 법률」이 제정되었다. 그 해 12월 이 법에 근거하여 '부마민주항쟁 진상규명 및 관련자 명예회복심의위원회'의 위원들이 위촉되고, 이 위원회가 주체가 되어 '부마민주항쟁'의 진상규명 작업이 본격화되었다.

위의 관련법 제10조에 따라 진상규명기간이 만료한 날로부터 6개월 이내에 '부마민주항쟁 진상보고서'(이하 '진상조사보고서'로 줄임)를 작성하여야 한다.

이 '진상조사보고서'에는 관련자 명단을 포함시키도록 되어 있다. 이렇게 법적인 근거에 의해 작성된 '진상조사보고서'는 부마민주항쟁으로 피해자의 명예 회복에 관한 공식적인 기록으로서 의미를 가질 뿐 만 아니라 부마민주항쟁에 대해서 정부가 최초로 공식화한 역사기록으로서 의미도 아울러 지닌다고 하겠다. 이제 그 중요성을 감안하여 장차 간행될 '부마민주항쟁 진상보고서'의 모습이 어떠해야 할지 고민해 보고자 한다.

## II. 타 위원회의 '진상조사 보고서' 작성 사례의 검토

### 1. 진상조사 보고서 내용의 범위와 성격

진상조사 보고서는 일차적으로 부마항쟁의 발생 원인, 또 진행 과정 및 항쟁 과정 중에서 일어난 국가권력 기관이 자행한 반민주적 반인권적 폭력 행위로 인한 항쟁 참여자 및 시위자들의 인적 물적 피해를 밝히고, 즉 부마민주항쟁의 진상을 규명하여 관련자와 그 유족들의 명예를 회복시키고 피해를 보상함으로써 인권신장과 민주 발전 및 국민화합에 이바지하는 데 목적이 있다.(부마법 제1조(목적))

또 '부마민주항쟁'은 10월 16일부터 10월 20일까지 부산.마산 및 창원 등 경남일원에서 유신체제에 대항하여 발생한 민주화운동으로 법적으로 규정되어 있다.(부마법 제2조(정의)) 그러나 실제 조사보고서의 기술 내용의 범위는 부마민주항쟁의 원인은 물론, 부마민주항쟁 발단이 된 10월 15일 부산대 시위 미수 사건을 포함하여 20일 마산 시위 종료 시점까지를 중점적으로 다루되, 부마민주항쟁 전후의 정치정세와 부마민주항쟁이 이후 한국사회에 미친 영향을 포괄적으로 서술해야 할 것이다.


## 2. 사례의 검토


### (1) 〈제주4·3사건진상조사보고서〉의 검토

"'제주4.3사건진상규명및희생자명예회복에관한특별법'(이하 '제주4.3특별법'으로 줄임)은 2001년 1월 12일 제정 공포됐다. 제주4.3특별법은 제주4.3사건의 진상을 규명하고 이 사건과 관련된 희생자와 그 유족들의 명예를 회복시켜 주기 위한 목적으로 만들어졌다. 이 법의 제정으로 한국현대사에서 한국전쟁 다음으로 인명피해가 많은 제주4.3사건은 사건 발생 50여 년 만에 국가 차원의 진상조사에 의해 제 평가를 받게 됐다."(제주4.3사건진상규명및희생자명예회복위원회(이하 '제주4·3위원회'로 줄임), 『제주4.3사건진상조사보고서』, 35쪽)

제주4·3사건진상조사는 다음과 같이 3단계로 진행되었다(제주4.3사건진상규명및희생자명예회복위원회, 『화해와 상생-제주4.3위원회 백서-』, 2008(이하 『백서』로 줄임), 69쪽).


1단계 : 2000.9~2001.2(6개월) / 4.3자료 목록 작성, 조사대상 국가 기관 선정, 증언조사 대상 선정, 데이터베이스 구출.

2단계 : 2001.3~20028(1년 6개월) / 국내외 자료 수집, 국내외 증언조사 실시, 수집자료 분석, 수집자료집 발간.

3단계 : 2002.9~2003.2(6개월) / 진상조사보고서 초안 작성, 진상조사보고서 심의.

진상조사를 마친 제주4·3위원회는 보고서 작성을 위해서 제주4·3사건 진상보고서작성기획단(단장 박원순 변호사)을 꾸렸다. 기획단은 진상조사보고서 작성을 위한 관련자료의 수집과 분석, 그리고 보고서 작성의 임무를 띠었다. 기획단은 2001년 1월 17일 첫 회의를 가진데 이어 2003년 2월 25일 진상조사보고서 초안이 완성될 때까지 2년여 동안 진상조사를 진행하였다(백서, 93쪽).

기획단은 진상조사 대상 선정에서부터 증언조사 계획과 외국 자료 수집 계획 등을 논의하고, 21개 분야 자료 수집 상황을 점검하였다.

2002년 8월 29일 기획단 회의에서 보고서 목차안이 상정된 이후 여러 가지 현안들이 논의되었다. 그 결과 보고서는 한 권으로 편찬하기로 했으며, 연대의 순서에 따라서 기술하는 편년체 형식으로 하되 그 속에 쟁점 부분을 녹여내는 방향으로 집필한다는 원칙을 세웠다. 이 때 정리된 목차안은 제1장 진상조사 개요, 제2장 배경과 기점, 제3장 전개과정, 제4장 피해상황, 제5장 조사결론, 제6장 권고 순이다.[1]

기획단은 이런 목차안을 확정하고 전문위원들에게 분야별로 보고서 초안을 작성하도록 하였다. 집필 방향은 다음 3가지 원칙을 세웠다(백서, 94~95쪽).

1. 사실에 부합한 자료를 중심으로 내용을 기술한다. 4·3 관련 기존자료나 증언이라 할지라도 왜곡된 내용이 많기 때문에 정밀한 검증과정을 거쳐 그 진실이 확인된 내용에 한하여 인용한다는 것이다.

2. 4·3특별법의 입법취지를 충실히 반영한다. 특별법은 4·3사건의 핵심적인 정의를 "무력충돌과 진압과정에서 주민들이 희생된 사건"으로 규정

---

1. 미국과의 관계를 독립된 장으로 놓느냐는 문제를 놓고 토론이 있었으나 이 부분은 독립시키지 않고 각 장에 적절히 기술하는 것으로 의견을 모았다(제주4.3사건진상규명및희생자명예회복위원회, 『화해와 상생-제주4.3위원회 백서-』, 2008, 94쪽).

하였다. 따라서 보고서 작성 때도 '주민희생'에 키워드를 두어 인권침해 규명에 비중을 두었다는 것.

3. 4·3사건의 구조적인 문제 규명에 역점을 두기로 한다. 당시 남한사회의 정치상황과 국제적인 역학관계, 그리고 당시 독특했던 제주도의 정치, 경제, 사회 등 여러 여건을 총체적으로 살핀다는 것이다.

이런 과정을 거쳐 전문위원들에 의해 집필된 진상조사보고서 초안은 2003년 2월 7일 기획단 회의에 상정되어 여러 차례 논의를 거쳐 2월 25일 확정되었다. 초안에 대한 심의 과정에서 용어들이 일부 순화되었다. 또한 정부 측 위원들의 적극적인 의견 개진으로 4.3 때 발효된 계엄령의 불법성에 대해서는 단정하지 않되 불법 논란이 있는 점, 집행과정에 법을 어긴 점을 다루는 것으로 조정되었으며, 논란이 많았던 군법회의에 대해서는 "법률이 정한 정상적인 절차를 밟지 않았다"는 표현으로 쓰는 것으로 조정되었다(『백서』, 96쪽).

– 제주4·3위원회 전체회의에서의 보고서 초안 심의

이를 위해 제6차 전체회의, 2003년 3.21일 고건 국무총리 주재로 정부종합청사에서 개최하여 심도 있는 검토를 위해서 심의 소위원회를 구성하기로 하였다. '보고서 심의 소위원회'는 국무총리와 법무장관(강금실), 국방장관(조영길), 법제처정(성광원) 등 정부 측 위원 4명과 김삼웅, 김점곤, 신용하 위원 등 민간 위원 3명 등 7명으로 구성하고, 초안을 작성한 기획단을 대표하여 박원순 단장이 참석하도록 하였다.

소위원회 회의 심의과정에서 열띤 토론을 벌인 결과 초안에 대한 이견이 조정 절충되어 모두 30여 건이 수정되었다. 전체회의에서 이 수정안에 대해 논란을 벌인 끝에 진상조사보고안을 조건부로 의결하였다. 즉, 앞으로도 새로운 자료가 발굴될 것에 대비, 수정할 수 있는 여지를 남겨놓는다는 차원에서 "6개월 이내에 새로운 자료나 증언이 나타나면 위원회의 추가심의를 거쳐 보고서를 수정한다"는 단서를 달았다. 이에 따라 제주4.3위원회는 2003년 5월 1일부터 9월 28일까지 6개월간을 진상조사보고서에 대한 의견 수렴기간으로 설정, 공고하였다.

9월말까지 20개 기관·단체·개인으로부터 376건의 수정의견이 접수되었고, 이 수정의견을 심의하기 위해 검토소위원회가 재구성되었다. 고건 총리는 소위원회 위원으로 법무부장관, 국방부장관, 법제처장 등 정부 측 위원 3명과 김삼웅, 서중석, 신용하, 유재갑 위원 등 민간인 위원 4명 모두 7명을 위촉하였다. 검토소위원회는 4차 회의를 거쳐 검토한 내용을 토대로 신청된 376건의 수정의견 중 33건을 수정하는 것으로 결정하였다. 수정안 표현 수정이 21건, 사실관계 오류에 의한 수정이 10건, 새로운 자료에 의한 수정이 2건으로 정리되었다. 그 결과 2003년 10월 15일 제8차 4.3위원회 전체회의에서 진상조사보고서가 최종 확정되었다(백서, 101~102쪽).

제주4·3위원회의 〈진상보고서〉의 목차
1장. 제주4·3사건 진상조사 개요
2장. 배경과 기점
3장. 전개과정
4장. 피해상황
5장. 진상조사보고서 결론

진상조사보고서의 내용 중 특기할 점은 '제1장 제주5.4사건 진상조사 개요'에서 진상조사의 배경, 진상조사의 근거와 목적, 위원회의 구성과 운영, 그리고 진상조사 활동 등을 상세히 기술하였다는 점이다. 특히 진상조사 활동에 대해서는 문헌자료 조사, 증언채록 조사, 검증·분석 작업 등으로 구분하여 기술함으로써 진상조사의 진행 방향과 조사과정의 신뢰도를 가늠할 수 있도록 한 점이다.

이러한 과정을 거쳐 완성된 「제주4.3사건 진상조사보고서」는 4.3특별법 규정에 의거하여 설치된 조사기구가 2년 6개월의 정해진 조사기한 내에 작성하여, 정부 위원회의 심의를 거쳐 최종 확정한 법정 보고서이다.

진상조사보고서는 사건의 배경, 원인을 기술하고, 사건 발생 이후 사건의 전개 과정 사건을 기술하면서 무장장대와 토벌대간의 무력충돌과 토벌대의 진압과정에서의 주민 희생, 그리고 피해의 확산 과정을 포함하여 기술하였다. 피해 상황에 대해서는 위원회에 신고된 희생자 총수를 밝히고, 미신고자와 미확인 희생자까지 감안하여 전체 인명 피해를 추정하였다 (25,000~30,000명으로 추정).

이에 따라 진상조사보고서에서는 제주4.3사건을 "1947년 3월 1일 경찰의 발포 사건을 기점으로 하여, 경찰·서청의 탄압에 대한 저항과 단선·단정 반대를 기치로 1948년 4월 3일 남로당 제주도당 무장대가 무장봉기한 이래 1954년 9월 21일 한라산 금족지역이 전면 개방될 때까지 제주도에서 발생한 무장대와 토벌대간의 무력충돌과 토벌대의 진압과정에서 수많은 주민들이 희생당한 사건"이라고 정의하였다.

진상조사보고서에서는 진상조사 과정에서의 쟁점 사항을 ①발발원인의 복합성, ②남로당 중앙당의 직접적인 지시 여부, 무장대의 병력 규모, ③ 4.3

사건으로 인한 희생자 수, ④진압작전에서 전사한 군인 수, ⑤ 투입된 서청의 인원 수와 역할, ⑥ 중산간 마을의 피해 상황, 군에 의한 즉결처분으로 희생, ⑦ '4.3사건 군법회의'의 실상, ⑧ '4.3 계엄령의 적법성 여부', 군 진압 과정의 지휘체계와 책임 문제, ⑨ 미군정과 주한미군사고문단의 역할과 책임 한계, 연좌제에 의한 피해 등 9개 항목을 중점 지적하였으나, 별도의 독립된 절이나 항목으로 설정하지 않고, 편년체적 기술 방식에 따라 사건의 전개과정 속에 녹여 기술하였다.

또 제주진상보고서는 그 한계로서 "이 보고서는 다각적인 노력에도 불구하고 4 · 3사건의 전체 모습을 드러냈다고 볼 수 없다. 경찰 등 주요기관의 관련문서 폐기와 군 지휘관의 증언 거부, 미국 비밀문서 입수 실패 등은 아쉬움으로 남는다."(『백서』, 111쪽)고 지적하였다.

제주4 · 3사건 진상조사보고서에서는 건의안(권고안)을 별도의 장 또는 절으로 구성하지 않고, 결론 마지막 부분에서 "정부는 이 불행한 사건을 기억하고 교훈으로 삼아 다시는 이러한 비극이 일어나지 않도록 노력을 해야 할 것이다. 특히 국가 공권력에 의해 피해를 입은 희생자와 그 유족을 위로하고 적절한 명예회복 조치를 취할 것을 기대한다."는 문장으로 대신하였다. 이후 『백서』에서는 위원회에서 채택한 7대 건의문을 별도로 수록하였다.[2]

### (2) 〈부마항쟁 과정에서 발생한 인권침해 사건 조사보고서〉의 검토

2005년 5월 '진실 · 화해를 위한 과거사정리 기본법'(이하 '과거사 기본법'으로 줄임)이 제정 공포되었고, 이 법에 기초하여 그 해 12월 마침내 '진실 · 화

---

2. 채택된 7대 건의안은 제주도민과 피해자들에 대한 정부의 사과, 4.3사건 추모기념일 지정, 진상보고서 교육자료 활용, 4.3평화공원 적극 지원, 생활이 어려운 유가족들에게 실질적인 생계비 지원, 집단 매장지 및 유적지 발굴사업 지원, 진상규명 및 기념사업 지속 지원 등이다.(백서, 112쪽)

해를 위한 과거사정리위원회'(이하 '진실화해위원회'로 약칭함)가 공식 출범하게
되었다. 진실화해위원회는 한국전쟁전후의 민간인학살 이외에도 독재정권
시기의 인권탄압, 일제시기의 독립운동에 대한 진상규명도 그 과제로 다루
었다.

　진실화해위원회는 출범 이후 2010년 6월 30일까지 신청사건을 비롯한
11,175건을 처리하였으며, 이 중 8,450건에 대해 진실을 규명하였다. 그 결과
2010년 12월 진실화해위원회는 약 4년 7개월에 걸친 위원회의 활동에 대한
종합보고서를 제출하였다. 진실화해위원회의 종합보고서는 4권으로 간행되
었는데, 제1권은 위원회의 활동 전체를 개관하고, 조사 결과를 토대로 한 위
원회의 종합권고 내용을 수록하였다. 제2권부터 제4권은 조사 결과를 사건
유형별로 나누어 요약한 것이다. 즉, 종합보고서는 개별 사건에 관한 진실규
명 보고서를 종합한 것으로, 실제 개별 사건의 조사보고서는 반기별로 모아
2006년 하반기부터 매년 두 차례씩 발간하였다. 장차 〈부마항쟁 진상조사보
고서〉 작성에 실제로 참고 될 수 있는 것은 종합보고서라기 보다는 개별 사
건의 조사보고서라고 할 수 있다. 이 글에서는 그 가운데 2010년 5월 25일 진
실화해위원회가 진실규명을 결정한 조사보고서인 〈부마항쟁 과정에서 발생
한 인권침해 사건〉[3]을 살펴보는 것이 마땅할 것이다. 진실화해위원회의 조
사보고서는 크게 결정문과 조사보고서로 구성되어 있는데, 전자는 후자의 내
용을 토대로 사건의 진실 여부에 대한 판단을 간단히 기술한 것에 불과하다.
따라서 결정문을 제외한 '조사보고서'의 목차를 정리하면 아래와 같다.

　I. 조사개요

---

3. 이 보고서는 진실화해위원회, 《〈2010년 상반기 조사보고서〉》, 417~460쪽에 수록되어 있다.

1. 사건개요

  가. 사건개요

  나. 신청취지

2. 조사의 근거

3. 규명과제

  가. 항쟁 진압과정에서의 인권침해 여부

  나. 수사과정에서의 인권침해 여부

4. 진실규명 조사방법과 경과

  가. 자료 검토

  나. 진술 조사

Ⅱ. 조사결과

1. 사건의 경위

  가. 사건의 배경[4]

  나. 사건의 전개과정

    1) 부산지역   2) 마산지역

  다. 연행(구속)자 현황[5]

  라. 재판결과

  마. 구제조치 현황

2. 항쟁 진압과정에서의 인권침해 여부[6]

4. 이 부분은 진실화해위원회에서 부마항쟁의 배경을 분석 기록한 것으로, 장차 부마위원회의 진상 조사보고서 작성시 반드시 참조해야 할 사항이다.

5. 이는 부마항쟁에 참여하여 민주화운동 관련자로 인정된 민주화운동 관련자 명예회복 및 보상심의 위원회의 심의 결과를 정리한 것이다.

6. 진실화해위원회가 항쟁 진압과정에서의 인권침해 내용의 대부분은 진술청취한 내용을 요약하거나 직접 인용하여 정리하였고, 다- 1) 기록상 정황에서 인용한 자료 주로 육군본부, 『고등군법회의 수사 공판기록』을 참고한 것이다.

이상의 목차 외에 '[별표 1] 사건 관련인 명단'이 첨부되어 있다.


진실화해위원회의 조사보고서의 목차를 보면 부산과 마산을 각각 별개의 사건으로 다루지 않고, 우선 각 사항을 주제에 따라 세분하여 기술하는 것

---

7. 참고인 진술은 취재기자 진술, 목격자 진술, 계엄사령관, 위수사령관, 경남도지사, 수사관 등의 진술을 포함하고 있다.
8. 가혹행위에 대한 참고인 진술은 부산과 마산으로 나누어 기술하고, 수사관 등의 진술은 통합하여 기술하였다.

을 원칙으로 정한 다음, 필요에 따라 해당 사항을 지역별로 나누어 서술하는 방식을 택하였다. 이러한 서술 방식이 부마항쟁이라는 하나의 역사적 사건을 통일적으로 이해하는데 큰 무리가 없어 보이기는 하나, 부산에서의 항쟁과 마산에서의 항쟁은 전개 시점에 차이가 있고, 지역적 특성도 존재하기 때문에 이러한 점을 어떻게 드러낼 것인지는 좀 더 고민이 필요하다.

## Ⅲ. 진상조사보고서의 구성과 내용

### 1. 진상조사보고서의 구성 요소와 목차(안)

#### (1) 진상조사보고서의 구성 요소

지금까지 나온 여러 위원회의 보고서를 검토해 보건대, 일반적으로 보고서의 기본적(필수적) 구성 요소는 ① 보고서 작성의 배경, ② 조사의 목적, ③ 조사 방법과 대상 ④ 조사 결과 등으로 구성되어 있다. 각 항목에 대하여 부연 설명하면 다음과 같다.

① 보고서 작성의 배경 : 보고서 작성의 법적 근거는 무엇이며 보고서 작성의 주체인 위원회는 어떻게 구성되어 있으며, 위원회의 활동 목적은 무엇이고, 이러한 목적 달성을 위해서 어떠한 활동을 하였는가에 초점을 맞추어 기술한다.

② 조사의 목적 : 사건조사의 배경과 필요성, 그리고 핵심 쟁점 등을 밝혀 조사의 목적과 조사 방향을 명확히 제시할 필요가 있다. 또 조사관의 선정과 조사 기간 등도 아울러 밝혀 놓는 것이 필요하다.

③ 조사 방법과 대상 : 조사 방법은 크게 자료 조사(문헌, 영상 등)와 진술 조사로 나누어 설명하되, 조사 일정 및 조사 대상을 일목요연하게 기술할 필요가 있다. 특히 진술 조사에 대해서는 진술 대상자 선정 및 진술 장소, 일정 등이 기술되어야 한다. 특히 시위 참가자와 목격자의 증언 청취와 구술, 시위의 진압에 나선 군경 등 직접적인 사건 관련자의 진술에 대해서는 조사 대상자의 정확한 신원은 물론이고 조사 방법과 조사 시기, 조사 장소 등이 명확히 제시되어야 한다.

④ 조사 결과 : 조사 결과는 사실상 조사보고서의 본문에 해당되는 부분이므로 다음 절에서 보다 자세히 살펴볼 것이다. 다만, 가장 기본적인 원칙으로 사건의 배경은 물론, 전개 과정, 사건의 진행 과정에서 일어난 핵심적, 특징적 사안들을 가능한 한 정확하고 상세하게 기술해야 한다. 특히 핵심 쟁점 사안에 대해서는 위원회의 판단에 대해 진위 여부를 가릴 수 있는 정확한 근거가 자료 또는 진술의 형태로 명확하게 제시되어야 한다.

## (2) 목차(안)

〈부마민주항쟁 진상조사보고서〉의 목차 설정에 있어서 특별히 고려해야 한다고 생각한 것은 조사 내용이 종전 진실화해위원회 보고서와 어떠한 차별성이 있는가, 또 부마항쟁과 관련하여 지금까지 논의되어 왔던 핵심 쟁점들이 얼마만큼 진실 규명되었는가 하는 점이다. 이러한 점을 감안하여 이 글에서는 조사결과 중 '진실규명과 관련된 주요 쟁점'을 따로 분리하여 독립 절로 구성하여 기술할 것을 제안한다. 조사결과에서 사실 관계는 이미 기술했지만, 쟁점이 되었던 문제인 만큼 쟁점이 야기된 배경과 진실 규명에 대한 사실적 근거를 좀 더 상세하게 기술할 필요가 있다고 판단한다.

'주요 쟁점'은 아래 목차에 제시된 바 대로 6개 항목을 선정하였다. 이 가운데 '연행자 조사 과정에서의 인권침해와 불법성'은 진실화해위원회의 조사보고서에서도 다루어진 내용이나, 부마위원회에서 추가적으로 조사한 내용과 새로운 조사결과를 보완할 필요가 있다. 나머지 5개 사항은 대체로 지금까지 부마항쟁 관련 단체에서 집중적으로 논의되어 왔던 문제들이다.

제시하고자 하는 목차(안)는 아래와 같다.

**부마위원회의 〈부마민주항쟁 진상조사보고서〉 목차(안)**
제1장 부마위원회의 설립
제1절 부마민주항쟁에 대한 진실 규명의 필요성과 부마위원회의 설립 과정
  1. 진상규명의 필요성
  2. 진상규명에 대한 사회적 요구와 법제정 논의
  3. 부마법의 제정과 그 내용
제2절 부마위원회 및 진상규명을 위한 소위원회의 구성과 운영
  1. 부마위원회의 구성
  2. 진실규명소위원회의 구성과 역할
  3. 진실규명을 위한 위원회 및 소위원회의 개최와 회의 내용
제2장 진실규명을 위한 조사 활동 내역
  제1절 보상 신청자의 접수
  제2절 자료의 수집 및 발굴
    1. 자료조사    2. 관련자 진술 및 증언 채취
  제3장 조사결과 보고

## 2. 본문 내용의 기술

### (1) 내용 기술의 기본 원칙

부마항쟁에 대해서는 지금까지 축적된 많은 연구가 있기 때문에 본문 서술에 앞서 이를 먼저 검토하는 것이 순서이다. 검토 결과를 토대로 사실상 정설화 된 부분은 기존의 연구 성과를 충실히 반영하여 객관적으로 서술하되, 상충된 해석에 대해서는 이를 병기하거나 정부위원회의 조사결과를 토대로 위원회의 견해를 밝힐 수 있다. 다만, 이 경우 정부위원회의 주장이 설득력을 얻기 위해서는 충분하고 신뢰할 만한 자료와 관련자의 진술이 뒷받침되어야 한다.

특히 시위 참가자와 목격자의 증언 청취와 구술, 시위의 진압에 나선 군경 관계자들의 진술에 대해서는 그 내용을 구체적으로 제시하고 그에 대한 합리적인 해석을 내놓아야 한다. 이 경우 진술 내용을 각종문헌 기술과 상호 비교 분석하여 진술 내용의 진위 여부와 신뢰도를 판단해야 한다. 사건의 진행 과정은 이러한 교차 분석 작업을 토대로 사실적으로 복원하는 것이 마땅하다. 물론 그 과정에서 사실 복원이 명확하지 않은 부분은 이를 명시하고, 그 이유가 무엇인지도 밝혀야 하며, 무리한 추정하지 말아야 한다.

종국적으로는 조사 내용을 종합하여 위원회가 내린 판단(결론)은 무엇이고 그러한 판단을 전제로 위원회가 취한 조치 또는 취할 수 있는 조치가 무엇인지를 제시해야 한다.(권고사항)

이밖에 진상조사보고서 작성에 있어서 유의해야 할 사항은 다음과 같다(홍순권, 「부마항쟁 진상규명의 현황과 평가」(『부마항쟁의 진실을 찾아서』, 선인, 2016 所收), 38~40쪽의 내용과 동일하므로 생략).

## (2) 부마항쟁의 역사적 평가

부마항쟁의 원인과 배경 앞서 조사 결과를 통해서 응당 밝혀야 할 과제이지만, 그 못지않게 부마항쟁이 이후 한국 사회의 민주화운동과 민주화에 어떠한 영향을 미쳤는지를 정확히 분석하여 기술하는 것이 중요하다. 그것은 곧 한국 민주주의의 역사에서 부마항쟁이 어떠한 역사적 위상을 지는지를 밝히는 작업이기도 하다. 다만, 이 부분은 정부위원회 주관적 판단에만 의존하기 보다는 지금까지의 학계의 연구 성과와 공론 과정을 거쳐 우리 사회 내부에서 합의된 내용을 바탕으로 객관적으로 기술할 필요가 있다고 생각한다.

이처럼 부마항쟁의 역사적 의의를 밝히기 위해서는 10.26사건을 비롯하여 5.18광주민주항쟁, 그리고 6월항쟁 등 이후의 역사적 사건에 미친 영향을 다각적으로 검토 기술할 필요가 있다.


## (3) 권고안의 작성

조사 결과와 부마항쟁의 역사적 의의에 근거하여 권고안을 작성하되, 사전에 학계 및 시민사회의 여론을 청취하는 것도 필요하다. 우선 권고안에 들어가야 할 항목을 몇 가지 제시해 보면 아래와 같다.

- 부마민주항쟁일(기념일) 지정, 개헌 헌법 전문 명시
- 가혹행위, 고문, 성폭행 피해자에 대한 정부의 사과와 피해에 대한 적절한 보상
- 기념 · 추모사업 및 학술 · 연구활동을 지원하기 위한(연구지원)재단의 설립
- 부마항쟁에 대한 역사 기술과 역사 교육 등
※ 이밖에 '부마민주항쟁 관련자 명단'은 부마법 제10조 ②항에 의거 진

상조사보고서에 반드시 포함되어야 하는 바, 이를 본문 내용에 기술할 것인지 부록의 형태로 첨부할 것인지는 좀 더 숙고해볼 필요가 있다.

## 3. 진상조사보고서의 검증과 심의위원회의 설치

진상조사보고서는 부마민주항쟁에 대한 정부 차원의 공식적 기록인 만큼, 정확하고 엄밀하게 작성하여야 하며 가능한 한 오류가 없도록 해야 한다. 이처럼 완벽한 진상조사보고서가 되기 위해서는 정부위원회 내 집필위원들의 노력과 책임이 일차적으로 중요하다. 그러나 만일에 발생할 수 있는 오류와 문제점을 최소화하기 위해서는 집필위원들이 작성한 원고 초안을 제3자가 심의하는 것을 고려해 보아야 한다. 이는 사실관계 기술의 오류를 바로 잡기 위해서도 필요하지만, 또 역사 해석에 있어서 주관적 판단이 개입되어 있는지 등을 검증을 위해서도 필요한 일이다.

물론 집필위원들에 의해 1차 작성된 진상조사보고서 초안의 검증을 위해서는 '감수위원'을 선임하여 감수를 받는 방법도 있지만, 이는 감수의 책임 범위가 모호하여 자칫 형식적 감수에 그칠 가능성도 없지 않다. 따라서 필자는 '제주4.5사건 진상조사보고서' 작성의 사례를 참고하여 '심의위원회' 또는 '심의회의'를 설치할 것을 제안한다. 단 심의위원회는 정부위원회 위원(1~2인)와 집필위원(1~2인)을 포함하되, 외부 전문가가 다수가 되도록 구성하는 것이 바람직하다고 생각한다. 또 심의위원회가 단순한 자문기구로서 기능하는 것이 아니라 내규에 의해 원고 수정을 권고할 수 있는 실질적 권한을 부여하는 것이 바람직하다고 생각한다.

계엄령 이후 구 시청 앞의 탱크와 장갑차

# 유신체제 말기의 한미관계와 정치위기
## – 부마항쟁과 동상이몽의 정치사회학

### 지 주 형
경남대학교 사회학과 교수

# I. 문제 제기

70년대 말의 악화된 한미관계가 박정희 유신정권 붕괴의 한 요인 또는 배경이라는 주장은 상당히 널리 퍼져 있다. 그러나 구체적으로 한미관계가 박정희 유신정권의 몰락에 있어 어떤 기여나 역할을 했는지에 대한 상세한 분석은 없는 것으로 보인다. 물론 미국 중앙정보국(CIA: Central Intelligence Agency)가 김재규 중앙정보부장에게 박정희 대통령 암살을 사주했다거나, 적어도 그러한 결정을 내리게 하는 단초를 제공했다는 설이 존재한다. 그러나 이러한 가설에 대한 직접적인 증거는 존재하지 않는다. 더구나 암살에 대한 음모론이 아니더라도 한미관계의 약화가 다른 방식으로 박정희 유신정권의 붕괴에 영향을 주었다는 것에 대해서도 별다른 자세한 설명이 없다. 그 동안 있었던 것은 막연히 유신정권의 붕괴와 부마항쟁의 배경 요인으로서의 한미관계 악화에 대한 언급과 위기라는 모호한 진술들이었으며, 한미관계의 위기에 대한 설명과 그것과 이후의 정치적 사태 전개 사이의 인과관계에 대한 논리적 설명은 사실상 없었다고 해도 좋다.

이러한 문제의식에서 이 글은 확인될 수 있는 기존에 나와 있는 사료들로부터 70년대 말, 특히 1979년의 한미관계가 부마항쟁과 박정희 유신정권의 붕괴에 어떻게 기여했는지를 구체적으로 평가해보려고 한다. 이를 위해 다음과 같은 질문을 제기한다. (1) 70년대 말, 특히 79년의 한미관계와 한미 정상회담은 박정희 정권과 그 정권의 권력자들의 인식과 행위에 어떤 영향을 주었는가? (2) 70년대 말, 특히 79년의 한미관계와 한미 정상회담은 박정희 정권에 대항하는 세력의 인식과 행위에 어떤 영향을 주었는가? (3) 한미관계는 79년 하반기, 즉 8월 YH무역 사건, 9월 김영삼 총재 NYT 기자회견 보도

사건, 10월 김영삼 총재 국회의원 제명에서 부마항쟁에 이르는 정치위기의 배경요인으로서 어떻게 작용했는가?

이러한 질문에 답하기 위해 이 글은 먼저 기존의 논의를 검토한다. 1979년 박정희-카터 회담과 그 후의 한미관계에 대한 기존의 논의는 둘로 나뉜다. 한편으로는 한미 정상회담 후 박정희 대통령의 대내적 위상이 강화되었으며 한미관계는 안정을 되찾았다는 평가가 있다(손호철 2006; 박태균 2006). 하지만 정반대로 한미 정상회담에도 불구하고 카터와 박정희의 갈등이 증폭되고 박정희의 국내 위상이 약화되었다는 평가도 있다(마상윤 · 박원곤 2009; 오버도퍼 2002). 이 글은 이러한 해석의 일면성을 비판하면서 카터(Jimmy Carter)의 방한 전후로 한 한미관계의 변동의 양면성과 복합성을 살펴본다. 이를 통해 1979년 카터-박정희 대통령 간의 한미 정상회담의 결과가 박정희 정부뿐만 아니라 김영삼 신민당 총재로 대표되는 야당, 그리고 재야운동권에 준 양면적인 효과를 살펴본다. 그리고 결론에서 이러한 당시 한미관계의 맥락 속에서 부마항쟁의 의미를 생각해 본다.


## Ⅱ. 기존 논의 검토와 접근법

1977년 카터 미 대통령 임기가 시작되면서 한미관계는 위기에 돌입한다. 카터가 내건 주한미군 철수 공약 및 인권외교 때문이었다. 이 문제는 미국과 박정희 정권 사이에 첨예한 갈등을 일으킴으로써 한미관계를 경색시켰다. 그러나 주의할 점은 이것이 1979년 6.29~7.1의 한미 정상회담으로 미국의 주한미군 철수가 중지되고 이에 대한 응답으로 박정희가 약간의 인권 개선 조치를 취하기 전의 상황이라는 것이다. 즉 주한미군 철수라는 가장 큰 문제에 대해 해결을 봄으로써 회담이 열린 1979년 중반을 기점으로 한미관계는 기본적으로 안정을 되찾았다(박태균 2006 참조).

카터와의 정상회담 결과 주한미군 철수가 중단됨으로써 1979년 하반기 들어 박정희와 정권의 대내외적 위상은 도리어 강화되었다고 볼 수 있다. 미국의 한국 인권 문제에 대한 가장 강력한 압박 수단이 사라졌기 때문이다. 이를 근거로 손호철은 한미정상회담의 결과 박정희 대통령의 위상이 강화되어 지나친 강경노선을 계속함으로써 부마항쟁이 촉발되었다고 주장한다(손호철 2006, 201). 이동원 박정희 대통령 전 비서실장의 의견에 따르면

> "차라리 카터 대통령이 오지 않고, 한미 정상회담이 되지 않았더라면, 박 대통령의 자신감은 덜했을 것이라고 생각해 본다. 78년까지 어렵게 어렵게 지탱돼온 한미관계가 확 풀리면서 박 대통령은 자신감이 넘쳐 정국을 강경하게 몰고 가 10.26에 이르렀다.…10.26은 자만이 낳은 비극"이라는 것(김충식, 동아일보 1992/08/29).

이렇게 손호철(2006)은 박정희 정권의 위상강화에 따른 여야 강경노선 간의 충돌을 부마항쟁과 유신정권 붕괴의 직접적 요인으로 보고 있다. 그러나 그는 박정희와 김영삼의 개인적 성향 외에 무엇이 이러한 충돌의 과정을 매개하였는지 구체적으로 설명하는 데까지 나아가고 있지 않다. 이와 달리『두 개의 한국』을 쓴 돈 오버도퍼Don Oberdorfer는 정반대로 "카터와의 마찰은 박 대통령의 위상 약화라는 의도치 않은 결과를 초래했다"고 평가한다(오버도퍼 2002, 174). 구체적으로 그는 "7월 초 카터의 방한 기간에 성사된 밀약에 따라

반정부 인사들이 대거 석방되면서 박 대통령 비판 세력은 보다 대담하게 행동"했으며 "특히 신민당 김영삼 총재는 박정희 정부를 가차 없이 비난하기 시작했다"고 해석한다(179). 무엇보다도 그는 "주한미군 철수, 코리아스캔들, 인권탄압 문제 등을 둘러 싼 미국 정부와 박 대통령 사이의 갈등이 그의 위상을 약화시켜 결국 암살에 이르게 된 것이 아니냐는 시각"을 제시하고 있다. "중앙정보부가 미 행정부, 의회, 언론 등에 나타나는 박 대통령에 관한 부정적인 정보에 대해 낱낱이 알고 있었"으며 "김재규 중앙정보부장이 박 대통령을 제거하면 (미국으로부터) 환영받을 것이라고 확신했을 가능성도 없지 않다는 것"이다. 그는 글라이스틴William Gleysteen당시 주한 미 대사가 "인권 문제 협상 자리에서 남한 측 대표로 자주 참석했던 김재규가 '미국 측의 속마음을 잘못 읽었다'"는 점에 주목한다(오버도퍼 2002, 183-184).

마상윤 · 박원곤(2009)도 한미갈등이 1979년 카터가 방한한 이후 더욱 커졌으며 반정부 활동이 강화되어 주요 도시를 중심으로 시위가 확산되었다고 평가한다. 이러한 시각에 따르면 박정희 정권의 위상 강화가 아니라 오히려 위상 약화에 따른 반정부 활동이 유신붕괴의 원인이다. 그러나 이 해석은 실제로는 미국의 인권 문제 제기가 전반적으로 소극적인 수준에 머물러 있었고 이 문제로 박정희 정권을 흔든 적도 없었다는 점을 간과한다.[1] 더구나 이는 문제의 원인이 박정희 정권에 있었다는 것, 즉 박정희 정권이 강력한 권위주의적 독재를 통해 갈등의 빌미를 먼저 제공했으며, 한미 정상회담 이후에 위상이 약화되기는커녕 도리어 야당보다 먼저 더 공세적이고 강경하게 움

---

1. 이러한 미국의 소극적인 대한 인권정책은 5.18 광주항쟁 당시 카터 대통령이 민주화 운동세력의 기대와 달리 전두환을 사실상 묵인했다는 점에서 분명히 드러난다. 미국은 한미연합사 통제 하의 20사단 출병을 허용했으며, 글라이스틴은 인권 탄압에 대한 우려 표명에도 불구하고 광주시민과 계엄사령부간 중재 요청을 거부했다(위키리크스한국 2017/10/29).

직였다는 점을 간과한다.

이 두 가지 대조되는 설명 중 어느 것이 더 적합한 설명일까? 물론 당시 한미관계에 대한 두 가지 평가 모두 한미관계가 박정희 정권의 붕괴에 일정한 역할을 했음을 인정한다. 그러나 동일한 사건에 대해 설명하는 방식은 완전히 정반대이다. 이것은 한미 정상회담에 박정희 정권의 위상을 강화하는 동시에 약화하는 양가적인 성격이 있었다는 것일까? 대내적 위상이 강화되는 동시에 약화되는 것이 어떻게 가능할까? 이 질문들은 그 자체로 흥미로울 뿐만 아니라 국제적 맥락 속에서 부마항쟁의 성격을 재규정할 수 있는 중요한 질문이다. 부마항쟁이 한미 정상회담으로 인한 박정희 정권의 위상강화와 그로 인한 박정희의 강경노선에 대한 반발이라면 그것은 미국의 박정희 정권 지지에 대한 반발의 성격을 가진다고 볼 수 있을 것이다. 반면에, 부마항쟁이 카터와의 마찰에 따른 박정희 정권 위상약화와 저항세력의 강화에 기인한다면 그것은 부마항쟁을 미국 인권외교의 한 결과로 보는 것이 된다.

이 글은 이러한 질문에 답하기 위해서 1979년 6월 한미 정상회담에 따른 한미관계의 일단락이 모든 행위자들에게 하나의 단일한 효과를 주었다고 보기보다는 행위자마다 다른 영향을 미쳤다고 볼 것이다. 이는 당시 한미관계를 행위자들이 어떻게 해석하고 그것에 대응했는가를 이해할 것을 요구한다. 그러므로 본 글은 구조적 효과에 대한 행위자들의 상이한 해석 및 그에 기초한 전략적 계산과 대응에 초점을 맞추는 전략관계론과 문화정치경제학 (Jessop 2001; Sum and Jessop 2013)적 시각을 채택하여 부마항쟁 직전의 한미관계를 분석한다. 먼저 전략관계론은 구조적 상황에 대한 다양한 행위자들의 전략적 계산과 대응에 의해 사회적 행위와 그 성패를 설명한다. 이 접근법에 따르면 행위를 결정하는 것은 구조 그 자체가 아니라 구조가 갖는 차별적 효과와 구조에 대한 전략적 계산이다. 동일한/단일한 객관적 구조가 있다고 하더라도 그것은 행위자별로 다르게 경험되고, 그에 따른 상이한 전략적 계산은 상이한 사회적 행위를 결과하기 때문이다. 문화정치경제학은 이러한 상이한 전략적 계산이 상이한 문화/담론과 기호작용semiotics에 의해 이뤄진다고 본다. 행위자마다 동일한 것에 대한 해석이 달라지는 것은 세계의 복잡성에 대한 축소가 다른 방식으로 일어나기 때문이다. 즉 전략관계론과 문화정치경제학은 각각의 행위자별 담론 및 계산과 그것이 어떤 행위로 이어지는지, 그리고 어떤 결과로 이어지는지를 분석한다.

이러한 접근에 따라 분석하면 부마항쟁 직전의 한미관계를 단 하나의 해석만을 허용하는 객관적 구조로 설명하기보다는 사회세력별로 차별적 효과를 가진 다양한 해석의 과정으로 이해할 필요가 있다. 한미 정상회담의 결과인 주한미군 철수중단과 한국의 인권 개선조치는 한미관계에 대한 다양한 해석을 가능하게 하는 구조적 조건이었다. 박정희 정권 입장에서, 주한미군 계속 주둔을 결정한 한미 정상회담은 갈등의 해소, 미국의 자신에 대한 승인과 지지, 그리고 정권의 안정화로 해석될 수 있었다. 반면, 야권, 재야, 김재규 등의 입장에서 한미 정상회담에서 박정희 정권의 일정한 양보를 얻어낸 미국의 계속적인 인권외교는 박정희 정권의 약화와 사회 갈등의 격화로 해석될 수 있는 측면이 있었다. 이는 애초에 정상회담의 결과가 일방적이지 않고 양가적이었기 때문이기도 하다. 그 결과 서로 강경노선을 택하는 전략적 계산이 가능해졌고 그 속에서 박정희 정권과 김영삼 신민당 총재를 중심으로 한 반대세력 양측의 강경노선이 충돌하게 되었던 것이다.

## Ⅲ. 주한미군 철수를 둘러싼 미국 내의 갈등

1970년대 한미 갈등을 일으킨 주요 이슈는 주한미군 철수, 핵무기 개발, 코리아게이트, 인권 문제 등이었다. 그 중에서도 핵심은 주한미군 철수였다. 박정희 정권은 1971년 미국 닉슨 대통령이 일방적으로 주한미군 제7사단을 철수시킨 이후, 안보에 위협을 느껴 핵무기 개발을 추진했고 한국군 현대화를 위한 원조를 얻어내기 위해 미국 의회를 뇌물로 움직이려고 했던 것이다. 그러나 핵무기 개발은 미국의 압력으로 좌절되었고, 미 의회에 대한 로비는 이른바 "코리아게이트"로 비화되었다. 닉슨과 포드 대통령이 물러난 뒤에도 주한미군 철수 문제는 계속되었다. 1977년 집권한 카터 대통령은 베트남전의 부도덕성에 대한 비판을 배경으로 인권을 강조하고 대외개입을 축소하려고 했기 때문이다(오버도퍼 2002, 140-141). 그는 주한미군의 완전철수를 공약함으로써 박정희 정권에 안보 불안감을 증폭시킨 반면 박정희 정권에 인권개선을 요구함으로써 민주화 운동세력의 미국에 대한 기대감을 높였다.

그러나 카터 대통령의 주한미군 철수 정책은 미국 국무부, 군부, 그리고 의회의 저항과 갈등을 낳았다. 미국의 외교관들과 장군들은 철수를 최소화하려고 노력하였으며 인권 문제 제기가 실제로는 효력이 없다고 판단하였고 미국 의회는 한국에 대한 군사원조에 반대함으로써 계속 카터 대통령과 갈등했다(오버도퍼 2002, 144-151; 브라진스키 2011, 381-85; 글라이스틴 1999, 49-51, 54).

우선 국무부에서는 사이러스 밴스Cyrus R. Vance 국무장관, 홀브루크 Richard Holbrooke 국무부 동아시아 담당 차관보, 글라이스틴 주한 미 대사 등이 주한미군 철수가 전쟁 위험을 높일 뿐더러 아시아에서의 영향력을 약화시킨다고 생각하여 반대하였다. 그들 대부분은 카터의 결정에 따르던가 아니면 사임해야 한다고 생각했다. 글라이스틴에 따르면 "동아시아 문제를 다루는 미국 관리들의 공통적인 의견은" 주한미군철수가 "위험하기도 하거니와 아시아에 잘못된 신호를 보내 확고한 미국의 안보공약을 다짐해주는 대신 그곳 사람들에게 불안감을 심어주리라는 것이었다. 국가안보회의에 있으면서 상황에 정통해 있던 나 역시 같은 생각이었다.… 나는 북한의 군사력이 종전에 생각했던 것보다 훨씬 강력할지도 모른다는 정보 보고도 알고 있었다"(글라이스틴 1999, 44). 그들은 또한 인권보다 안보와 통상 이익을 우선시했다. 인권 전문가들은 미 국무부가 한국 정부의 인권 탄압을 묵인하지 않겠다는 성명을 발표할 것을 주장했으나, 글라이스틴 등은 비현실적이라며 이에 반대했다. 박정희 개인에 대한 비판이 한국에 불안감만 증폭하고 한미관계를 불안정화하며 "한국 내에 또다른 군사정변"을 일으킬 수 있다는 것이었다(브라진스키 2011, 383). 이 "미국 대통령에 대한 정면 도전" 속에서 오직 브레진스키Zbigniew Brzezinski 백악관 안보보좌담당관만이 카터 대통령의 입장을 지지하였다.

한편 군부에서 정치적 색채가 짙은 합참은 주한미군 중 전투지원 부대를 잔류시키고 남한 군사력을 강화한다는 것을 조건으로 카터 대통령의 정책을 따른 반면, 브라운Harold Brown 국방장관과 주한미군(사령관 베시(John Vessey) 대장, 참모장 싱글러브John Singlaub 소장 등은 주한미군 철수에 반대하였다. 브라운 장관은 대통령의 명령에 복종하되 그의 마음을 돌리기 위해 계속 노력하겠다는 입장이었다. 야전 지휘관들은 반대 의사를 더욱 명확히 표명했다. 싱글러브 장군은 워싱턴포스트지 특파원과의 인터뷰에서 미국 지상군이 철수하면 전쟁이 일어날 것이라고 말함으로써 백악관에 소환당해 질책을 당했다. 주한미군 철수 시에 주한미군 사령관 베시뿐만 아니라 미 합참이 전원

퇴진할 것이라는 우려까지 있을 지경이었다.

　여기에 미국 의회도 카터의 주한미군 철수 정책에 걸림돌이 되었다. 미 의회는 미국의 한국에 대한 군사적 지원 자체를 문제 삼았다. 미국 정부의 한국에 대한 군사지원이 미국을 인권탄압의 공범으로 만든다는 이유에서였다. 또한 카터 행정부 내 인권 지지파들과 한국이 민주화 세력도 미군 철수가 박정희 정권의 독재를 정당화하는데 이용될 수 있다는 것을 우려해 주한미군 철수 반대에 동참했다. 주한미군 철수로 인한 방위력의 약화를 보완하기 위해 한국에 대한 군사원조를 강화하려던 카터 대통령의 계산에 차질이 생긴 것이다. 결과적으로 주한미군 철수 문제에 있어 카터 대통령은 고립되었다. 79년 1월 말에는 행정부 내에서 오직 카터만이 주한미군 철수를 주장했다. 이는 미 육군과 CIA의 북한 군사력에 대한 재평가로 미군 철수가 위험하다는 의견이 지배적이 된 데 기인한다. 분석결과 북한은 71-72년에 대대적인 병력 증강을 한 것으로 드러났다. 탱크 부대가 80% 이상 증강되고 지상군 병력규모가 40% 증가하는 등 북한군의 병력이 10년 전에 비해 규모나 질적인 면에서 크게 증강되었으며 대규모 포병부대가 남한을 향해 전진 배치되었던 것이다. 이에 따라 1978년 주한 미군 6000명 감축 계획이 취소되고 800명 감축에 그치게 되었다. 나아가 북한군의 전력에 대한 정보가 1979년 1월초 미군 신문인『아미타임스The Army Times』에 실려 미국 전역의 주요일간지 1면에 대서특필됨에 따라 카터 대통령의 주한미군 철수계획은 치명적인 타격을 입었다. 카터의 측근들은 한반도 정책의 재검토를 요청하고, 이를 위해 글라이스틴 주한 미 대사는 카터 대통령에게 79년 6월에 한국을 방문할 것을 제안했다. 카터는 주한미군 철수 계획문제를 박정희 대통령과 논의할 생각이 없다고 못 박았지만 방한에는 마지못해 동의했다. 한국 측도 주한미군 철수를 막기 위해 정상회담을 원하고 있었으므로 미국의 정상회담 제안을 받아들였다. 카터의 고집을 제외하면 철군은 사실상 물 건너간 상태였으나, 인권, 통상 등에 대한 협상을 유리하기 이끌기 위해 미국은 정상회담 전에 주한미군 계속 주둔에 대해서 확실한 언질을 주거나 공동성명서 초안에 언급하지 않았다(오버도퍼 2002, 162-166; 브라진스키 2011, 384; 글라이스틴 1999, 54-58, 65-66).

## IV. 국내 정치상황: 김영삼의 도전

대외적으로 주한미군 철수와 인권 문제 등을 놓고 카터 대통령과 갈등을 고조시키고 있던 박정희 정권은 대내적으로는 강력한 야당의 등장으로 정치적 위기를 맞고 있었다. 1978년 12월 12일 제10대 국회의원 선거(투표율 77.1%)에서 전체적으로 야권 득표가 여당인 공화당 득표를 압도하여 민심이 여당, 그리고 유신 독재체제에서 멀어졌음이 명백해졌다. 공화당 31.7%, 신민당 32.8%, 무소속 28.1%, 통일당 7.38%의 득표율을 기록했는데 신민당 홀로 공화당보다 1.1%를 더 득표했던 것이다. 비록 1구 2인 선출의 중선거구로 공화당이 68석, 신민당 61석, 통일당 3석, 무소속 22석으로 의석이 분배되었으나, 이는 박정희 정권의 경제실정, 독재, 78년 부가세 도입 등의 결과로 국민이 야권에 대해 정권에 대한 견제 역할을 기대하고 있다는 것을 보여주는 선거였다.

그리고 1979년 5월 30일 신민당 총재 경선에서는 김영삼이 정권에 타협적이었던 이철승을 꺾고 당선되었다. 김대중, 윤보선, 함석헌 등 재야의 지지와 당내에서 이기택 계파의 지지를 얻은 결과에 따라 신민당은 윤보선과 김대중을 상임고문으로 추대하고 선명투쟁 노선으로 복귀하였다. 김영삼은 여기서 "아무리 새벽을 알리는 닭의 모가지를 비틀어도 민주주의의 새벽은 오고 있습니다"는 그 유명한 연설을 한다(김영삼 2014: 116).

이와 같이 강경노선을 천명한 김영삼은 6월 11일 외신기자 클럽 연설 「민중이 역사의 주인이 되는 새 시대를 연다」에서 "야당 총재로서 통일을 위해서는 장소와 시기를 가리지 않고 책임 있는 사람과 만날 용의가 있다"라고 밝혔다. 이에 보도진이 "책임 있는 사람에 김일성도 포함되는가" 묻자 그는 "그렇다"고 답변했다(김영삼 2014, 117). 그리고 이 기자회견에서 김영삼은 카터 대통령의 한국 방문이 박정희 정권에 정당성을 부여하는 행위이므로 반대한다는 야당과 재야의 일반적인 입장과는 다소 다른 입장을 보였다. 그는 카터가 박정희 대통령을 압박해야 하며 자신과의 단독 회담을 희망한다는 의사를 비쳤다.

> "카터 대통령의 방한이 특정 정권을 도와주는 데 그치는 결과를 가져온
> 다면 우리 국민은 크게 실망할 것입니다" / "카터 대통령이 나와 단독으로
> 만나 국민이 주장하는 바를 듣는 기회를 갖기를 희망합니다"(서중석 2016).


## V. 한미 정상회담

박정희-카터의 한미 정상회담은 6월 29일부터 7월 1일까지 2박 3일에 걸쳐 진행되었다. 당시 국내 언론은 이 회담이 화기애애한 분위기 속에서 진행된 것으로 보도했다. 그러나 이후 여러 관련 인사들의 회고는 전혀 다른 이

야기를 말해준다. 주한미군 철수 문제와 한국의 인권 문제에 대한 사전 합의가 없는 상태에서 박정희와 카터의 정상회담은 처음부터 냉랭한 갈등 분위기에 휩싸여 있었던 것이다.

6월 29일 도쿄에서 7개국 경제 정상회담을 마친 카터는 안개로 인해 2시간이나 한국에 늦게 도착했다. 하지만 그는 그를 기다린 박정희 대통령과 겨우 악수만 하고서는 곧바로 미 해병대 헬리콥터를 타고 동두천 주한미군 제2보병단 사령부가 있는 캠프 케이시Camp Casey로 날아가서 첫날밤을 보냈다 (글라이스틴 1999, 80; 오버도퍼 2002, 169; 조갑제 2009, 716).

다음날인 6월 30일 여의도 광장 환영행사 뒤 청와대에서 열린 1차 정상회담에서 카터와 박정희의 갈등은 본격적으로 폭발했다. 애초에 카터는 전체 회의에서 골치 아픈 주한미군 문제가 거론되지를 않기를 바랐고 수행원들에게도 이 문제를 거론하지 말라고 지시했다. 따라서 미국 측에서도 한국 측에 주한미군 문제를 거론하지 말라는 사전 요청이 있었다. 그런데도 박정희는 미리 준비해 온 메모를 가지고 45분간 일방적으로 주한미군 철수의 부당성을 설교했다. 그 만큼 그에게는 간절한 문제였기 때문이었고 따라서 정상회담에서 결론을 내고 싶었기 때문이었다. 하지만 이는 가뜩이나 주한미군 문제에서 코너에 몰려 있던 카터 대통령의 심기를 건드렸다. 그는 박정희가 하는 말을 듣지 않고 박정희가 계속 저러면 주한 미군을 전원을 철수 하겠다는 내용의 쪽지를 적어 수행원들에게 돌렸다. 그리고 나서 그는 북한보다 인구도 많고 경제력도 우세한 한국이 왜 북한에게 군사력의 우위를 허용했는가를 되물으며 반격했다. 휴식 후 단독 회담에서 카터는 "박 대통령이 요구한 철군 계획의 완전한 동결을 거부하고 아무런 약속도 할 수 없다", "한국 정부가 방위비를 더 지출해 남북한 전력 불균형을 감소시켜야 한다"고 하면서 긴급조치 9호의 해제까지 요구했다. 이에 대해 박정희는 "방위지출 늘리는데 시간 걸린다", 긴급조치 9호는 북한의 위협으로 가까운 장래에 해제하는 것은 어렵지만 "조언에 유의하겠다"면서도 "인권문제는, 내가 먹여 살리는 국민이고 내가 잘 아니 이에 간섭하지 말아라"는 식으로 응수해 카터의 분노를 샀다. 미 국무부의 외교팀은 당혹했다. 당시 홀브루크 미 국무부 차관보는 "당시 양국 정상 사이의 대면은 동맹국 정상 간의 회의라고는 도저히 상상할 수 없을 정도로 끔찍했다"고 회고했고, 글라이스틴 대사도 "과거에 수많은 정상회담에 참석해 보았지만 카터와 박정희가 그날 아침에 한 것처럼 지도자들이 무지막지하게 얘기하는 것을 본 적이 없다"고 회고할 지경이었다(김용식, 동아일보 1986/06/28; 글라이스틴 1999, 81-82; 오버도퍼 2002, 169-170; 조갑제 2009, 716-719; 이덕주 2007, 352).

회담 후 미 대사관으로 돌아오는 차에서 카터는 "어떤 반대의견을 무릅쓰고라도 주한 미군철수를 강행하겠다"고 했다. 이에 글라이스틴은 박정희 대통령의 반응은 미국이 주한미군 철수 문제에 대해 확약을 하지 않은데다가 한국이 이미 과도한 방위비 부담을 안고 있는 것에 기인한다며 한국 측 입장을 옹호하였다. 분노를 참지 못한 카터는 박 정권의 인권유린을 공박하면서 글라이스틴과 언쟁을 벌였다. 하지만 밴스 국무장관과 브라운 국무장관이 글라이스틴을 지지하고 브레진스키가 침묵을 지키자, 카터는 주한미군 철수에 최종 동의했다. 단 주한미군 철수 중단의 대가로 한국이 국방비 지출을 6%까지 늘리고 수감 중인 반정부 인사를 상당수 석방하는 등 인권을 괄목할 정도로 개선하라는 약속을 받으라는 단서가 있었다(김용식, 동아일보 1986/07/01; 글라이스틴 1999, 83-84; 오버도퍼 2002, 170-172; 조갑제 2009, 719-720; 이덕주 2007, 353-354). 이제 미 국무부에게 남은 일은 카터가 요구한 것을 관철하는 것이었다. 그날 오후 박정희 대통령에게 2가지 요구사항이 전달되었다. 박 대통령 측은 글라이스틴 대사에게 다음날 오전 11시에 밴스 국무장관과 따로 만나길 원한다는 전갈을 보내며 "좋은 소식을 기대해도 좋다"는 언질을 주었다. 7월 1일 박정희 대통령은 밴스 국무장관에게 방위비 지출을 GDP의 6%로 올릴 것을 약속하고 카터 대통령의 인권에 관한 생각을 "이해한다"고 말함으로써 한미 간의 협상은 일단락되었다. 박정희 대통령은 카터 대통령의 전용기가 이륙한 후 감사의 웃음을 지으며 글라이스틴 대사를 껴안았다. 정권적 차원에서 가장 큰 골칫거리였던 한미갈등이 완전히 해소되었기 때문이었다(글라이스틴 1999, 86; 조갑제 2009, 720-721).

그러나 한미 간의 합의는 사실, 회담을 매듭짓기 위해 실무진 수준에서 적당하고 애매모호한 수준에서 이뤄진 것이었다. 김용식 당시 주미대사의 회고에 따르면, 카터와 박정희가 직접 합의를 하지 못하자 밴스 국무장관과 김용식 주미대사는 따로 만나 정상회담의 원만한 타결에 대해 논의했다. 그들을 결국 카터와 박정희가 납득, 또는 정확히는 상당히 오해할만한 애매모호한 수준에서 합의를 도출해냈다.

필자(김용식)는 밴스 장관에게 우선 문제의 성격을 설명했다. '카터 대통령의 관심은 한국 측으로서도 잘 알겠으나 그러나 정상회담의 결과로서 한국정부가 긴급조치9호를 철폐할 수는 없을 것이다. 박 대통령은 결코 미국 측의 영향으로 긴급조치 9호를 철폐했다는 인상을 주려고 하지 않을 것이다.'/ 그런 다음 나의 개인적 방안을 제시했다. "가령 박 대통령이 '그런 문제(긴급조치 9호)는 나에게 맡겨주시오'라고 말한다면 미국 측은 만족하겠는가?" / 그러자 밴스는 "박정희 대통령이 그렇게 말한다면 그것은 긴급조치 9호가 철폐될 것이라는 뜻으로 해석해도 좋은가"고 물었다. / 필자=말 그대로 맡겨달라는 얘기다 박 대통령은 미국 측 의향을 잘 알고 있다. 그러니 맡겨두면 알게 될 것이다 / 밴스=알겠다. / 그런 다음 나는 박 대통령에게 건의하여 다음날 중 박 대통령의 편의에 따라 밴스 장관을 청와대에 불러 그와 같은 한국 측 의향을 분명히 하도록 건의하겠다고 약속했다(김용식, 동아일보 1986/07/02).

이후 김용식 대사는 박정희 대통령에게 "그 문제는 국내 치안에 관한 문제이니 나에게 맡겨 달라"고 밴스 국무장관에게 답해달라고 요청했고 박 대통령은 이에 따랐다(김용식, 동아일보 1986/07/04). 박정희 입장에서는 긴급조치 9호를 포함해 인권에 대해 크게 양보한 것이 없는데, 김용식 대사는 그 말이 그런 뜻이라고 밴스 장관에게 말했고, 밴스 장관은 다시 카터 대통령에게 박정희 대통령이 인권개선에 대한 요구를 수용했다고 전한 것이었다. 밴스는 훗날 회고하기를 "그날 오후 우리의 대 한국 정책은 허공에 매달린 채 미결로 남아있었다"고 하였다(오버도퍼 2002, 171-172). 결국 미국은 인권개선에 대한 불확실한 약속을 받고서 주한미군 철수를 중단함으로써 박정희 정권을 사실상 승인했다.

그러나 카터는 박정희 정권의 위상만 강화했던 것은 아니다. 그는 7월 1일 정오에 국회를 방문해 여야 지도자를 만났으며 특히 김영삼 신민당 총재와는 원래 예정된 시간보다 훨씬 긴 23분 동안 단독회담 형식으로 면담하였다. 이 회담에 대해 김영삼은 "의자배치 등 완전한 단독회담의 분위기와 시간할애 등으로 보아도 성과가 있었다", "귀하가 유엔 연설에서 '인권은 내정간섭이 아니다'고 했는데 나도 동감이며 충분한 영향력을 행사해야 한다",

"귀하가 다녀간 뒤 뭔가 변화가 오는 선물이 있어야 할 것", "카터 대통령이 자신의 얘기에 진지한 태도를 보였다"며 매우 고무적인 반응을 보였다(동아일보 1979/07/02a). 나중에 김영삼은 자신이 이 기회를 카터에게 다음과 같은 메시지를 전하는데 활용한 것으로 회고했다.

> "당신이 밤낮 인권, 인권하고 주장하는데, 한국에 무슨 인권이 있는가. 박정희는 지금 수많은 사람을 죽이고 고문하고 소리 없이 감옥에 집어넣고 있는데, 그런 독재자를 당신이 돕는 것은 도대체 뭐냐, 그게 인권을 내세우는 당신이 할 일인가"(김영삼 2014, 118-119)

미국이 박정희 정권의 인권 탄압에 대해 강력하게 대응할 것을 요구한 것이었다. 결국 1979년 한미 정상회담은 미국의 주한미군 철수 중단과 한국의 인권 개선과 자유화에 대한 약속으로 결론이 났다. 박정희 정권은 7월 5일 김재규 중앙정보부장을 통해 비공식적으로 6개월 내 정치범 180명을 석방하겠다는 메시지를 카터 대통령에게 보냈다. 그리고 미국은 7월 20일 주한미군 병력 수준 동결을 발표했고 이로써 한미 관계는 안정화되었다(글라이스틴 1999, 86; 마상윤·박원곤 2009, 130). 주한미군 철수 문제는 확실히 정리되었지만 인권문제는 확실하게 정리되지 않고 적당하고 애매모호한 선에서 타협이 이루어졌다. 이로써 각자가 회담에서 유리한 결과를 얻어냈다고 당분간 만족할 가능성이 매우 높았다. 박정희의 경우에는 인권개선을 시늉만 하는데 그치고 결국에는 강경노선으로 회귀할 가능성이 매우 높은 합의였다. 동시에 이 합의에 따른 약간의 인권개선 조치는 야당과 민주화세력의 박정희 정권에 대한 도전을 활성화할 가능성도 안고 있었다.

## Ⅵ. 정상회담의 결과에 대한 각 행위자/세력의 계산

1979년 한미 정상회담의 결과는 박정희 대통령의 정치적 위상에 어떤 영향을 주었는가? 긍정적인 영향을 주었는가, 아니면 부정적인 영향을 주었는가? 정상회담의 합의가 애매모호한 것처럼 이 질문에 대한 답도 일률적이지 않다. 즉 한미 정상회담은 박정희의 위상을 한편으로는 강화하는 동시에 다른 한편으로는 약화하는 양가적인 결과를 낳았다. 주한미군 계속 주둔 결정은 인권과 연계해 한국에 계속적인 압박을 가했던 미국이 박정희 대통령에 대한 지지를 최종 선언한 것에 다름없다는 점에서 확실히 그의 위상을 강화하였다고 볼 수 있다. 하지만 정상회담이 인권 문제에 대해 침묵하지 않고 박정희 정권의 인권 관련 조치를 이끌어 냈고, 카터 대통령 방한 전후로 시위가 증가했다는 점에서, 그리고 카터가 김영삼과 면담을 통해 그에게 상징적 힘을 불어 넣어주었다는 점에서 반대세력을 고무했던 것도 사실이다.

이에 따라 1979년 카터 대통령의 한국 방문 결과는 한동안 카터와 미 국무부, 박정희 정권, 그리고 야당과 민주화운동 세력 모두 자신에게 유리한 결론을 낸 것으로 해석될 수 있었다. 박정희 대통령은 주한미군 철수 문제가 일단락되고 이를 통해 미국의 승인을 받음으로써 자신의 위상이 강화되었다고 생각하고 인권 문제에 대해서는 미국의 요구를 전적으로 무시하지 않는 선에서 적당히 응답하려 한 것으로 보인다. 반면에 야당과 민주화 세력은 카터의 인권 압박이 어느 정도 효과를 얻은 것에 대해 약간의 희망을 얻고 미국 측의 추가적인 압박을 이끌어내려 노력을 했을 것이다. 그리고 한미 정상회담과 그 결과에 대한 이러한 상이한 해석은 유신정권 말기 박정희 대통령과 야당이 모두 강경노선을 택하게 하는 하나의 원인이 되었다고 할 수 있다.

## 1. 미국 측(국무부)의 해석과 계산

미국 측, 또는 더 정확히 미 국무부는 주한미군 철수가 현실적으로 불가능한 상황에서 주한미군 계속 주둔을 선언하는 대신 통상 분야의 이익 등 최대한 실리를 챙겼다. 미국의 인권 외교는 대한정책에서 최우선 목적이 아니었다. 미국은 카터 대통령의 지시 하에 한편으로는 인권을 강조함으로써 박정희 정권에 곤란을 초래했지만 다른 한편으로 국무부는 박정희 정권을 흔들 생각이 조금도 없었다. 글라이스틴 대사의 부마항쟁에 대한 반응에서 알 수 있듯이, 박정희 정권에 큰 문제가 없으리라고 판단했고 박정희 정권 외에 별다른 대안도 없었기 때문이다(지주형 2016, 315; 박태균 2006).

이는 주지하다시피 미국의 한반도에서의 최우선 이해관계는 한반도 정치상황의 안정에 있었기 때문이다. 그러므로 미 국무부는 카터 대통령에 대항해 주한미군 철수 반대에 앞장서는 등 실제로는 박정희 정권을 강화하려는 움직임을 보였다. 적어도 글라이스틴은 그렇게 움직였고 밴스와 브라운이 이에 동조했다. 그래서 미국 측은 한미 정상회담에서 주한미군 철수 중지의 대가로 인권 개선을 요구했으나 그것은 필수적인 조건이 아니었다. 더구나 주한미군 철수는 한반도에 대한 미국의 영향력을 약화시킬 뿐만 아니라 안보를 이유로 공안통치를 심화시켜 인권상황을 악화시킬 수 있었다. 그러므로 주한미군 철수를 지렛대로 인권을 개선하기란 사실상 불가능한 것이었다(마상윤 · 박원곤 2009, 128-129). 따라서 미국은 기본적으로 박정희 정권을 지지했고 인권에 대해서는 인내심을 갖고 점진적 개선을 기대할 뿐이었다. 따라서 미국은 정상회담이 오히려 한국의 인권과 관련해서도 상당한 양보를 이끌어 냈다고 판단했다고 보인다.

물론 미국은 정상회담 이후에 박정희 정권의 정치적 자유화, 인권개선 및 탄압 여부를 계속적으로 주시하면서 공식, 비공식적으로 항의, 성명, 압박을 지속했다. 미국은『민주전선』의 문부식 주간 체포, 8월 11일 YS 여성 근로자 사망사건, 김영삼 신민당 총재의 국회의원직 제명 파동, 부마항쟁 등 일련의 인권탄압 사건이 일어나자 글라이스틴 대사 소환, 카터 대통령의 친서전달, 공개적 비판, 원조 중단과 같은 다양한 방법으로 박정희 정권에 압력을 가했다(마상윤 · 박원곤 2009, 131; 박원곤 2009). 그러나 글라이스틴의 회고에 따르면 미국은 박정희 정권에 대해 "중대한 제재 조치를 한 번도 안했다"(글라이스틴 1999, 63).

## 2. 박정희 정권 측의 해석과 계산

박정희 정권 측에서 보았을 때 한미 정상회담 결과는 기본적으로 미국에 대한 승리 이자 미국의 박정희 정권에 대한 지지의 확인이었다. 정상회담 후 박정희 대통령은 자신감에 차서 측근들에게, "카터는 역시 촌놈이야. 땅콩농장 출신이야"라고 말했다고 한다. 마치 '미국에 기대어 유신에 도전할 자들 나설테면 나서라'고 호령하듯 했다는 것이다(김충식, 동아일보 1992/08/29). 그리고 이 자아도취 또는 자신감은 이제 미국 측이 주한미군 철수라는 압박카드를 상실했다는 객관적 사실에 의해서도 뒷받침되는 것이었다. 그러므로 박정희 정권 말기의 인권 개선 조치는 적당한 선에서 미국의 체면을 세워준 것에 불과했다. 정상회담 이후 오히려 자신감을 얻은 박정희 정권은 야당과 반대세력에 대해 보다 강경한 대응을 하게 된다. 특히 정권퇴진을 요구하는 김영삼을 그냥 둘리는 없었다.

그러나 박정희 정권의 강경노선의 원인을 한미 정상회담의 유리한 결말과 박정희 정권의 정치적 위상 강화에 따른 박정희 개인의 자신감에서만 찾는 것은 지나치게 단순한 설명일 것이다. 박정희 대통령의 강경 대응에는 정상회담으로 모처럼 안정화된 한미관계가 야당과 재야의 도전으로 다시금 깨질 수도 있다는 강박적 불안감도 작용한 것으로 보인다. 주한미군 철수 정책과 달리 미국의 인권외교는 철회되지 않은 상태였다. 따라서 박정희 정권의 인권탄압은 언제든 다시 문제가 될 수 있었으며 실제로 미국에서는 지속적으로 문제를 제기했다. 그러므로 김영삼 신민당 총재의 국회 제명을 초래한 것은 다름 아닌 바로 미국『뉴욕타임스The New York Times』(1979/09/16)와의 인터뷰였다. 수 년간 미국과의 갈등관계로 골치 아팠던 입장에서 볼 때 미국의 내정간섭을 요구하는 듯한 김영삼의 행보는 박정희로서 도저히 용서할 수 없는 것이었을 것이다. 즉 한미 정상회담 결과에 대한 박정희 대통령의 자기도취와 더불어 한미관계 안정에 대한 강박적 희구는 박정희 정권이 야당에 대해 강경한 태도를 취하는 하나의 배경이 되었다고 볼 수 있다. 물론 아이러니하게도 미국의 한국 내 인권 상황에 대한 우려는 그만큼 더 커갔지만 말이다.

간단히 말해 미국의 양가적 대한정책은 주한미군 계속 주둔을 통해 박정희 정권의 자신감을 키웠지만 동시에 인권 정책을 포기하지 않음으로써 박정희 정권의 불안감 또한 키웠다. 이는 미국의 개입을 촉구하는 야당과 민주화운동 세력에 대한 박정희 정권의 강경대응을 유발하였다.

## 3. 야당과 민주화 운동 세력의 대응과 계산적/전략적 함의

카터 대통령의 한국 방문은 박정희 정권 측에만 자신감을 불러일으킨 것은 아니었다. 한미 정상회담은 분명히 주한미군 철수 중단으로 박정희 정권에 대한 지지를 확인한 것이었다. 하지만 그럼에도 미국의 요구에 따른 박정희 정권의 몇 가지 인권 개선 조치는 미국의 인권정책이 효과를 얻었다는 신호로 해석될 수 있었다. 이는 야당과 민주화 운동 세력도 상당히 고무했으며 특히 김영삼의 강경노선에 힘을 실어주었다.

본래 야당과 민주화 운동 세력은 한미 정상회담에 반대했다. 그 자체로 미국의 박정희 정권 승인을 의미한다고 보았기 때문이었다. 그러나 카터의 정상회담 만찬연설, 김영삼-카터 단독 회담, 그리고 인권 조항이 포함된 한미 정상 공동성명은 미국의 한국 내 인권 개선에 대한 의지와 지지를 보였다는 점에서 야당과 민주화운동 세력의 관점에서도 긍정적으로 평가할 만한 것이었다. 예를 들면 카터 대통령은 공식 만찬에서 "정치적 자유와 인권에 대한 인간의 기본적 욕구"가 충족될 필요가 있다고 미국의 입장을 표명했고 이는 다소 완곡한 표현이기는 하지만 공동성명의 인권 조항으로 반영되었다.

공동성명에 이채로운 부분은 제15항에 나타난 인권 조항으로 '카터 대통령은 한국의 정치성장과정이 한국민의 경제성장에 계속 상응할 것이라는 희망을 표시했다'고 밝혀져 있다. 이는 카터 대통령이 한국 정부를 공동성명에서 보다는 더욱 적극적인 표현으로 지지한 만찬연설에서 한국의 경제발전을 찬양한 뒤 '이러한 경제발전 성과는 정치적 자유와 인권에 대한 인간의 기본적 욕구를 충족시킴으로써 유사한 발전이 이룩될 것'이라는 소신 표명에 비해 다소 완곡한 표현이다(동아일보 1979/07/02b).

이에 따라 앞서 언급했듯이 카터 대통령의 방한을 전후하여 한국에서는 반정부 활동이 강화되었다(마상윤·박원곤 2009). 글라이스틴에 따르면 "'미국이 박 대통령에게 한 발 더 양보하도록 압력을 가할 것'이라는 기대 때문에 온건파 정치인들도 반정부 시위에 가담"하는 양상이었다(글라이스틴 1999 87). 국회의원 제명의 빌미가 된 김영삼 신민당 총재의『뉴욕타임스』인터뷰에서 볼 수 있듯이 미국은 한국의 민주화를 위해 박정희 정권 지지를 중단하고 적극적으로 개입해야 한다는 것이 이들의 입장이었다.

물론 이들의 강경한 민주화 노선이 박정희 정권의 탄압을 불러일으킬 수 있다는 것은 충분히 예상 가능한 것이었다. 따라서 김영삼을 중심으로 한 야당과 민주화운동세력의 대응을 한미 정상회담의 결과로만 볼 수는 없다. 유신체제 말기의 민주화 운동에는 종교적이고 순교자적인 지향이 상당부분 있었다고 생각된다. 그러나 미국의 인권정책이 분명히 그들에게 힘이 되는 요인이었다는 것을 간과해서도 안 된다. 미국의 인권정책은 이들이 민주화 운동의 정당성을 제고하고 유신체제를 해 뜨기 전 가장 어두운 '새벽'에 비유하며 저항하는데 도움이 되었을 것이다. 그리고 그들의 이러한 대응은 박정희 정권의 탄압의 위험이 증가할수록 국민의 지지와 미국의 지지도 함께 증가할 수 있다는 전략적 함의를 내포하고 있기도 했다.

나아가 박정희 정부의 인권 탄압에 대한 카터 행정부의 강력한 문제제기는 박정희 정권 일각, 즉 김재규 중앙정보부장의 생각에도 영향을 주었다. 카터 행정부의 인권정책은 유신체제와 박정희 개인에 대한 문제제기였으며, 특히 김영삼 국회 제명 사건에 대한 미국의 문제제기는 미국이 박정희 정권에 대한 대안을 모색할 수 있다는 신호로 해석되었을 수도 있다. 김재규는 10.26 재판과정에서 미국이 "한국에게 독재체제를 하지 말고 민주주의 체제로 환원하라는 선의의 충고를 여러 번 했다"고 진술했다고 한다(마상윤·박원곤 2009, 132).

요약하면 미국의 한반도 정책은 박정희 정권의 정치적 위상을 강화시킨 동시에 약화시켰다고 할 수 있다. 미국은 한반도 안정을 최우선시하는 입장에서 주한미군 계속 주둔 결정으로 박정희 정권에 대한 지지를 표명했으나, 인권 개선을 완전히 포기한 것은 아니었다. 카터 행정부는 인권 외교를 통해 박정희 정권의 정당성에 계속 문제를 제기함으로써 그 정치적 위상에 타격을 가하고 야당 등 반 유신 세력의 상황 해석에도 영향을 주었다. 그 결과 미국은 박정희 정권과 야당 측의 강경노선을 동시에 부채질함으로써 정치 갈등을 격화시키고 아이러니하게도 정책목표와는 정반대로 한반도의 불안정을 초래하였다.

## Ⅶ. 강경노선의 충돌: 박정희 대 김영삼

앞서 보았듯이 카터 대통령의 방한 이후 한미갈등에 대해서는 해소되었다는 해석(박태균 2006)과 오히려 증폭되었다는 해석(마상윤 · 박원곤 2009, 131)의 두 가지 상이한 입장이 있다. 한미갈등의 주요 축이 인권보다는 주한미군 철수 문제였다는 점에서, 그리고 정상회담 후 박정희 정권의 인권 억압에 대해서 미국 측이 기본적으로 "중대한 제재 조치를 한 번도 안했다"는 점에서, 한미갈등은 일단 해소되었다고 보는 것이 옳다고 보인다. 앞서 언급했듯이 미국 측의 입장에서 볼 때 한미 정상회담의 주요 목적은 한국의 인권상황을 개선하려는 것이 아니었다. 게다가 한국만 정상회담을 원한 것이 아니라 오히려 미국에서 먼저 정상회담을 제안하고 갈등을 매듭지으려고 했었기 때문이다. 즉 1979년은 박정희와 카터의 관계가 갈등에서 타협으로 전환되어 한미관계가 안정되는 해였다.

그러나 그럼에도 불구하고 한미관계의 안정이 곧 한반도 상황의 안정화를 의미하는 것은 아니었다. 주한미군 철수 문제의 해결로 인한 한미관계의 안정은 아이러니하게도 한반도의 불안정을 더욱더 심화시키는 결과를 초래했다. 대외관계의 안정이 대내적 불안정에 의해 대체되었기 때문이었다. 이 대내적 불안정은 주지하다시피 박정희 정권과 김영삼의 충돌에서 초래된 것이었다. YH무역사건, 김영삼 신민당 총재 직무정지 가처분 신청, 김영삼 국회의원 제명, 부마항쟁으로 이어지는 이 충돌은 박정희 정권과 김영삼 모두 강경노선을 견지함으로써 일어난 것이었다.

## 1. 박정희 대 김영삼

10.26 사태로 끝내 유신정권을 붕괴시킨 대내적 불안정의 한 축은 미국과의 주한미군 철수 협상 성공으로 인해 과도한 자신감을 얻게 된 동시에 한미관계의 불안정화에 대해 강박적 불안감을 얻게 된 박정희 정권의 강경노선이었다. 유신체제의 폭정, 경제적 침체, 미국과의 수년간의 갈등은 박정희 정권의 정치적 위상을 전반적으로 저하시켰으나, 인권문제에 대한 근본적인 합의 없이 동상이몽의 상태로 주한미군 철수 중단과 미국의 박정희 정권 지지만 확인한 정상회담 결과는 도리어 박정희 정권이 사태에 대한 잘못된 판단을 내리는데 기여하였다. 그 결과 박정희 정권은 도리어 시민사회에 대해 강경한 입장을 취하여 일부 반정부 인사를 석방하는 시늉을 한 것을 빼면, 긴급조치 9호를 해지하기는커녕 오히려 더욱 강경하게 야당, 노동, 학생운동을 탄압했던 것이다. 이에 따라 1979년 말 대내적 불안정이 증폭되게 된다.

여기에는 먼저 유신체제의 기본적으로 권위주의적이고 독재적인 성격과 더불어 1974년 육영수 여사 피격으로 홀로 된 박정희 대통령이 차지철 경호실장 등 주변 측근 몇몇의 인의 장막에 둘러싸임으로써 균형 잡힌 정보습득과 판단을 하지 못하게 되었다는 점이 작용하였다. 한미갈등의 해결로 인해 얻은 박정희의 자신감과 불안감 또한 작용했다. 그리고 무엇보다 박정희 정권 퇴진과 미국의 개입을 촉구하는 김영삼 신민당 총재의 태도가 박정희의 분노를 샀다. 신민당 총재경선이 있기 전인 1979년 3월 김영삼 의원은 박정희의 백두진 유정회 의원 국회의장 지명에 대한 반대에 앞장섰으며, 박정희 정권은 이를 유신체제에 대한 도전으로 간주하였다. 박정희는 술자리에서 기자들에게 다음과 같이 말했다고 한다.

> "백 의장이 유정회 의원이기 때문에 반대한다면, 유정회 의원을 뽑은 통대(통일주체국민회의)에서 대통령도 선출한 만큼 나에게도 반대하겠다는 뜻이 아니야? … 김영삼이 유신체제를 뒤엎겠다고 나선다면 우리는 '예, 예'하고 손놓고 있겠나 … 김영삼이는 절대로 신민당 총재로 당선되지 않을 것이다"(김영삼 2014, 102).

이러한 박정희의 김영삼에 대한 악감정을 감안하면, 김영삼의 『뉴욕타임스』 인터뷰에 대한 박정희의 분노가 얼마나 컸을지 짐작할 수 있다. 가까스로 주한미군 철수를 막고 한미관계가 안정화된 상황에서 김영삼은 미국이 한국의 민주화를 위해 직접적으로 압력 가할 것을 요구했고, 이는 미국 내의 한국에 대한 여론을 다시 악화시켜 박정희 정권과 미국과의 관계를 다시금 불안정하게 만들 수도 있는 행위였기 때문이다. 간단히 말해 김영삼의 『뉴욕타임스』 인터뷰는 박정희에게는 용서가 안 되는 것이었다.

다른 한편, 이 대내적 불안정의 다른 축은 미국의 인권 외교로부터 고무된 김영삼과 민주화운동세력의 강경노선이었다. 물론 여기에는 경기불황과 부가세 도입을 배경으로 9월 5일 대구 학생시위, 9월 11일 서울대 학생시위 등으로 점차 모습을 드러내기 시작한, 국민의 민주화 또는 적어도 박정희 정권 견제에 대한 열망이 크게 작용했다. 또한 타협을 모르는 김영삼의 성격(김종필 2016, 14)도 적용했다. 게다가 박정희 정권이 계속 탄압을 해오는 상황에서 김영삼에게는 온건한 대응이라는 선택지 자체가 불가능한 면도 있었다. 이는 김영삼의 반정부투쟁에서 새벽이 가까웠다는 확신과 더불어 종교적, 순교자적 태도를 낳기도 하였다(김영삼 2014, 139 참조). 그러나 김영삼의 투쟁에서 한미 정상회담 후 미국의 한국 내 인권 개선에 대한 관심과 지지의 힘도 무시할 수는 없다. 김영삼은 1979년 7월 23일 제102회 임시국회 대정부질문에서 로버트 케네디 미 상원의원의 연설을 인용하면서 한국이 인권 문제가 전세계적인 관심사임을 강조했다. 이는 그와 야당, 그리고 재야의 반정부 민주화 운동의 정당성과 당위성을 확인하는 행위였다.

"세계교회협의회가 출간한『한국인권보고서』가 세계의 20여개 중요 신문에 보도되었으며, 미국 상원의 법사위원장인 '케네디' 의원은 지난 6월 21일 한국 인권에 관한 특별 연설을 하여 그 내용이 세계 각 신문에 보도되었습니다. 나는 '케네디' 의원의 그 연설문을 읽어보고 얼굴이 뜨거워져 옴을 느끼지 않을 수 없었습니다. … 이 무서운 고문의 내용이 그대로 세계 각 신문에 보도되었다는 것을 생각하면, 한국인으로서, 더구나 정치인으로서 자존심이 상함을 느끼지 않을 수 없습니다. / 우리나라 안에서 벌어지는 인권탄압이 우리나라에서는 언론을 통제하여 국민의 눈을 가리고 입을 막으면 일시적으로 숨길 수 있을지 모르지만, 이제 지구 촌이라 할 정도로 세계가 좁아진 오늘에 있어서 외국의 언론을 통해 세계 각처에 그대로 알려지고 있습니다"(김영삼 2014, 127-128).

## 2. 강경노선의 충돌과 정치적 위기의 증폭, 그리고 부마항쟁

결국 미국의 양가적인 대한정책에 의해 더욱더 부추겨진 박정희 정권과 김영삼의 충돌은 YH무역 사건에서 시작해 1979년 9월 16일 『뉴욕타임스』 인터뷰와 국회의원직 제명으로 절정에 이른다. 그리고 이 과정에서 나타난 박정희 정권의 인권탄압은 명백히 부마항쟁에 영향을 미쳤다.

충돌의 시작은 8월 11일 YH 무역 사건에서 시작되었다. YH 무역회사는 재미교포 장용주가 1966년 세운 회사였는데 한국 본사에서 물건만 가져가고 대금을 결제 안함으로써 1979년 폐업신고를 하게 된다. 이에 8월 9일 여공들은 공장에서 신민당사로 옮겨 농성을 시작했다. 김영삼은 결단을 내려 당사를 내어주고 식사를 제공했다. 하지만 8월 10일 밤 경찰이 당사에 무단으로 진입하여 농성중인 여공들을 강제해산했다. 이 과정에서 여공 김경숙 씨가 사망하고, 여공들뿐만 아니라 당권, 국회의원, 기자들도 무차별 구타를 당했고 김영삼은 연행되었다. 이는 야당의 극한투쟁을 부르고 국민을 분노케 했다.

그리고 사흘 뒤인 8월 13일에는 신민당 원외지구당 위원장 3인이 '총재단 직무 집행정지 가처분 신청'을 서울민사지법에 제출했고 9월 8일 법원은 "총재 선출결의 무효확인 등 본안소송의 판결 확정 때까지 김영삼 씨는 신민당 총재의 직무 집행을 해서는 안된다"고 판결을 내렸다. 이틀 뒤인 9월 10일 김영삼은 "박정희씨의 하야를 강력하게 요구한다"면서 박정희 정권 타도를 최초로 공언한다(김영삼 2014, 148). 그리고 9월 16일 문제의 『뉴욕타임스』 기사가 나온다. 그는 미국을 비판하면서 미국의 개입을 촉구했다.

> "카터는 방한으로 박 대통령에게 큰 선물을 주었다. 카터는 박 대통령의 위신을 높여 줌으로서 박 대통령으로 하여금 반대세력을 말살시키도록 용기를 불어넣어 주었다. 우리는 박대통령에게 보다 강력한 탄압정책을 쓰도록 북돋아 줄 것이라는 바로 그 이유 때문에 카터에게 방한하지 말도록 요청했다. 이 모든 것이 현실이 되어 버렸다. 나는 지금도 카터의 방한을 생각하면 분노를 금할 수 없다 … 내가 미국 관리들에게 미국은 박 대통령에 대한 공개적이고 직접적인 압력을 통해서만 그를 제어할 수 있다고 말할 때마다, 미국 관리들은 한국의 국내정치에 개입할 수 없다고 한다. 그것은 억지 이론이다. … 궁극적으로는 보다 많은 민주주의, 보다 개방적인 제도와 더불어서만, 대한민국은 이 지역에서의 미국의 이해와 부합할 수 있을 것"(김영삼 2014, 151-153).

이 인터뷰는 박정희 대통령을 분노하게 했다. 김재규는 국회의원 제명 전날인 10월 3일 김영삼을 만나 뉴욕타임스 보도가 와전되었다고 기자들에게 해명하면 의원직 제명과 구속을 면케 해주겠다고 제의했지만 김영삼은 거부했다. 10월 4일 김영삼 총재의 국회의원직 제명은 국회에서 변칙으로 통과되었다. 제명 직후 그가 발표한 성명은 자신을 순교자에 비유한다. 그러나 스스로 선택한 것이었음에도 제명 직후 찍힌 김영삼의 사진은 충격에 빠진 모습을 보여준다. 김영삼의 국회제명에 항의하는 신민당 의원 60명 전원과 통일당 의원 3명이 국회의원 사퇴서를 제출했다. 그리고 약 2주간 흐른 뒤인 10월 16일 부산에서, 그리고 10월 18일 마산에서 유신체제에 반대하는 최초의 대규모 민주항쟁이 시작되었다. 김영삼 총재 제명은 주지하다시피 부마항쟁에도 상당한 영향을 주었다. 그것은 지역 정치인에 대한 탄압일뿐만 아니라 박정희 정권의 민주주의에 대한 탄압의 가장 극명한 증거로서 민주항쟁을 촉발시켰던 것이다.

## Ⅷ. 맺음말

결론적으로 1979년 말 박정희 정권과 김영삼을 중심으로 한 반대 세력간의 정면충돌의 이면에는, 한미 정상회담을 통해 주한미군 철수를 중단하고 박정희 정권을 사실상 승인하는 동시에, 인권개선에 대한 지속적인 (그러나 실질적이지는 않은) 압박을 통해서 반대세력을 결과적으로 응원한 미 정부의 이중적 정책이 있었다. 그 결과 1979년 박정희–카터 회담은 한편으로는 박정희 정부에 과도한 대내적, 대외적 자신감을 준 반면에 저항세력 또한 강화시킴으로써 양자의 주관적 인식이 서로 엇갈리는 이중적인 상황을 초래했다. 카터 대통령과 박정희 대통령의 정상회담은 주한미군 철수중단으로 박정희 정권에 대한 미국의 지지를 공표하는 대신 한국의 인권 개선에 대해서는 애매모호한 결론을 냄으로써 박정희 대통령의 강경노선을 부추겼다. 한편 카터 대통령의 김영삼 총재와의 단독면담, 미국 로버트 케네디 상원의 한국에 대한 관심 등은 김영삼 총재가 강경노선을 취하는데 기여했다. 즉 정상회담 이후 새로운 한미관계의 구조는 박정희 정권과 야당이 모두 강경노선을 채택하는 전략적 계산을 하게 만드는데 기여했으며 결과적으로 1979년 말 YH사건, 김영삼 총재 국회의원 제명, 부마민주항쟁으로 이어지는 정치위기가 발생하게 되었다고 볼 수 있을 것이다. 그러므로 본 연구는 여야 강경노선의 충돌과 김영삼 국회의원 제명을 매개로 하여 79년의 한미관계와 부마항쟁 사이에 직접적이지는 않더라도 간접적인 연관이 있었다는 것을 보여준다.

끝으로 부마항쟁을 이렇게 미국의 이중적인 대한정책이라는 맥락 속에 위치시킬 때, 부마항쟁의 국제적 의의는 다음과 같이 조명될 수 있다. 미국의 정책은 이중적이기는 했지만, 기본적으로 박정희 정권의 인권탄압을 막기보다는 그것을 견제하는데 초점이 있었으며 그런 의미에서 김영삼보다는 박정희의 강경노선을 더 부추킨 셈이었다. 이렇게 볼 때 부마항쟁은 분명 미국의 인권정책이 조성한 환경에서 발생했지만, 동시에 그리고 그보다 더, 미국이 박정희 정권을 승인함으로써 부채질한 박정희 정권의 강경노선에 대한 저항이었다. 따라서 우리는 부마항쟁에 대해, 그것에 어떤 뚜렷한 반미의식이 보이지는 않지만, 김영삼 총재의 미국 비판에서도 살짝 엿볼 수 있듯이 (박정희 정권을 승인하고 지지한) 미국 지배 국제질서에 대한 저항, 특히 한국전쟁 이후 남한 최초의 저항이라는 의미를 부여할 수 있을 것이다.

**참고문헌**

글라이스틴, 윌리엄. 1999. 『알려지지 않은 역사: 전 주한 미국대사 글라이스틴 회고록』. 서울: 랜덤하우스코리아.

김영삼. 2015. 『김영삼 회고록: 민주주의를 위한 나의 투쟁』 2권. 백산서당.

김용식. 1986. "희망과 도전 〈70〉 싸늘했던 청와대 회담." 『동아일보』 1986.06.28

김용식. 1986. "희망과 도전 〈71〉 철군중지 언약 못받아." 『동아일보』 1986.07.02.

김용식. 1986. "희망과 도전 〈72〉 긴급조치 9호 싸고 논란." 『동아일보』 1986.07.02.

김용식. 1986. "희망과 도전 〈73〉 막판에 웃은 정상회담." 『동아일보』 1986.07.02.

김종필. 2016. 『김종필 증언론 2』. 서울: 와이즈베리.

김충식. 1992. "남산의 부장들 (107) [10.26]의 서막 김-차 암투." 『동아일보』 1992.8.29.

동아일보. 1979. "뜻있는 만남 … 카터와 조야." 1979.07.02a

동아일보. 1979. "동반자 새시대 개막 공동성명을 통해 본 한미정상회담 풀이." 1979.07.02b

마상윤 · 박원곤. 2009. "데탕트기의 한미갈등- 닉슨, 카터와 박정희." 『역사비평』 2009년 2월호. 113–139.

박원곤. 2009. "카터 행정부의 대한정책- 10 · 26을 전후한 도덕외교의 적용." 『한국정치학회보』 43권 2호. 215–234.

박태균. 2006. 『우방과 제국, 한미관계의 두 신화』. 파주: 창비.

부마민주항쟁기념사업회. 1989. 『부마민주항쟁 10주년 기념 자료집』. 부산: 부마민주항쟁기념사업회.

브라진스키, 그렉. 2011. 『대한민국 만들기, 1945~1987: 경제 성장과 민주화, 그리고 미국』. 나종남 역. 서울: 책과함께.

서중석. 2016. "박정희 코 납작하게 만든 또 하나의 12 · 12." ([서중석의 현대사 이야기] 〈171〉 유신의 몰락, 두 번째 마당), 2016.06.13
http://www.pressian.com/news/article.html?no=137762&social=sns

손호철. 2006. "1979년 부마항쟁의 재조명", 『해방 60년의 한국정치』. 서울: 이매진.

오버도퍼, 돈. 2002. 『두 개의 한국』. 이종길 역. 고양: 길산.

위키리크스한국. 2017. "광주항쟁의 살인 진압.. 중재해달라! 시 민들의 희망 매정하게 등 돌린 미국대사." 2017/10/29.

이덕주. 2007. 『한국현대사비록』. 서울: 기파랑.

조갑제. 2009. 『박정희의 결정적 순간들: 62년 생애의 62개 장면』. 서울: 기파랑.

지주형. 2016. "미국 정부 기밀문서를 통해 본 부마항쟁—부마항쟁의 정치 · 사회적 충격", 홍순권 외 5인 저, 『부마항쟁의 진실을 찾아서』. 서울: 선인, 301–340.

Jessop, Bob. 2001. "Institutional (Re)Turns and the Strategic-Relational Approach." Environment and Planning A 33(7). 1213–1235.

Sum, Ngai-Ling and Bob Jessop. 2013. Towards a Cultural Political Economy: Putting Culture in Its Place in Political Economy. Cheltenham, UK, Edward Elgar.

# '부마민주항쟁'의 헌법적 논의
## – 저항권, 국가긴급권, 헌법 전문 개정을 중심으로

## 이 병 규

동의과학대학교 경찰경호행정계열 조교수

# I. 부마민주항쟁의 기억

이 글은 박정희 정권의 유신체제에 항거하여 일어난 '釜馬民主抗爭'[1]을 헌법적 관점에서 조명해봄으로써, 부마민주항쟁이 우리 헌법사에서 어떤 의미를 가지고, 어떤 헌법적 가치를 가지는지 생각해보는데 그 목적이 있다. 또한 1987년 개정되어 30년이 지난 현행 헌법이 그간의 헌법정치constitutional politics 경험에 기초하여 새로운 헌법 정신을 반영하는데 부마민주항쟁이 어떤 역할을 할 수 있는지 고민해보도록 한다. 아울러 이러한 논의가 부마민주항쟁의 진실규명과 항쟁에 대한 국가 진압의 불법성을 노정하는데 미약하나마 기여하였으면 한다.

부마민주항쟁은 1979년 10월 16일부터 10월 20일까지 부산 · 마산 및 창원 등 경남 일원에서 유신체제에 항거하여 일어난 민주화 운동이다.[2] 이 항쟁은 10월 16일 부산대학교 학생들이 '유신철폐' 구호와 함께 민주화 시위를 한 것이 발단이 되어, 이튿날인 17일부터는 시민들로 확산되었고, 급기야 18일과 19일에는 인근 마산 · 창원 일원으로 시위가 확산되었다.[3] 이에 정부는 10월 18일 0시를 기해 부산에 계엄령을 선포하고 시위참여자 1,058명을 연행하였고, 20일 정오에는 마산지역에 위수령을 선포하고 군을 출동시켜 505명을 연행하여 군사재판에 회부했다.[4] 정부의 계엄령과 위수령에 의한 강제진압으로 시위는 끝이 났지만, 부마민주항쟁은 곧이어 일어난 10 · 26 사태

---

1. '부마민주항쟁'이라는 명칭은 2013년 제정된 「부마민주항쟁 관련자의 명예회복 및 보상 등에 관한 법률」(약칭: 부마항쟁보상법)에서 사용한 것에 따른다.
2. 「부마항쟁보상법」 제2조 제1호 참조.
3. 김선미, 「부산의 항쟁 – 저항, 진압, 피해」, 『부마항쟁의 진실을 찾아서』, 선인, 2016, 98면 이하 참조.
4. 부마항쟁에서 발생한 인권침해사건, 제3부 제3소위원회 사건(1), 진실화해를 위한 과거사정리위원회 2011, 424면 참조.

와 함께 긴급조치로 유지되던 유신체제를 존망의 위기에 몰아넣었고, 이후 5·18광주민주화운동, 그리고 길게는 1987년 6월 민주항쟁으로까지 이어진 것이 아닌가 생각된다.[5]

　이와 같이 부마민주항쟁이 오늘날 우리나라 민주주의 역사에 많은 영향을 미쳤음에도 불구하고, 이에 대한 국민적 관심이나 가치 평가는 인색한 편이다.[6] 그래서인지 혹여나 부마민주항쟁이 우리나 후세대의 기억 속에서 멀어지지 않을까 하는 우려감마저 든다. 결국 부마민주항쟁이 국민의 기억 속에서 제대로 된 역사적 평가를 받기 위해서는 '진실 규명'과 '피해 구제'라는 두 가지 문제가 해결되어야 할 것이다.

　부마민주항쟁에 대한 국가적 관심이 시작된 것은 2000년대에 들어서이다. 2006년 11월 30일 '진실·화해를 위한 과거사정리위원회'에 진실 규명이 신청되고, 2009년 12월 29일 부마민주항쟁 과정에서 발생한 인권 침해 사건에 대한 조사 개시가 결정되었다. 그리고 5개월여 조사 기간을 거쳐 2010년 5월 25일 진실 규명 결정이 내려졌다. 이후 2013년 「부마민주항쟁 관련자의 명예회복 및 보상 등에 관한 법률」(약칭: 부마항쟁보상법)이 제정되어, 이에 의해 부산.마산 지역에서 일어난 유신체제에 반대한 학생.시민의 시위는 '부마민주항쟁'이라는 민주화 운동으로 인정받게 되었다. 그 사이 헌법재판소(헌재 2013.3.21. 2010헌바70 등)와 대법원(2010.12.16. 2010도5986; 20134.18.자 2011초기 689전원합의체 결정)은 경쟁하듯 유신헌법에 의해 발령되었던 긴급조치에 대하여 위헌.무효로 판단하게 되면서, 긴급조치 위반 혐의로 유죄판결을 선고받은 피해자들의 재심청구가 이어졌다.

---

5. 민병욱, 「부마항쟁의 문학사회학적 수용과 그 한계, 항도부산」 제27호, 부산광역시 시사편찬위원회, 2011, 2면.
6. 부산일보 2011년 6월 28일자.

생각건대 부마민주항쟁이 일어난 지 38년이 지난 오늘날 부산·마산 및 창원 일원에서 유신체제에 저항한 학생과 시민의 행위는 민주화 운동이고, 이 운동을 진압한 정부의 행위는 헌정질서를 파괴한 범죄행위라고 해야 할 것이다. 유신체제 하 대통령 긴급조치에 대한 위헌 결정이 나고, 긴급조치 위반에 의한 유죄 판결이 재심에서 무죄가 선고되고 있는 상황에서 부마민주항쟁에 대한 법적 평가는 38년이 지난 오늘날 완전히 역전되고 있다고 해야 할 것이다.

이 글이 부마민주항쟁의 헌법적 가치에 주목한 것은 부마민주항쟁이 실정법을 위반하는 형태로 전개되었음에도 불구하고 별 의문 없이 이 항쟁을 민주화 운동으로 규정하면서도 정작 그 구체적 국면들을 추적하고 헌법상 기본권 행사의 요건 충족 여부를 일일이 검토하는 시도는 찾아보기 어렵다. 문재인 대통령은 부마민주항쟁 38주년을 맞아 "개헌을 하게 되면 반드시 헌법 전문에 부마민주항쟁 정신을 5.18광주민주항쟁과 더불어 명기하겠다"고 표명한 바 있다.[7] 현행 헌법의 개헌 가능성은 차치하더라도 부마민주항쟁의 헌법 전문 명기는 이 항쟁에 대한 가장 의미 있는 평가라고 할 수 있는 만큼 반가운 소식이 아닐 수 없다. 그러나 우리 헌법은 硬性의 成文憲法으로 대단히 어려운 개헌 절차를 가지고 있기 때문에[8] 정부나 대통령 한 사람의 선언만으로는 결코 이루어지지 않는다. 헌법개정은 국민 전체의 개헌에 대한 공감대

---

7. 중앙일보, 2017년 10월 16일자.
8. 제130조 ① 국회는 헌법개정안이 공고된 날로부터 60일 이내에 의결하여야 하며, 국회의 의결은 재적의원 3분의 2 이상의 찬성을 얻어야 한다. ② 헌법개정안은 국회가 의결한 후 30일 이내에 국민투표에 붙여 국회의원선거권자 과반수의 투표와 투표자 과반수의 찬성을 얻어야 한다. ③ 헌법개정안이 제2항의 찬성을 얻은 때에는 헌법개정은 확정되며, 대통령은 즉시 이를 공포하여야 한다.

가 형성되지 않고는 불가능한 일[9]인 만큼 부마민주항쟁의 정신이 헌법 전문에 명기되기 위해서는 그 진실 규명과 올바른 평가가 전제되어야 한다.

헌법은 정치공동체의 최고의 규범이며, 그 前文은 국가의 '정치적 영혼'이라고 한다.[10] 그런 정치공동체의 규범과 영혼은 근본적인 역사적 체험에 의해 탄생한다. 그런 의미에서 부마민주항쟁이 헌법적 수준에서 평가받고 헌법에 편입되기 위해서는 부마민주항쟁 전반에 대한 헌법을 포함한 법적 평가와 분석이 이루어져야 한다. 전술한 바와 같이 부마민주항쟁 당시 학생과 시민의 시위는 유신체제에 대한 반정부 투쟁으로서의 저항권 행사였으며, 이에 대한 계엄령과 위수령 선포를 통한 정부의 진압은 헌정질서를 파괴한 불법한 범죄행위로 평가할 수 있어야 한다. 이를 위해서는 보다 체계적이고 본격적인 부마민주항쟁 전반에 대한 평가와 보상을 규정한 기본법 수준의 입법이 필요하다.

이하에서는 이러한 생각에 기초하여 부마민주항쟁이 어떤 헌법적 가치를 가지는지, 즉 저항권으로서의 성격을 가지는지, 유신체제 하에서 행사된 국가긴급권으로서 계엄령과 위수령, 그리고 긴급조치의 불법성은 없었는지, 이 항쟁의 정신이 헌법에 편입될 수 있는지 등에 대하여 알아보도록 한다.[11]

---

9. 법률신문, 2016년 6월 27일자.
10. 서희경, 「한국헌법의 정신사」, 『정치사상연구 17(1)』, 한국정치사상학회, 2011. 5. 34면.
11. 본고는 일일이 나열하기 어렵겠지만, 지금까지의 부마민주항쟁 진실 규명을 위한 많은 노력의 산물인 선행 연구·조사에 크게 의존하였다.

## Ⅱ. 부마민주항쟁과 저항권

여기서는 부마민주항쟁의 헌법적 가치를 판단하는데 대단히 중요한 요
소인 저항권 행사로서의 성격에 대하여 알아본다. 이를 위하여 이 항쟁이 헌
법상 저항권 행사의 요건에 부합하는지 살펴보도록 한다.

### 1. 저항권의 의의

抵抗權이란 국가기관이 헌법질서를 파괴하고자 할 때 주권자인 국민이
헌법질서를 유지하고 회복하기 위하여 최후 수단으로 행사할 수 있는 비상
수단의 권리인 헌법수호제도이다. 저항권은 개인의 기본권이자 헌법수호 수
단이라는 이중적 성격을 띤다.[12]

저항권은 권리로 지칭되지만 그 권리행사는 목숨을 건 모험일 수밖에 없
다. 그것은 저항권이 소송 등의 법질서가 마련한 수단을 통해 관철될 수 있
는 보통의 권리들과는 성격이 다르다는데 있다. 즉 법리적으로 볼 때 저항권
은 국가권력에 의하여 조직적 · 절차적으로 강제로 관철할 수 있는 保障된 法
이 아니기 때문이다. 저항 상황은 이미 헌법의 규범적 통제력이 배제된 '自然
狀態'이다.[13]

개인의 자유를 보장하기 위한 각종 제도적 장치, 특히 인간의 존엄성을
비롯한 각 개별 기본권의 보장, 공화주의, 민주주의, 법치주의를 담은 헌법
을 가진 자유민주적 헌법국가에서는 그 헌법규범들이 현실을 규율하는 규범

---

12. 한수웅, 『헌법학』, 법문사, 2017, 66면.
13. 정태호, 「5 · 18 광주민주화운동과 저항권」, 『공법연구 제28집』 제2호, 한국공법학회, 2000, 220면.

력을 발휘하는 한 진정한 의미의 저항권은 행사될 여지가 없다. 왜냐하면 저항권 행사를 정당화할 수 있는 저항 상황이 존재하지 않기 때문이다. 본래 저항권은 정당한 헌법질서, 즉 인간의 존엄과 가치, 그리고 인권을 존중하고 보호하는 것을 목표로 하는 실질적 법치국가질서를 쟁취·유지하고 회복하기 위한 수단이다.

## 2. 저항권의 법적 근거와 요건

저항권은 초실정적 권리, 즉 자연권으로서의 성격을 가지며, 따라서 실정법상의 저항권 규정도 확인적 성격을 가질 뿐이다. 우리 헌법은 저항권을 명시적으로 규정하고 있지 않으나, 전문에서 '3·1운동'과 '불의에 항거한 4·19민주이념'이라고 언급하고 있는 부분은 간접적으로 저항권을 인정하는 실정법적 근거로 볼 수 있다.[14] 저항권은 자연법적 사고에 근거하면서 실정헌법에 의해서도 간접적 표현을 통하여 지지되는 자연법상의 권리이다.

우리 헌정사의 9차 개헌 과정에서 처음으로 저항권에 관한 논의가 쟁점이 되었으나 저항권을 명시하는데 이르지는 않고, 헌법 전문에 "불의에 항거한 4·19민주이념을 계승하고"라는 문구를 추가함으로써 저항권 규정에 갈음하기로 합의하였다.[15] 헌법 전문이 저항권의 존재를 정면으로 명시한 것은 아니지만 4·19가 독재에 항거한 저항운동이라는 점에 국민적 합의가 있을 뿐만 아니라 당시 개헌안작성자들의 의도가 동 문구를 통하여 저항권을 완곡하게 표현하자는 것이었고, 또한 헌법 전문의 법적 구속력을 인정하는 것

---

14. 한수웅, 앞의 책, 68면 참조.

15. 정상우, 「1987년 헌법개정안 형성과정 연구」, 「세계헌법연구 제22권」 제1호, 세계헌법학회 한국학회, 2016, 18면 이하 참조.

이 통설적 입장이기 때문에 위 문구에서 저항권의 실정법적 근거를 찾을 수 있을 것이다.

부마민주항쟁 당시 실정법인 유신헌법상의 규정들을 통해서도 저항권의 존재를 논증하는 것은 가능할 것이다. 박정희 대통령의 영구집권을 위한 수단에 불과했던 유신헌법도 제8조에서 "모든 국민은 인간으로서의 존엄과 가치를 가지며, 이를 위하여 국가는 국민의 기본적 인권을 최대한 보장할 의무를 진다"고 규정하여, 개인의 존엄성과 민주주의 및 국민주권의 원리를 명시함으로써 그 시절에도 시대의 지배적 이념과 공동체의 이목을 완전히 외면한 것은 아니었다. 인간의 존엄과 가치 실현을 위한 기본권 보장이야말로 불법체제에 저항할 수 있는 국민의 권리 존재를 시사하고 있는 것이다. 왜냐하면 기본권은 입법자의 전적인 처분권에 맡겨진 것이 아니라 오히려 입법자가 넘어설 수 없는 절대적 한계를 설정하는 방벽을 세우고 있으며, 이를 국가권력에 대하여 방어하는 것은 궁극적으로는 주권자 국민이기 때문이다. 결국 유신체제는 유신헌법에 국민주권과 인간의 존엄과 가치실현을 위한 기본적 인권의 보장의무를 규정함으로써 저항권의 근거도 동시에 제시하고 있었다.[16]

이러한 저항권은 여타의 헌법수호와 달리 그 수단을 국민에게 맡기고 있고, 또한 법 위반에 의한 헌법수호를 허용한다는 점에서 헌법침해에 대한 보충적 · 최후수단적 보호수단이라고 할 수 있다. 따라서 저항권 남용에 의한 무질서를 방지하기 위하여 그 행사요건[17]은 다음과 같이 매우 엄격하게 제한되어야 할 것이다. 첫째, 국가권력에 의하여 헌법질서에 대한 중대한 침해가 발생한 것이 명백해야 한다. 여기서 중대한 침해란 개별 헌법조항에 대한 단

---

16. 정태호, 앞의 논문, 224면.
17. 성낙인, 『헌법학』, 법문사, 2017, 75면; 한수웅, 앞의 책, 69면 참조.

순한 위반이 아니라 자유민주적 기본질서[18]에 대한 중대한 침해를 말한다. 둘째, 저항권은 헌법 파괴를 막기 위한 모든 헌법적 수단을 소진한 후, 즉 법치국가적 구제절차를 총동원해서도 국가권력에 의한 헌법침해를 막을 수 없는 경우에 비로소 고려되는 수단이다. 저항권은 다른 구제수단이 불가능하다는 것, 즉 법질서에 의하여 제공된 모든 구제절차가 더 이상 기능하지 않는다는 것을 전제로 하기 때문에 저항권 행사는 헌법질서의 유지나 회복을 위한 최종적인 수단을 의미한다.

### 3. 저항권 행사로서의 부마민주항쟁

#### (1) 유신체제의 불법성

부마민주항쟁의 법적 성격을 논의할 때 그 출발점이 되어야 하는 것은 유신체제의 법적 성격을 파악하는 것이다.[19] 이는 부마민주항쟁의 법적 목표가 무엇인지를 분명히 하는데 긴요한 의미를 가지기 때문이다. 유신헌법 성립과정의 문제를 도외시하더라도 권력 통제와 자유로운 정치의사 형성을 통한 자유로운 정치생활의 보장 및 개인의 자유와 권리 보장을 위한 법치국가적 민주주의의 제반 요소를 무의미하게 만듦으로써 더 이상 헌법이라고 평가하

18. 자유민주적 기본질서에 위해를 준다 함은 모든 폭력적 지배와 자의적 지배, 즉 반국가단체의 일인독재 내지 일당독재를 배제하고 다수의 의사에 의한 국민의 자치·자유·평등의 기본원칙에 의한 법치주의적 통치질서의 유지를 어렵게 만드는 것이고, 이를 보다 구체적으로 말하면 기본적 인권의 존중, 권력분립, 의회제도, 복수정당제도, 선거제도, 사유재산과 시장경제를 골간으로 한 경제질서 및 사법권의 독립 등 우리의 내부체제를 파괴·변혁시키려는 것으로 풀이할 수 있을 것이다(헌재 1990. 4. 2. 89헌가113 국가보안법 제7조에 대한 위헌심판).

19. 이에 대하여는 한국공법학회, 유신헌법 30면: 회고와 반성, 한국공법학회, 2002; 김효전, 유신헌법 자료집 한국공법학회, 2002; 갈봉근, 조국의 평화적 통일을 위한 유신헌법, 광장 제37권, 세계평화교수아카데미사무국 1976; 김승환, 유신헌법 하에서의 헌법학 이론, 공법연구 제31권 제2호, 한국공법학회 2002. 3; 성낙인, 유신헌법의 역사적 평가, 공법연구 제31권 제2호, 한국공법학회, 2002. 3 참조.

기도 어려운 유신헌법을 기반으로 한 유신체제가 법치국가적 민주주의를 유린한 독재체제였다는 것은 주지의 사실이다.

### (2) 저항 상황의 존재와 저항의 보충성

부마민주항쟁이 저항권에 의해 정당화되려면 무엇보다도 먼저 저항 상황, 즉 불법체제가 출현하고, 또한 법치국가적 수단으로 이를 제거하는 것이 불가능할 것을 요구한다.

저항 상황은 법치국가적 민주질서에서도 출현할 수밖에 없는 개별적 불법이나 위헌적 공권력 행사가 존재하는 경우가 아니라, 불법체제가 이미 출현하였거나 그것이 임박한 경우에 존재한다. 즉 국가권력이 공화주의, 국민주권, 민주주의, 권력분립주의, 국가행위의 합법성 원리 등을 내용으로 하는 자유민주적 기본질서를 침해하거나 그 질서의 구성원리들이 효력을 상실한 것으로 볼 수 있을 만큼 그 기능 발휘를 방해하고 있는 경우에만 저항 상황이 출현한다고 볼 수 있다.

그렇다면 부마민주항쟁 당시 저항 상황이 있었는가? 유신헌법 체제 하에서의 헌법 상황은 입헌주의 및 자유민주적 기본질서의 중대한 위반 상태를 의미했다. 유신헌법의 목적은 대통령의 장기집권과 국회와 사법부의 장악을 통한 강력한 독재정치를 가능하게 하는 것이었으므로, 이러한 목적에 부합하도록 대통령의 권한을 강화하면서 다른 국가권력인 입법부와 사법부의 권한을 약화시키는 방향으로 헌법개정이 이루어졌다.[20] 유신헌법은 형식적으로는 7차 개헌이었지만 실질적으로는 구 헌법을 폐지하고 신헌법으로 대체

---

20. 임지봉, 「유신헌법과 한국 민주주의」, 『공법학연구 제13권』 제1호, 한국비교공법학회, 2012. 2. 186–187면 참조.

한 사실상 헌법제정이나 마찬가지였고[21], 심지어 흠정헌법 내지 수권헌법이라고 평가하기도 한다.[22] 또한 안보와 통일을 빙자하여 개인의 영구집권에의 길을 열었고, 국가권력을 통합하여 전제적 운영이 가능하였으며, 긴급조치권을 무제한적으로 발동할 수 있게 하였다. 이리하여 긴급조치가 9호까지 발동되는 동안 정상적인 헌정 운영은 국가긴급권으로 대체되었다. 이러한 비정상적인 헌정운영은 부마민주항쟁의 원인이었다고 할 수 있다.

따라서 유신헌법 하에서 법치국가적 구제절차를 통한 자유민주적 기본질서의 회복을 기대하기는 어려웠다. 기본권 조항에 대한 법률유보, 대통령의 영도자적 지위, 국회 회기의 단축, 긴급조치제도, 헌법위원회제도 등과 같은 유신헌법 하에서의 헌정질서 회복을 위한 법치국가적 구제는 사실상 불가능했으며, 그러한 의미에서 부마민주항쟁은 보충적·최후수단으로서의 성격을 가진다고 할 것이다. 부마민주항쟁은 '부산'과 '마산'이라는 지역적 한계를 가졌으나 유신철폐, 독재타도와 같은 구호가 말해주듯이, 그 저항은 동시대의 보편적 정신을 대변한 것이라고 할 수 있다.

### (3) 저항권 행사의 주체와 대상

모든 국민이 저항권 행사의 주체가 된다.[23] 저항권은 개인의 사적 영역을 수호하기 위해서가 아니라 국가의 보호를 위하여 주어지는 권리임에도 개인의 권리로서의 성격을 가진다. 저항권의 주체가 개인이라고 보는 것은 자유와 평등을 이념적 기초로 하고 국민주권의 실현을 지향하는 민주주의 이념

---

21. 김철수, 『헌법학개론』, 박영사, 2007, 122면. 이에 대해 유신헌법을 "국민총화를 통한 국가의 재건" 등으로 평가하면서 집권자가 동일하기 때문에 제3공화국 헌법의 수정 과정으로 이해하는 학자들도 있었다(한태연, 『헌법학』, 법문사, 1977, 59면).
22. 이석태, 긴급조치 재심청구 및 위헌법률심판제정 등에 관한 기자회견문, 2009. 2. 12.
23. 성낙인, 앞의 책, 75면.

에 그 기초한다.

부마민주항쟁은 부산대학교 학생들의 교내 시위가 도심 시위로 전개되고, 이후에는 일반 시민들이 동참하면서 대중항쟁으로 발전하였다. 항쟁 과정에서 당초 시위를 주도한 대학생들보다 시민들이 더 적극적으로 저항하였다. 마산지역으로 확산된 시위에서도 경남대학교 학생들의 시위와 이에 합세한 마산 시민들의 격렬한 시위가 두드러졌다.

이렇게 볼 때 부마민주항쟁 당시 주권자로서의 국민인 부산 · 마산 및 창원 일원의 시민들이 각기 저항권의 주체로서 계층과 직업을 넘어 하나가 된 채 유신체제에 항거하는 민주화 운동을 국가권력을 이용하여 진압한 것에 대하여 집단적으로 저항한 것은 개인의 권리인 저항권 행사로서 정당화 될 수 있을 것이다.[24] 이와 같이 부마민주항쟁의 주체가 주권자 시민이었다면 그 저항 대상은 유신체제였다. 박정희 대통령의 영구집권을 위한 유신헌법 체제가 저항권 행사의 대상이었다고 할 것이다.

### (4) 저항행위의 비례성

저항권은 그 개념상 법에 위반되는 행위를 할 수 있음을 함의한다. 그러므로 단순한 복종 거부만이 아니라, 국가권력에 대한 반항, 심지어 폭력행위도 그 수단으로 허용하며, 저항의 형태도 그것이 적극적인 것이든 소극적인 것이든 묻지 않는다.[25] 그렇다고 저항 수단의 선택이 완전히 자유로운 것은 아니다. 즉 저항행위로 타격을 받게 되는 법익에 미치는 손해가 가능한 한 최

---

24. 부마민주항쟁의 주체에 대하여는 차성환, 부마민주항쟁과 주체, 부마민주항쟁 35주년기념 학술대회 2014. 10. 14; 부마항쟁의 주체와 이데올로기 - 자유민주주의를 중심으로 -, 부마민주항쟁 30주년 기념 토론회, 2009. 6. 19 참조.

25. 정태호, 앞의 논문, 232면.

소화되는 수단을 선택해야 한다. 왜냐하면 사법상 자력구제권의 한계에 대한 유추나 국가를 대신하여 국가를 위하여 행사되는 권리라는 저항권의 특성을 감안해야 한다.

부산대학교 학생 시위가 발단이 되어 대중항쟁으로 발전한 부마민주항쟁[26]은 시간이 지나면서 폭력 투쟁의 양상을 띠었다. 특히 파출소, 어용신문사와 방송사, 경찰차에 투석하고 방화하는 등 격렬한 시위가 전개되었다. 그러나 당시의 폭력 투쟁은 유신체제의 대리인격인 경찰과 어용언론사 등에 집중되었지, 사회 일반에 향한 것은 아니다. 이는 시민들이 대학생들의 시위를 격려하고 이후 합세하는 모습을 통해서도 알 수 있는 바이다.

요컨대 부마민주항쟁이 그 전개 과정에서 공공질서의 파괴 등 폭력 투쟁의 양상을 띠었지만 그 대상은 유신체제에 향해 있었으며, 또한 시위가 조직적이지도 않고 자제하는 분위기가 나타났다[27]는 점에서 볼 때 저항행위의 목적 달성에 필요한 비례성을 갖추었다고 해야 할 것이다.


### (5) 소결

이상에서 살펴본 바와 같이 부마민주항쟁은 반입헌주의적 유신헌법과 긴급조치에 의해 유지되던 유신체제에 저항하여 개인의 자유와 권리가 존중되는 법치국가적 민주질서를 회복하기 위한 집단적 형태의 저항권 행사였다. 또한 이는 유신체제에 의해 유린된 법치국가적 민주질서를 쟁취하기 위하여 계엄령·위수령 및 긴급조치에 위반한 대중항쟁의 형태로 기존질서의 변혁

---

26. 차성환, 위의 논문, 4면.
27. 이은진, 「부마민주항쟁 진압의 법적 정당성 및 지휘체계」, 『부마항쟁의 진실을 찾아서』, 선인, 2016, 212면.

을 꾀하였다는 점에서 혁명적 성격의 저항이었다고 할 수 있다.[28] 따라서 부마민주항쟁 과정에서 실정법 질서의 위반이 있었다고 하더라도 그 위법성은 조각된다고 할 수 있다. 아울러 이 항쟁이 비상계엄 및 위수령 발동에 의한 강제 진압으로 저항 목표를 달성하는데 실패하였지만 긴급조치로 유지되던 유신체제를 존망의 위기에 몰아넣었다는 점, 그리고 최근 당시의 긴급조치에 대한 헌법재판소의 위헌 판결[29] 등은 그 항쟁의 정당성을 대변하는 것이라고 할 수 있다.

## Ⅲ. 부마민주항쟁과 국가긴급권

### 1. 국가긴급권

오늘날 대다수의 헌법은 국가비상사태에 적절히 대처하기 위하여 국가긴급권을 규정하고 있다. 국가비상사태란 헌법이 예정하는 정상적인 수단으로는 극복될 수 없는 국가생활의 중대한 장애가 발생한 경우를 말한다.[30] 국가비상사태는 전쟁, 내란, 중대한 경제적 위기, 자연재해 등 다양한 요인에 의하여 발생할 수 있다. 민주국가의 헌법은 일반적으로 국가비상사태에 적절히 대처함으로써 국가적 위기를 극복하기 위하여 특정 국가기관에게 비상

---

28. 그러나 대법원은 저항권 행사의 위법성 조각을 부정한다. "실존하는 헌법적 질서를 전제로 한 실정법의 범주 내에서 국가의 법적 질서의 유지를 그 사명으로 하는 사법기능을 담당하는 재판권 행사에 대하여는 실존하는 헌법적 질서를 무시하고 초법규적인 권리 개념으로써 현행법 질서에 위배된 행위의 정당화를 주장하는 것은 그 자체만으로서도 이를 받아들일 수 없는 것이다"(대판 1975. 4. 8. 74도 3323).
29. 후술하는 '부마민주항쟁과 긴급조치 제9호' 참조.
30. 헌재 1994. 6. 30. 92헌가18.

조치를 취할 수 있는 특별한 권한을 부여하고 있는데, 이를 국가긴급권이라고 한다.[31]

국가긴급권은 법치국가 수호를 위한 필수적 수단이면서, 동시에 법치국가에 대한 위협적 요소라는 양면성을 가지고 있다. 즉 국가긴급권이 한편으로는 국내정치적으로 법치국가를 위태롭게 하는 권력 장악의 도구가 될 수 있으며, 다른 한편으로는 국가긴급권 없이는 국가의 존립과 기능에 대한 현저한 위협을 적시에 효과적으로 방어할 수 없다는 것이다.

이러한 성격을 가진 국가긴급권은 국가비상사태에 대처하기 위하여 대통령에게 부여되는 예외적인 권한이라는 점에서 그 요건은 헌법에 명확하게 규정되어야 하고, 또한 엄격하게 해석되어야 한다. 즉 국가긴급권은 비상사태라는 특수한 상황에 대응하기 위한 임시적 · 잠정적 성격의 권한이므로 국가긴급권의 발동은 목적 달성을 위하여 필요최소한의 정도로 제한되어야 하며[32], 국가의 존립과 헌법질서의 유지를 위하여 현상유지적 · 소극적으로 행사되어야 한다.

이에 유신헌법도 대통령의 긴급조치권과 계엄선포권 두 가지 제도를 두고 있었다. 이하에서는 부마민주항쟁 당시 부산과 마산 지역에 각각 발동된 계엄령과 위수령의 불법성과 함께 유신체제 말기까지 유지되던 긴급조치 제9호의 부마민주항쟁 관련성을 살펴보기로 한다.


## 2. 부마민주항쟁과 계엄령

---

31. 현행 헌법도 대통령의 긴급명령권과 긴급재정경제처분 · 명령권(제76조) 및 계엄선포권(제77조) 두 가지 종류의 국가긴급권을 규정하고 있다.
32. 헌재 1996. 2. 29. 93헌마186.

### (1) 유신헌법상 계엄제도

유신헌법은 제54조에서 대통령의 계엄선포권을 두었다. 즉 "대통령은 전시·사변 또는 이에 준하는 국가비상사태에 있어서 병력으로써 군사상의 필요 또는 공공의 안녕질서를 유지할 필요가 있을 때에는 법률이 정하는 바에 의하여 계엄을 선포할 수 있다"고 규정하였다. 여기서 계엄은 '비상계엄'과 '경비계엄'으로 나뉜다. 부마민주항쟁 당시 부산지역에 선포된 계엄은 비상계엄으로, 이는 계엄법상 "전쟁 또는 전쟁에 준할 사변에 있어서 적의 포위 공격으로 인하여 사회질서가 극도로 교란된 지역에 선포"하는 것이다.

비상계엄이 선포되면 법률이 정하는 바에 의하여 영장제도, 언론·출판·집회·결사의 자유, 정부나 법원의 권한에 특별한 조치를 취할 수 있고, 계엄사령관은 계엄 지역 내의 모든 행정사무와 사법사무를 관장하고, 계엄 지역 내에서 군사상 필요한 때에는 체포, 구금, 수색, 거주, 이전, 언론, 출판, 집회 또는 단체행동에 관하여 특별한 조치를 취할 수 있다. 이러한 계엄사령관의 조치에 응하지 아니하거나 이에 배반하는 언론 또는 행동을 한 자는 3년 이하의 징역에 처한다.

계엄이 선포되면 대통령은 지체 없이 국회에 통고해야 하고, 국회가 재적의원 과반수의 찬성으로 계엄 해제를 요구하면 대통령은 이를 해제해야 한다. 이는 대통령의 계엄선포에 대한 국회의 사후 통제로서의 의미를 가지지만, 유신헌법 체제 하에서 권력분립의 원리가 사실상 기능 부전인 당시의 상황[33]에서 국회의 계엄해제요구권은 무의미한 것으로 사후통제적 기능을 수행한다는 것은 불가능한 일이었다.

---

33. 임지봉, 앞의 논문, 191–192면 참조.

## (2) 부마민주항쟁과 부산지역의 비상계엄선포

박정희 대통령은 10월 18일 새벽 0시를 기해 부산직할시 일원에 비상계엄령을 선포했다. 정부는 이에 앞서 17일 밤 11시 30분 임시국무회의를 긴급소집하고 부산직할시 일원의 공공질서를 위해 헌법 제54조에 따라 비상계엄령을 선포키로 의결하고, 계엄사령관인 박찬긍 육군중장을 임명했다. 그리고 박정희 대통령은 헌법 제54조 제4항에 따라 백두진 국회의장에게 부산지역에 비상계엄을 선포하였음을 통고했다.[34]

이리하여 정부는 비상계엄령이 선포된 부산직할시 일원에서 발행되는 언론·도서·출판물은 계엄사령부의 검열을 받아야 하고, 기타 지역의 언론 및 도서출판의 경우도 부산 사태와 관련된 사항을 보도할 때는 반드시 부산지구계엄사령부의 검열을 받아야 한다고 했다. 또한 정부는 계엄령 선포 후 부산직할시 일원에 대한 비상계엄령 해제 시기는 현재로서 예측할 수 없으며 사태에 따라 추후 결정하게 될 것이라고 밝혔다.[35]

이러한 부산지역의 계엄선포가 당시 헌법 및 계엄법상 적법한 조치였는지 판단해볼 필요가 있다. 앞서 언급한 바와 같이 계엄은 국가긴급권 제도의 하나로 국민의 자유와 권리에 대한 광범위한 제한을 유발하는 비상적·예외적 조치이기 때문에 당시의 계엄이 위헌·위법하게 이루어졌다면 계엄으로 인한 기본권 침해는 구제 대상인 것이고, 또한 그러한 국가행위는 반헌법적 범죄행위로 평가받아야 할 것이다.

먼저 헌법 제54조에서 말하는 '전시·사변에 준하는 국가비상사태'란 경찰력으로써는 도저히 치안을 유지할 수 없는 위해의 발생을 말한다. 여기서

---

34. 매일경제, 1979년 10월 18일자.
35. 매일경제, 1979년 10월 18일자; 경향신문, 1979년 10월 18일자.

의 국가비상사태는 위해[36]가 이미 구체적으로 발생한 경우를 말하는 것으로, 위해 발생 가능성만 있는 경우는 제외한다.

또한 '전시'라 함은 전쟁이 발발한 기간으로 전쟁이 개시된 때부터 종료에 이르기까지의 기간을 의미하고, '사변'이라 함은 국토를 참절하거나 국헌을 문란할 목적으로 한 무장반란집단의 폭동행위를 말하며, '이에 준하는 국가비상사태'는 전시 또는 사변에 해당하지 아니하는 경우로서 무장 또는 비무장의 집단이나 군중에 의한 사회질서교란상태와 자연적 재난으로 인한 사회질서교란상태를 말한다.

이러한 헌법 및 계엄법에 의할 때 대통령의 계엄선포는 헌법이 예정하는 정상적인 수단으로는 극복할 수 없는 국가생활에 중대한 장애가 발생한 경우, 즉 국가의 존립이나 헌법질서에 대한 중대한 위험이 발생한 경우에 예외적 · 보충적으로 행사할 수 있는 법치주의의 예외적 최후 수단으로 행사되어야 한다.[37] 그런 만큼 계엄선포에 의해 제한되는 영장제도, 언론 · 출판 · 집회 · 결사의 자유 및 정부나 법원의 권한에 관한 특별한 조치를 뛰어 넘는 중대한 헌법 위반 상태가 있어야 행사할 수 있다. 또한 이러한 헌법상 대통령의 계엄선포권 및 계엄법은 헌법 제32조 제2항 "국민의 자유과 권리를 제한하는 법률의 제정은 국가안전보장 · 질서유지 또는 공공복리를 위하여 필요한 경우에 한한다"는 기본권의 일반적 법률유보 조항에 의해 그 법적 근거를 찾을 수 있으나[38], 이는 다른 한편으로 기본권 제한의 한계 조항으로도 기능한다. 즉 국가안전보장 · 질서유지 또는 공공복리라는 목적 하에서만 기본권

---

36. 여기서 '위해'는 '위험상태'와 '장해상태'를 포함하는 의미로 법익 침해가 발생할 개연성이 대단히 높은 상태와 법익이 현실적으로 침해되고 있는 상태를 의미한다.
37. 한수웅, 앞의 책, 74면.
38. 유신헌법상 기본권 제한에 대하여는 한태연, 앞의 책, 293면 이하 참조.

제한이 가능하며, 그러한 목적 하에서도 국민의 기본권 제한에 필요한 최소한도 내에서, 기본권 제한을 통해 얻을 수 있는 공익이 제한을 통해 침해되는 사익을 넘어서는 이른바 과잉금지의 원칙을 충족할 때만 가능한 것이다.

부마민주항쟁 당시 부산지역에 선포된 비상계엄은 이러한 계엄선포 요건들, 즉 '전시' 또는 '사변'에 해당하는지, '이에 준하는 국가비상사태'에 해당하는지 논의를 필요로 한다. 부산 지역에 비상계엄이 10월 18일 0시를 기해 선포되었으니[39] 이틀 정도의 대학생 중심의 반정부 투쟁의 성격을 띤 시위가 벌어지고 있었다는 점, 시위의 목적이 국헌 문란과 같은 헌정질서를 파괴하는 것이 아니라 오히려 헌정 질서를 바로잡아야 한다는 저항권으로서의 성격을 띠고 있었다는 점, 관공서와 경찰서, 어용언론 기관들에 대한 공격과 방화가 이루어진 점 등 사회질서교란상태가 있었지만 국가변란 수준에는 미치지 못하였으며, 시위가 조직적이지도 않았을 뿐만 아니라 자제 능력을 가지고 있었다는 점에서 계엄선포 요건을 갖추지 못했다고 판단할 수 있다. 앞서 언급한 바와 같이, 비상계엄 선포로 국민의 자유와 권리에 대한 광범위한 제한과 권력분립 원리의 침해 등 헌법질서 전반에 대한 침해에도 불구하고 계엄선포로 얻을 수 있는 공익이 계엄선포로 침해되는 헌정질서 위반보다 현저히 클 때만이 가능하다고 볼 때, 부마민주항쟁 당시 부산지역에 내린 계엄령 선포는 당시 헌법 제54조 및 계엄법상 규정된 계엄선포 요건을 갖추지 못했다고 판단된다. 또한 당시는 이미 긴급조치 제9호에 의해 국민의 기본권이 광범위하게 제한되고 있는 상황이었기 때문에 계엄이 아니더라도 부산시민의 자유와 권리 등 기본권은 심각히 훼손되고 있었다고 할 수 있다. 다음은

---

39. 계엄령 선포 전에 이미 계엄 준비를 위한 이동 및 일부 진압이 있었다(이은진, 부마민주항쟁 진압의 법적 정당성 및 지휘체계, 『부마항쟁의 진실을 찾아서』, 선인, 2016, 217면).

비상계엄 선포에 즈음하여 발표한 박정희 대통령의 담화문 일부이다.

　　유감스럽게도 작금 부산에서 지각없는 일부 학생들과 이에 합세한 불순분자들이 엄연한 국가현실을 망각ʼ 외면하고 공공질서를 파괴하는 난폭한 행동으로 사회 혼란을 조성하여 시민들을 불안케 하고 있음은 개탄을 금치 못할 일입니다. 정부는 이와 같은 반국가적 반사회적 행동을 국가의 기본질서와 안전보장을 위태롭게 하는 중대한 위협이라고 보고 우선 질서회복을 위해서 최선의 노력을 다했지만 사태는 마침내 난동소요로 화했다고 판단되기에 이르렀습니다. 나는 이와 같은 중요한 국민에 처하여 헌법이 부여한 막중한 책무를 수행하기 위해 헌법 제54조 규정에 따라 국무회의의 의결을 거쳐 부산직할시 일원에 비상계엄을 선포하게 된 것입니다. 이것은 오로지 악랄한 선동과 폭력으로 사회질서를 파괴하고 국리민복을 해치며 헌정기본질서를 파괴하는 불순분자들의 일체의 경거망동과 불법행위를 발본색원하자는데 그 목적이 있는 것이다.[40]

　위 담화문 내용에서 볼 수 있는 바와 같이, 당시 정부의 비상계엄 선포는 헌법과 계엄법에 근거를 두지만, 헌법과 계엄법상의 계엄 발동 요건에 대한 최소한의 법적 해석과 판단은 찾아 볼 수 없는 추상적이고, 심지어 왜곡된 상황 판단에 기초하여 계엄을 선포하였다는 것을 알 수 있다. 예컨대 '일부 학생들과 이에 합세한 불순분자' '엄연한 국가현실을 망각ㆍ외면하고' '오로지 악랄한 선동과 폭력으로 사회질서를 파괴하고' '헌정기본질서를 파괴하는 불순분자들의 일체의 경거망동과 불법행위'와 같은 담화문의 표현들은 법적 해

---

40. 매일경제, 1979년 10월 18일자.

석이나 법적 판단이 아닌 반이성적이고 왜곡된 판단이라고 할 수 있다. 대통령의 계엄선포 행위는 법치주의의 예외가 되기 때문에 엄격한 헌법해석을 통해서 그 선포 여부가 결정되어야 한다. 따라서 개별 요건들, '국가비상사태', '공공의 안녕질서'와 같은 요소들이 개별 상황에 구체적으로 적용될 수 있어야 한다. 그러나 위 담화문 내용은 그와는 거리가 먼 추상적이고 개괄적인 계엄선포 사유를 들고 있다. 또한 계엄을 포함한 대통령의 국가긴급권 행사는 현상유지적이어야 하나 부산 지역의 계엄선포는 예방적 조치로 행해진 것도 계엄선포의 불법성을 말해주는 것이다.

한편 대통령이 계엄을 선포했을 때에는 지체 없이 국회에 통고해야 하고, 만약 국회가 계엄 해제를 요구할 때에는 대통령은 이를 해제할 의무를 진다. 또한 계엄법 제20조는 비상계엄과 경비계엄이 선포된 사태가 평상사태로 회복된 때에는 대통령은 계엄을 해제한다고 규정하고 있다. 그러나 부산지역 계엄은 해제되지 않았고 10·26 사태 후 전국으로 확대되었다. 10월 20일 당정협의회에서 구자춘 내무부장관은 부산 사태에 관하여 "전체적으로 소요지역이 평온을 되찾고 있으며 사태가 수습단계로 접어들고 있어 특별히 우려할 일은 없다"고 보고[41] 하는 바와 같이, 그 시점에 이미 계엄해제 사유가 있는데도 불구하고 계엄은 해제되지 않았다. 부산지역 계엄에 대한 국회의 계엄해제 요구나 정부의 자체적 계엄해제가 이루어지지 않은 점도 계엄에 대한 사후적 통제가 이루어지지 않은 위헌적 계엄임을 보여주는 것이라고 할 것이다.

### 3. 부마민주항쟁과 위수령

41. 동아일보, 1979년 10월 20일자.

여기서는 부마민주항쟁 당시 마산 지역에 발동된 「위수령」(대통령령 4949
호, 1970. 4. 20. 전부개정)이 위수령 발동 요건에 따라 적법하게 발동되었는지
알아보고, 아울러 동 위수령과 당시 유신헌법 및 계엄법이 어떤 관계에 있었
는지 알아본다.

### (1) 위수령제도

위수령[42]은 육군부대가 특정한 하나의 지구에 주둔하여 당해 지구의 경
비, 육군의 질서 및 군기의 감시와 육군에 속하는 건축물 기타 시설물을 보
호하는 임무를 규율하기 위하여 제정된 것이다(위수령 제1조). 위수령의 목
적은 위수지구의 경비, 위수지구 내의 육군 질서와 군기감시, 위수지구 내 육
군의 시설보호이다.[43] 이러한 입법 목적에 의할 때, 위수령은 육군부대를 특
정한 지구에 주둔하게 하면서 부대의 질서와 시설에 대한 외부적 침해를 방
어하고 예방하는 경비활동에 관한 법령임을 알 수 있다.

위수령은 총 22개조로 구성되어 있다. 이 중 법규적 성격을 가진 규정은
제10조 '치안유지', 제12조 '병력출동', 제14조 '근무요령', 제15조 '병기사용 한
계', 제17조 '현행범인 체포', 제18조 '병력파견' 등이다. 즉 이들 규정은 위수
지역 내에서의 질서유지를 위한 행정입법으로 법규적 성격을 가지는 법규명
령이다.[44] 그런데 이러한 법규적 성질을 가짐에도 불구하고 이에 대한 상위

---

42. 위수령은 1950년 3월 27일 대통령령 제69호로 제정되고, 1970년 4월 20일 전부 개정되었으며, 이
후 특별한 개정 없이 유지되었다. 타법 개정으로 2000년 3월 27일과 2003년 3월 25일 개정되었
지만 전체적인 내용은 제정 당시와 달라지지 않은 채로 이어져오고 있다.

43. 이광원, 「위수령의 해석과 입법방향」, 『법학논총 제24권』 제1호, 국민대학교 법학연구소, 2011,
234면. 衛戍(garrison)의 사전적 의미는 군의 주둔지를 지킨다는 뜻으로, 군 부대가 일정한 지역
에 주둔하면서 경비 · 질서유지 등의 단속 및 군사시설을 보호하는 것을 지칭하는 군사용어이다.

44. 김원중 · 양철호, 「위수령의 입법적 문제점과 개선방안」, 『토지공법연구 제63집』, 한국토지공법학
회, 2013. 11. 441면.

법에 아무런 근거도 없는 대통령령으로 두고 있는 것은 위임입법 금지의 원칙에 반한다고 할 수 있다.

위수령 제12조의 경우 재해 또는 비상사태 시 병력 출동을 요청할 수 있다고 규정하고 있다. 이는 경찰의 치안능력 부재와 북한의 안보 위협에 대응하기 위하여 마련한 것으로 보이나, 그렇다고 하여 위수령에 의해 군병력이 치안 업무를 담당하는 것은 법적 타당성이 없으며, 또한 이에 대하여는 전시 상황 등에 있어서 계엄에 의해 군병력이 치안유지를 예외적으로 담당하도록 규정하고 있는 헌법과 계엄법에도 부합하지 않는다.

또한 위수령 제15조는 병기 사용의 한계에 대하여 규정하고 있다. 병기 사용 요건으로 "자위상 부득이 한 때, 다른 진압할 수단이 없을 때, 방위할 수단이 없을 때" 등 최후성과 보충성에 의해 병기를 사용하도록 하고 있다. 이러한 병기에는 군이 사용하는 개인화기류를 비롯한 모든 무기를 포함한다고 볼 수 있다. 그런데 무기를 사용하는 경우에는 국민의 생명.신체.재산에 직접적인 피해를 발생시킬 우려가 있기 때문에 그 사용은 전시 등의 경우에 제한적으로 사용해야[45] 하는 것으로, 위수령에 의해 군이 자위를 위하여 무기 사용하는 것은 정당성이 갖기 어렵다.

이와 같이 부마민주항쟁 당시 위수령은 행정입법의 형태로 전시가 아닌 재해 또는 비상사태 시에 위수사령관이 치안책임자가 되고, 병력출동과 병기사용, 현행범 체포 등의 질서유지권을 행사함에도 불구하고 상위법에 아무런 근거를 두지 않았을 뿐만 아니라 개별 규정에서는 이러한 권한 행사가 재량권의 형태로 행사할 수 있도록 규정되어 있는 기본권 침해적 요소를 포

---

45. 김원중 · 양철호, 앞의 논문, 444면 참조.

함하고 있었다.[46]

따라서 10월 20일부터 26일까지 마산 지역에 발령된 위수령[47]은 그 자체가 이미 위헌적 요소를 가지고 있었기 때문에 적용 시 남용 내지 악용될 여지가 있었다.

### (2) 부마민주항쟁과 마산지역의 위수령 발동

부마민주항쟁 당시 마산지역에 발동된 위수령의 적법성을 판단하기 전에 위수령 발동 전후의 마산 시위 상황을 간략히 소개하기로 한다.[48] 부산지역의 시위가 파출소, 어용신문사와 방송국, 경찰차에 돌을 던지고 불을 지르는 등 격렬한 양상을 띠면서 시위는 17일 새벽까지 계속되었다. 그리고 유신선포 10주년을 맞은 10월 17일 부산대학교에는 임시휴교령이 내려지고, 18일 0시를 기해 부산 일원에 비상계엄이 선포되어 2개 여단의 공수부대가 투입되었다. 그러자 시위는 마산 지역으로 확대되었다. 마산에서는 18일 휴교령이 내려진 경남대학교 학생 1,000여 명이 경찰과 대치하여 투석전을 벌였고, 3·15의거탑에서는 스크럼을 짜고 시위가 벌어지는 등 시내 곳곳에서 시민

46. 최근 한국국방연구원(KIDA)은 「위수 관련 제도의 개선방안 연구」 보고서에서 위수령이 헌법상 국민의 기본권을 제한하면서도 법률상 근거가 불명확해 법률유보나 위임입법의 원칙에 위배된다고 분석하면서 위수령의 존치시킬 필요는 없으며 폭발물 사고, 원자력발전소 사고 등 경찰력만으로 상황을 수습하기 어려운 때를 위한 군 병력 출동 근거 법령이 따로 필요할 수는 있다고 분석했다 (경향신문, 3월 11일자).

47. 1950년에 제정된 위수령은 마산 지역에 발령된 것을 포함하여 총 세 차례 발령되었다. 첫 번째는 1965년 8월 14일 한일협정비준안이 국회에 통과하자 학생 시위가 격화되어 서울시장의 요청으로 병력이 출동하였다. 당시 연세대와 고려대에 휴교령이 내려졌다가 31일 후에 정상화되었다. 이 기간 중인 8월 26일 서울시장의 요청으로 병력이 출동하였다가 9월 25일 철수하였다. 두 번째는 1971년 8월 20일부터 10월 14일까지 교련반대시위로 인하여 사회질서가 문란해지자 서울시장의 요청으로 10월 15일부터 11월 9일까지 서울대 등 서울 시내 9개 대학에 병력이 출동하여, 해당 대학에 휴교령이 내려져 26일간 지속되었다.

48. 이에 대하여는 박영주, 「마산의 항쟁 – 쟁점을 중심으로」, 『부마항쟁의 진실을 찾아서』, 선인, 2016, 156면 이하; 부마항쟁에서 발생한 인권침해사건, 제3부 제3소위원회 사건(1), 진실화해를 위한 과거사정리위원회 2011, 423면 참조.

들이 합세한 대규모 시위가 전개되었다. 19일 공수부대 1개 여단 등의 군인들이 탱크를 앞세우고 경비하였으나 시위는 오히려 격화되는 양상을 보였고, 이에 20일 정오를 기해 마산·창원 일원에 위수령이 발동되었다.

마산지역의 위수령 발동과 관련해서는 우선 위수령에 의한 병력 출동의 법적 정당성이 논의되어야 할 것이다. 위수령 제12조는 위수사령관은 재해 또는 비상사태에 즈음하여 서울특별시장.부산시장 또는 도지사로부터 병력 출동의 요청을 받았을 때에는 육군 참모총장에게 그 승인을 얻어 이에 응할 수 있고 긴급한 경우에는 바로 요청에 응하되 즉시 육군참모총장에게 보고하도록 하고 있다. 위수령 12조에 의한 병력출동의 성격은 행정조직법적으로는 행정응원이고[49], 행정작용법적으로는 재해 시 병력출동은 행정응원이지만 비상사태 하에서의 병력출동은 비상질서행정작용으로 이해해야 할 것이다. 위수령에 의한 병력출동이 재해나 비상사태가 발생했을 때 재해복구와 같은 물리적 복구만을 목적으로 하는 경우에는 적법한 행정응원으로서 특별한 문제가 없으나, 문제는 재해나 비상사태 시 무장한 병력이 질서유지활동을 직접 담당하는 경우이다. 이 경우 비상질서행정작용으로서 헌법과 법률의 제한 범위 내에서 행사되어야하기 때문이다. 헌법과 계엄법에 따라 군대가 국내질서유지업무를 담당할 수 있는 경우는 비상계엄이 선포된 경우로 한정된다. 이 경우도 헌법상 법치주의의 중대한 예외로 엄격한 요건 해석을 통해서만 가능할 뿐만 아니라 국회에 대한 사후통제를 받도록 하고 있다. 그런데 위수령 제12조는 비상계엄이 선포되지 않은 경우에도 군병력이 민간치안에 개입할 수 있는 규정이므로 헌법과 법률에 부합하지 않는다. 군대가 비상질서행정작용을 할 수 있는 경우를 헌법이 계엄으로 한정한 취지는 군병

---

49. 김원중·양철호, 앞의 논문, 445면 참조.

력이 민간 치안에 투입될 경우 의회주의와 시민사회가 붕괴될 수 있기 때문에 계엄선포와 계엄에 관한 절차를 준수하지 않고는 군병력이 민간 치안에 투입될 수 없다는 것을 명시적으로 선언한 것이라고 할 수 있다. 헌법은 국가비상사태와 같은 예외적 상황에서 군대로서 질서를 유지할 필요가 있는지의 판단을 국내질서유지의 최고책임자이자 군통수권자인 대통령에게 일임하고 군대가 국내질서유지에 투입되는 경우에도 기본권 보호와 의회주의가 훼손되지 않도록 절차를 규정하고 있는 것이다. 그러므로 헌법이 규정한 계엄의 요건을 충족하지 않는 한 군대는 국내질서유지에 투입될 수 없다고 해야 한다. 비상사태의 경우는 물론 재해 시에도 그것이 물리적 복구를 위한 인적.물적 자원의 투입이 아니라 질서유지 목적의 무장병력 투입인 경우에는 위헌적 공권력 행사로 봐야할 것이다. 그렇다면 위수령 제12조에 규정된 병력출동은 재해 또는 비상사태의 경우 지방자치단체장의 요청에 의한 행정응원적 병력 투입으로서 지방자치단체의 복구 작업을 지원하는 보충적 작용에 그치는 것으로 해석해야 한다.

따라서 마산 시위 당시의 위수령은 위임입법 금지의 원칙과 명확성의 원칙 등 위헌적 요소를 가지고 있었기 때문에 위수령 규정에 근거하여 민간 영역의 치안질서에 적용할 수 없는 것이다. 설사 적용한다고 하더라도 엄격한 해석 하에서 헌법상 계엄선포 수준에서의 논의가 이루어져야 한다.

위수 지역의 병력 출동은 비상사태 시에 가능하다. 여기서 비상사태는 헌법이 예정하는 정상적인 수단으로는 극복될 수 없는 국가생활에 중대한 장애가 발생한 경우를 말한다. 즉 전쟁, 내란, 중대한 경제적 위기, 자연재해 등 다양한 요인에 의하여 발생할 수 있다. 그런데 당시 마산 지역의 시위는 위수령이 발령된 20일 정오에는 이미 시위가 잦아든 상태였기 때문에 비상사태로 볼 수 없었다. 또한 위수령이 발령되기 전인 18일 경에 이미 군병력이 투입되어[50] 사실상 군에 의한 질서유지가 이루어지고 있었던 점도 20일 정오의 위수령 발동 요건을 결하는 것으로 볼 수 있다. 특히 위수령 발동 전의 군병력 투입은 헌법상 대통령의 계엄선포에 의하거나 비상사태 시 위수지역의 병력출동을 규정한 위수령, 이 두 가지 법령을 위반한 불법적 국가행위로 볼 수 있다. 그럼에도 불구하고 당시 마산지역 위수작전사령관 조옥식 소장은 위수령 발동에 즈음하여 다음과 같은 담화문을 발표하였다.

> 친애하는 마산시민 여러분, 일부학생과 불순분자들의 난동 소요로 우리 군은 마산시의 안녕과 질서를 유지하고 시민의 생명과 재산을 보호하기 위해 마산시 일원에 위수령을 발동합니다. 시민 여러분은 필요 없이 시위군중에 휩쓸려 구경함으로써 주동자 체포, 질서 확립에 지장을 초래하고 데모 군중으로 오인돼 체포되는 피해를 당하지 않도록 유의해 주기 바랍니다. 우리 군은 데모를 뒤따르는 군중은 시위군중으로 판단하고 전원 연행하겠습니다. 특히 통금시간을 엄수하여 주기 바랍니다. 마산시의 질서가 하루속히 회복되어 안정된 생활이 유지될 수 있도록 적극 협조해주기 바랍니다.[51]

"일부학생과 불순분자들의 난동 소요로 우리 군은 마산시의 안녕과 질서를 유지하고"라는 담화문 내용이 보여주듯이, 군의 병력출동 요건이 될 수 있는 비상사태에 대한 법률적 해석을 찾아 볼 수 없는 추상적 판단만으로 위수

---

50. 박영주, 앞의 논문, 156면; 부마항쟁에서 발생한 인권침해사건, 제3부 제3소위원회 사건(1), 진실화해를 위한 과거사정리위원회, 2011, 433면 참조.
51. 중앙일보, 1979년 10월 20일자.

령 발동의 정당성을 주장하고 있다. 또한 "질서 확립에 지장을 초래하고 데모 군중으로 오인돼 체포되는 피해를 당하지 않도록"이라는 표현이 보여주듯이, 위수령 발동에 의한 질서유지 과정에서 일반 국민의 생활 전반에 대한 기본권 침해 가능성을 염두에 둔 반이성적 국가행위를 보이고 있다. 이러한 국가의 헌정 유린 행위에 대한 일반 국민의 저항은 자연법적 권리로 정당화되는 것이며, 따라서 당시 마산 시민들의 항거는 저항권 행사로 봐야 할 것이다.

마산 지역 시위 진압 과정에서 장갑차를 앞세운 공수부대가 주둔하고, 착검한 총으로 무장한 군인들이 시위대를 진압하고 연행한 것으로 확인된다. 그런데 위수령 제15조는 "폭행을 받아 자위상 부득이 한 때", "다중성군하여 폭행을 함에 즈음하여 병기를 사용하지 아니하고는 진압할 수단이 없을 때", "신체·생명 및 토지 기타 물건을 방위함에 있어서 병기를 사용하지 아니하고는 방위할 수단이 없을 때" 예외적으로 사용하도록 하고 있다. 또한 제17조는 "폭행·반란·살인·도망·방화·강도 및 절도 등의 현행 범인"의 경우 체포할 수 있으나 군인 이외의 범죄자를 체포하기 위해서는 헌법 또는 경찰관으로부터의 원조 요청이 있을 때 가능하도록 했다. 학생과 시민에 의한 자발적 시위에 대한 군의 무장이나 현행범 체포는 이러한 병기사용 한계 및 현행범 체포요건을 위반하였다고 판단된다. 군의 민간인에 대한 병기사용인 위수령에 의하더라도 민간인에 대한 사용은 불가능하며 설사 사용한다고 하더라도 상위법인 경찰관직무집행법상의 무기사용 요건보다 훨씬 엄격한 요건을 요한다고 할 것이다. 또한 18일에서 19일 사이 시위 참여자 505명이 연행된 것을 보더라도 위수령 17조의 현행범 체포 요건을 충족하였는지 의심하지 않을 수 없다. 즉 폭행, 반란, 살인, 도망, 방화, 강도 및 절도 등의 현행범인에 대하여

만, 그것도 헌병 또는 경찰관으로부터 원조 요청이 있을 때만 체포할 수 있지만, 당시의 시위 양상은 범죄 행위와 무관한 유신체제에 저항이라고 볼 때 그러한 무차별적 연행 조치는 불법한 조치였다고 판단된다.

### 4. 부마민주항쟁과 긴급조치

여기서는 부마민주항쟁 당시 유지되고 있던 긴급조치 제9호와 부마민주항쟁의 관계를 논의하기로 한다. 부마민주항쟁은 긴급조치 제9호 하에서 일어났으며, 긴급조치 제9호와 함께 계엄령 및 위수령까지 발동된 상황이었다. 이와 함께 최근 헌법재판소에 의한 긴급조치 1, 2, 9호 위헌 결정과 이에 따른 당사자들의 권리구제 등을 다루고자 한다. 부마민주항쟁으로 불법하게 체포된 시민들이 긴급조치 위반으로 재판을 받은 사례가 적지 않다.

#### (1) 대통령 긴급조치권

유신헌법은 제53조에서 국가긴급권으로서 계엄선포권과 함께 긴급조치권을 규정하였다. 즉 "대통령은 천재.지변 또는 재정.경제상의 위기에 처하거나, 국가의 안전보장 또는 공공질서가 중대한 위협을 받거나 받을 우려가 있어, 신속한 조치를 할 필요가 있다고 판단할 때에는 내정.외교.국방.경제.재정.사법 등 국정 전반에 걸쳐 긴급조치를 할 수 있다"고 규정하고, 이러한 긴급조치에 대하여는 "사법적 심사의 대상이 되지 않는다"고 규정하였다.

유신헌법 제53조가 국가안전보장 또는 공공의 안녕질서에 대한 중대한 위협을 받을 경우뿐만 아니라 받을 우려가 있는 경우, 즉 사전적.예방적 목적을 위해서도 긴급조치를 발동할 수 있도록 규정하고 있었던 점은 국민의 자유와 권리를 제한하는 법률의 제정은 필요한 경우에 그쳐야 한다는 유신헌법상의 일반적 법률유보조항과 상충되는 점, 또한 긴급조치 발동의 전제가 되는 중대한 위협 여부에 대한 판단을 국무회의의 사전적 심의, 국무총리 및 관계국무위원의 부서 등 집행부 내부의 형식적 통제 이외에는 국민의 대표기관인 국회 등 어떠한 헌법기관의 사전적 통제나 의견 수렴 없이 전적으로 대통령의 자의적 판단 영역에 맡기고 있어 대통령 개인의 결정에 따라 국민의 기본권에 중대한 침해를 가져올 가능성을 처음부터 헌법에서 예정하고 있었던 점, 또한 국회의 사전 통제의 대상이 되지 않을 뿐만 아니라 사법심사의 대상이 되지 않는다는 점을 헌법에 명시함으로써 어떠한 민주적.법률적 통제도 차단함으로써 남용될 가능성을 열어두었다는 점 등에서 그 내재적 한계를 일탈하였다고 할 수 있다.[52]

　　이러한 긴급조치는 유신체제 전반에 걸쳐 발동되었다. 개헌청원운동에 대한 탄압 조치로 발동된 긴급조치 제1호 및 제2호(1974. 1. 8.)는 헌법에 대한 논의를 전면적으로 금지하고 위반자를 비상군법회의 재판에 의해 15년 이하의 중형으로 처벌함으로써 국민의 정치적 표현의 자유의 본질적 내용을 침해하고 죄형법정주의를 위반하였다. 민청학련 사건과 그 배후조직으로 지목된 인혁당재건위 사건의 관련자들을 처벌하기 위하여 발동된 긴급조치 제4호(1974. 4. 3.) 또한 일체의 반정부적 의사표현과 대학생들의 학내에서의 모든 행위를 금지함으로써 표현의 자유와 학문의 자유에 대한 심각한 훼손을 가져왔다. 사회 전 부문에서 반유신운동이 거세지고 고려대에서 대규모 시위가 발생하자 긴급조치 제7호(1975. 4. 8.)가 발동되어 학내에 군대가 주둔

---

52. 권례령, 「유신헌법상 긴급조치권과 그에 근거한 긴급조치의 불법성」, 『법학논집 제14권』 제2호, 이화여자대학교 법학연구소, 2009. 12. 193면.

했다. 연이어 발동된 긴급조치 제9호(1975. 5. 13.)는 그때까지의 모든 긴급조치의 핵심적 내용을 집대성하여 확대.재편한 것으로 국민의 기본권 전반에 대해 광범위하고 지속적인 침해를 통한 유신시대 후반기의 핵심적 통치수단으로서 10.26사태 이후까지 지속되었다.[53]

### (2) 부마민주항쟁과 긴급조치 제9호

"국가안전과 공공질서 수호를 위한 대통령 긴급조치"라는 이름으로 선포된 긴급조치 제9호는 1호부터 7호까지의 모든 긴급조치의 핵심적 내용을 또다시 긴급조치의 형식으로 집대성하여 강제함으로써 국민의 기본권 전반에 대한 광범위하고 지속적 침해를 예고하였다.[54] 기존의 긴급조치들을 확대.재편한 내용으로 집회.시위는 물론이고 신문·방송·문서 등의 표현물에 의한 유신헌법의 부정, 반대, 왜곡, 비방, 개정 및 폐기 주장, 청원 · 선전하는 행위 일체를 금지하고 이를 위반한 자는 영장 없이 체포할 수 있게 하였으며, 특히 이 조치에 의한 명령은 사법심사의 대상이 되지 않음을 명시함으로써 제도 자체로서 이미 합헌적 국가긴급권으로서 정당화될 수 없었다. 이 조치는 그 이전의 긴급조치를 종합한 성격이었으므로 그 이전 조치들의 불법성 또한 그대로 연장.지속되었다. 긴급조치 제9호는 국가긴급권이 갖추어야 할 내재적 한계들을 일탈하였을 뿐만 아니라 유신헌법이 규정하고 있는 긴급조치권의 한계마저 지키지 않은 이중의 불법적 조치였다.

이러한 긴급조치 제9호에 의해 기본권 전반에 대한 광범위한 제한 하에서 유신철폐와 독재타도를 외친 부마민주항쟁이 일어났고, 이에 계엄령 및

---

53. 채백, 「박정희 정권의 긴급조치와 개인의 언론 자유」, 『언론정보연구 제53권』 제1호, 서울대학교 언론정보연구소 2016, 181면 이하; 성낙인, 대한민국헌법사, 법문사, 2012, 238면.
54. 채백, 위의 논문, 185면.

위수령에 의한 군에 의한 강제 진압이 행해진 것이다. 다수의 연행자들은 긴급조치 위반으로 기소되어 재판을 받았다.[55] 유신체제 하에서의 긴급조치가 대부분 유신헌법을 비롯한 유신체제의 유지에 반대 여론을 잠재우기 위한 정치적 표현의 자유에 대한 제한에 집중되었다고 볼 때, 부마민주항쟁은 정권이 가장 우려했던 부분에 타격을 가한 점에서 유신체제에 치명상을 입혔다고 볼 수 있다. 이에 긴급조치 제9호에, 계엄령 및 위수령까지 동원하여 필사적으로 진압한 이유도 바로 거기에 있었다고 할 것이다. 부마민주항쟁이 우리나라 민주주의 역사에 기여한 바도 바로 이 점에서 찾을 수 있을 것이다.

긴급조치, 계엄령 그리고 위수령 하에서 행해진 부마민주항쟁의 헌법적 가치는 최근 긴급조치 1호, 2호, 9호의 위헌 결정으로 새롭게 평가받고 있다고 생각한다. 헌법재판소는 유신헌법 제53조와 긴급조치 1 · 2 · 9호에 대해 낸 헌법소원사건[56]에서 "북한의 남침 가능성의 증대라는 추상적이고 주관적인 상황인식만으로는 긴급조치를 발령할 만한 국가적 위기상황이 존재한다고 보기 부족하고, 주권자이자 헌법개정권력자인 국민이 유신헌법의 문제점을 지적하고 그 개정을 주장하거나 청원하는 활동을 금지하고 처벌하는 긴급조치 제9호는 국민주권주의에 비추어 목적의 정당성을 인정할 수 없다. 다원화된 민주주의 사회에서는 표현의 자유를 보장하고 자유로운 토론을 통해 사회적 합의를 도출하는 것이야말로 국민총화를 공고히 하고 국론을 통일하는 진정한 수단이라는 점에서 긴급조치 제9호는 국민총화와 국론통일이라는 목적에 적합한 수단이라고 보기도 어렵다"고 하였다. 또한 "긴급조치 제9호는 학생의 모든 집회 · 시위와 정치관여행위를 금지하고, 위반자에 대하여는

---

55. 부마항쟁에서 발생한 인권침해사건, 제3부 제3소위원회 사건(1), 진실화해를 위한 과거사정리위원회 2011, 425~426면 참조.
56. 헌재 2013. 3. 21. 2010헌바70 ˙ 132 ˙ 170(병합).

주무부장관이 학생의 제적을 명하고 소속 학교의 휴업, 휴교, 폐쇄조치를 할 수 있도록 규정하여, 학생의 집회·시위의 자유, 학문의 자유와 대학의 자율성 내지 대학자치의 원칙을 본질적으로 침해하고, 행위자의 소속 학교나 단체 등에 대한 불이익을 규정하여 헌법상의 자기책임의 원리에도 위반되며, 긴급조치 제1호, 제2호와 같은 이유로 죄형법정주의의 명확성 원칙에 위배되고, 헌법개정권력의 행사와 관련한 참정권, 표현의 자유, 집회·시위의 자유, 영장주의 및 신체의 자유, 학문의 자유 등을 침해한다"고 하였다. 이러한 헌법재판소의 긴급조치 제9호에 대한 위헌 판결은 유신체제에 항거한 부마민주항쟁의 정당성을 공고히 하는 것으로 볼 수 있으며, 또한 저항 과정에서 발생한 위법행위들은 정당성을 가지게 되는 것이며, 나아가 이러한 행위는 저항권 행사로서 받아들여질 수 있는 이유가 될 수 있다.

이러한 헌법재판소의 판결에도 불구하고 대법원은 긴급조치에 대한 국가배상책임을 인정하지 않고 있다. 즉 긴급조치는 그 발령의 근거가 된 유신헌법 제53조가 규정하고 있는 요건 자체를 결여하였을 뿐만 아니라, 민주주의의 본질적 요소이자 유신헌법과 현행 헌법이 규정한 표현의 자유를 심각하게 제한함으로써 국민의 기본권을 침해한 것이므로 위헌·무효이다.[57] 그러나 긴급조치 제9호가 사후적으로 법원에서 위헌·무효로 선언되었다고 하더라도, 유신헌법에 근거한 대통령의 긴급조치권 행사는 고도의 정치성을 띤 국가행위로서 대통령은 국가긴급권의 행사에 관하여 원칙적으로 국민 전체에 대한 관계에서 정치적 책임을 질 뿐 국민 개개인의 권리에 대응하여 법적 의무를 지는 것은 아니므로, 대통령의 이러한 권력행사가 국민 개개인에 대

---

57. 대법원 2013. 4. 18.자 2011초기689.

한 관계에서 민사상 불법행위를 구성한다고는 볼 수 없다[58]는 것이다.

생각건대 긴급조치 발령행위가 공무원의 위법·유책의 직무행위에 해당한다고 본 원심의 판단에 국가배상책임의 성립요건에 관한 법리를 오해한 잘못이 있다고 본 대법원의 판단은 우리 헌정사의 맥락에서 주어지는 과거청산과 이를 통한 법적 정의의 회복이라는 역사적 과제를 외면한 것임은 물론이고, 국가배상책임제도의 기본법리에 대한 오해가 아닌가 생각된다.


## Ⅳ. 부마민주항쟁과 헌법 전문 개정

### 1. 헌법 전문의 의의

헌법 前文preamble이란 헌법의 본문 앞에 위치하여 헌법전의 일부를 구성하고 있는 헌법의 序文을 말한다.[59] 전형적으로 헌법 전문은 헌법제정의 역사적·정치적 배경, 헌법제정의 계기와 근거, 헌법에 대한 헌법제정자의 이해와 추구하는 방향, 국가의 본질적 목표에 관한 표현을 담고 있다.

헌법 전문은 성문헌법의 필수적인 구성요소는 아니나[60] 대부분의 헌법이 전문으로 시작하고 있다. 우리 헌법도 전문을 두어 헌법제정의 유래, 헌법의 근본이념, 기본적 가치질서, 헌법의 제정 주체 등을 개괄적으로 천명하고 있다. 이로써 헌법 전문은 본문의 헌법규정에 나타나는 규범적 내용의 연혁적·이념적 기초로서의 성격을 갖는다. 헌법제정 및 개정 당시의 헌법적 가

58. 대법원 2008. 5. 29. 선고 2004다33469.
59. 양건 외, 헌법주석서 Ⅰ, 법제처, 2010, 32면.
60. 양건 외, 위의 책, 33면.

치질서나 헌법적 모멘트를 헌법 전문에서 밝히고 있는 것이다.

현행 헌법은 4·19에 의해 수립된 제2공화국 헌법과 더불어 국민의 민주화 열망이 탄생시킨 헌법이며, 국민의 의사가 가장 많이 반영된 헌법이라고 할 수 있다. 이러한 국민적 열망이 헌법 전문에 나타나는데, 그것이 4·19와 관련하여 "불의에 항거한 4·19민주이념을 계승"한다고 규정한 점이다. 이를 통해 헌법 전문에서 국민의 저항권 행사를 정당화 하고 이를 계승하도록 명시함으로써 사실상 저항권을 인정하고 있다는 것이다.[61] 헌법 전문 개정에서 부마민주항쟁의 정신을 명기하고자 한다면 바로 이 점에 착안해야 할 것이다.

## 2. 헌법 전문의 법적 성격과 기능

현행 헌법 전문의 내용은 헌법제정·개정의 유래 및 헌법제정·개정권력의 주체, 국가 기본질서의 천명, 헌법의 인간상, 국가의 기본목표를 밝히고 있다. 이러한 헌법 전문은 입법기술적으로 통상적인 법규범의 형식이 아니라 선언, 호소, 약속 등의 형식으로 표현되기 때문에 규범적 의미보다 정치적 의미를 가질 수도 있다.

헌법 전문의 이러한 성격으로 인해 그것이 규범적 효력을 가지는지가 문제되지만, 오늘날에는 헌법 전문도 헌법 규범의 일부로서 국가기관을 구속하는 규범적 효력을 가지며, 이에 따라 입법의 지침으로서, 법적용기관에게는 헌법에 법률의 해석에 있어서 해석 기준으로서 기능하고, 헌법재판기관에게는 공권력 행위의 위헌성을 심사하는 재판규범이 되는 것으로 보고 있

---

61. 서희경, 「한국헌법의 정신사」, 『정치사상연구 17(1)』, 한국정치사상학회, 2011. 5. 51면.

다.[62] 물론 전문에 포함되어 있는 다양한 내용은 다양한 성격의 것으로서 모든 내용이 동일한 정도의 규범적 효력을 가지거나 재판규범으로서 기능하는 것은 아니다. 헌법 전문 중에는 그 자체로서 독자적인 법적 의미를 가지지 못하지만, 헌법해석에 고려됨으로써 제한적이나마 규범적 의미를 가지고 있는 부분도 있다. 예컨대 3·1운동, 419이념은 그 자체로서 독자적인 의미는 없으나 저항권과 관련하여 해석의 기준으로 작용함으로써 저항권을 인정하는 헌법적 근거가 될 수 있다. 그러한 의미에서 부마민주항쟁도 헌법 본문과 전문의 유기적 관계와 헌법의 규범적 성격을 고려하여 4·19와 함께 저항권으로서의 성격을 헌법 전문에 강화하는 형태로 나갈 필요가 있을 것이다.

아울러 헌법 전문은 다음과 같은 기능[63]을 수행한다. 첫째, 교육적 기능이다. 헌법 전문은 성문헌법전의 가장 중요한 구성부분 중의 하나로서 국민들에게 헌법을 홍보하는 기능을 담당한다. 이는 헌법 전문은 헌법 본문과 달리 상대적으로 간결하고 일반적인 용어로 기술되어 있다는 점에서도 잘 알 수 있다. 둘째, 설명적 기능이다. 헌법 전문은 헌법 제정의 이유를 밝히고 헌법이 지향하는 궁극적 목표를 제시한다. 셋째, 형성적 기능이다. 헌법전문은 국가적 정체성을 공고히 하는 정치적 구심점으로 기능한다. 넷째, 법규범으로서의 기능이다. 헌법전문은 국가와 국민의 행위규범으로 작용하고 재판에 적용되는 재판규범으로 기능한다.

이러한 헌법 전문이 가진 기능을 고려할 때 부마민주항쟁은 헌법 전문의 교육적·형성적 기능에 기여할 수 있다. 부마민주항쟁에 있어서의 주권자 국민의 저항 정신이나 유신체제의 종언과 자유민주주의의 회복에 기여한 점,

---

62. 헌재 1989. 1. 25. 88헌가7.
63. 강승식, 「헌법전문의 기능에 관한 비교법적 고찰」, 「홍익법학 제13권」 제1호, 홍익대학교 법학연구소, 2012, 84면 이하 참조.

그리고 부마민주항쟁의 정신이 현행 헌법에 투영되어 있다는 점은 우리 헌법의 정체성은 물론이고 헌법의 교육적 기능의 측면에서도 대단히 유의미하다고 할 것이다.

### 3. 부마민주항쟁의 헌법 전문 편입

전술한 바와 같이 제9차 개정에 의한 현행 헌법은 전문에서 "유구한 역사와 전통에 빛나는 우리 대한민국은 3 · 1운동으로 건립된 대한민국임시정부의 법통과 불의에 항거한 4 · 19 민주이념을 계승하고, … 1948년 7월 12일 제정되고 8차에 거쳐 개정된 헌법을 이제 국회의 의결을 거쳐 국민투표에 의하여 개정한다"라고 규정하여 3 · 1운동의 법통과 4 · 19의 이념을 계승하고 있음을 표명하고 있다. 부마민주항쟁의 헌법 전문 수록도 이에 의거하여 논의할 수 있을 것이다.

헌법은 정치공동체의 최고 규범이며, 그 전문은 국가의 정치적 영혼에 해당한다. 그런 정치공동체의 규범과 영혼은 근본적인 역사적 체험에 의해 탄생한다. 현행 헌법이 전문에 4 · 19를 담은 것은 자유민주주의를 이념이 아닌 체험으로 자각한 최초의 사건이다.[64] 즉 헌법 전문에 4 · 19 정신을 담은 것은 이러한 역사적 의미를 법의 형태로 공식화 한 것이다.

그러한 의미에서 볼 때 부마민주항쟁의 헌법 전문 명기에 대한 논의는 헌법의 자유민주적 가치질서를 우리 헌정사의 생생한 체험을 통해 다시 헌법전에 구현하는 의미 있는 작업이 될 수 있을 것이다. 10 · 26사태와 유신의 종언이 '서울의 봄'과 함께 곧바로 자유민주주의의 회복으로 이어지지 못하고

---

64. 서희경, 앞의 논문, 35면.

신군부의 군사쿠데타에 의한 권력 장악과 그에 이은 제5공화국 헌법의 탄생[65]은 부마민주항쟁과 5·18광주민주항쟁의 정신[66]이 헌법에 구현되지 못한 원인이 되었다고 생각한다. 이어 6월 민주항쟁에 의한 제9차 개헌도 그간의 우리 헌법정치의 상황을 고스란히 담아내지 못한 미완의 개헌이었다. 즉 유신체제와 군사정권의 종언을 고하는 헌법 상황을 헌법 전문에 구현하지 못한 면이 있다.

생각건대 4·19와 부마민주항쟁, 그리고 5·18광주민주항쟁은 그 맥을 같이 하는 주권자이자 헌법제정권력자인 국민의 저항권 행사의 발로였다고 생각할 수 있다. 또한 부마민주항쟁과 5·18광주민주항쟁은 유신체제의 종언과 6월 민주항쟁에 의한 제9차 개헌과 현행 헌법으로 이어지는 헌정사의 또 다른 전기를 마련한 사건들이다. 그러한 의미에서 부마민주항쟁과 5·18광주민주항쟁을 함께 저항권을 행사한 헌법 정신으로 전문에 편입하는 것은 그간 형성된 우리의 헌정적 경험을 담아내는 중요한 작업이라고 생각된다.

그러나 이러한 희망 섞인 주장과는 달리 부마민주항쟁의 헌법 전문 편입은 결코 쉽지 않으리라 생각된다. 헌법 전문 개정을 포함한 헌법개정은 헌법 제130조 규정에 의하는 바와 같이 절차적으로도 어려울 뿐만 아니라, 헌법개정 내용의 국민적 공감대 형성이라는 실질적 어려움도 가지고 있다. 최근 각계의 헌법개정 논의에 있어서 대체로 헌법 전문 개정 자체를 반대하고 있는 것이나[67], 설사 전문을 개정하는 경우에도 개별 사건의 헌법 전문 편입에는

---

65. 이병규, 「제5공화국 헌법의 성립과 정부헌법개정활동」, 헌정사연구회 발표문, 2017. 8. 3면 이하 참조.
66. 이에 대하여는 민병로, 헌법전문과 5·18정신, 헌법학연구 제14권 제3호, 한국헌법학회, 2008. 9 참조.
67. 헌법연구자문위원회 편, 「헌법연구자문위원회 결과보고서」, 2009, 24면; 국회법제실, 헌법개정자문위원회 헌법개정안, 2014, 18면.

부정적인 입장을 보인다.[68] 그렇다면 부마민주항쟁에서부터 6월 민주항쟁에 의한 현행 헌법에 이르는 근년의 헌정사를 유신체제와 군사정권의 종언을 고하는 일련의 사건으로 묶어서 저항권 행사로 전문에 편입하는 방법이나, 더 멀리 4·19, 부마민주항쟁, 5·18광주민주항쟁, 6월 민주항쟁 독재정부에 항거한 주권자 국민의 저항권 행사로 함께 편입하는 방법은 어떨까 생각한다. 이에 대한 논의가 헌법 전문의 편입 등 헌법개정에 대한 논의로 발전하기 위해서는 부마민주항쟁에 대한 부산·마산 및 창원 지역에서의 공감대 형성은 물론이고 널리 국민적 공감대 형성을 위한 진상규명과 보다 근본적인 형태의 법률제정 및 개정이 이루어질 때 가능하다고 생각한다.

## V. 결론: 부마민주항쟁의 헌법적 가치

이 글은 부마민주항쟁을 저항권, 국가긴급권, 그리고 헌법 전문 개정 등 헌법적 관점에서 논의한 것이다. 이를 통해 부마민주항쟁의 헌법적 가치가 무엇이며, 또한 그것이 우리 헌법 정신에 어떻게 투영될 수 있는지 모색하고자 한 것이다.

부마민주항쟁은 부산과 마산이라는 특정 지역에서 유신체제 내내 유지된 긴급조치와 계엄령, 위수령 속에서 '유신철폐'와 '독재타도'를 외친 저항권 행사로 평가할 수 있을 것이다. 유신체제는 광범위한 기본권 제한을 통한 체제 유지를 시도하였으나, 자신들이 가장 두려워했던 반정부시위가 긴급조치 하에서 일어나면서 치명상을 입었다고 할 수 있다. 이러한 시위 발생으로 부

---

68. 대화문화아카데미 편, 「새로운 헌법 무엇을 담아야 하나」, 2011, 84면 이하 참조.

산과 마산에는 각각 비상계엄과 위수령이 발동되어 무차별적 강제연행이 이루어졌다. 부산에서 발동된 비상계엄령은 유신헌법상 제53조 및 계엄법상의 발동 요건과 절차를 위반한 발동이었고, 마산에 발동된 위수령은 대통령령으로서의 위수령이 상위법에 근거를 두지 않고, 또한 위수령상의 발동 요건을 충족하지 않은 위법한 발동이었다. 이러한 긴급조치와 국가긴급권 발동 속에서도 유신에 항거하였다는 것이 부마민주항쟁이 우리 민주주의 역사에 던지는 중요한 메시지가 아닌가 생각된다. 이리하여 오늘날 유신체제에 반대하여 일어난 부마민주항쟁은 헌정질서의 회복을 위한 민주화 운동이었고, 이에 불법적 국가긴급권 행사를 통한 정부의 강압 조치는 범죄행위로 평가되어야 할 것이다.

부마민주항쟁은 결국 유신체제가 막을 내리는 단초가 되었으며, 이후 5·18광주민주항쟁과 6월 민주항쟁으로 이어지는 길을 내었다고 할 것이다. 부마민주항쟁의 정신도 바로 여기서 찾아야 하고, 그리고 이것은 향후 헌법 개정에 반영되어야 할 것이다. 헌법 전문 개정의 현실적 어려움은 예상되지만, 여하튼 우리 헌법은 그간의 헌법정치의 경험을 새로운 헌법에 반영해야 하며, 그리고 그 한 자리에 부마민주항쟁이 고려되어야 할 것이다.[69] 이를 위해서는 부마민주항쟁의 헌법적 가치에 대한 국민적 공감대 형성은 물론이고, 아울러 계속적인 이 항쟁의 진실 규명을 위한 노력이 요구될 것이다.

---

68. 지난 3월 26일 문재인 대통령은 헌법 제128조 제1항에 따라 「정부헌법개정안」을 발의하였고, 그 개정안 전문에 '부마민주항쟁'을 새롭게 넣었다("우리 대한국민은 3·1운동으로 건립된 대한민국임시정부의 법통과 불의에 항거한 4·19혁명, 부마민주항쟁과 5·18민주화운동, 6·10항쟁의 민주이념을 계승하고"). 그리고 이러한 개별 역사적 사건을 헌법 전문에 표현한 취지를 대한민국이 추구하는 가치와 지향을 분명히 할 수 있도록 헌법적 의의를 갖는 중요한 역사적 사건과 사회적 가치를 명시할 필요가 있다(대한민국헌법개정안, 4면 참조)고 하였다.

## 참고문헌

갈봉근, "조국의 평화적 통일을 위한 유신헌법," 『광장』 제37권, 세계평화교수아카데미사무국, 1976.

강승식, "헌법전문의 기능에 관한 비교법적 고찰," 『홍익법학』 제13권 제1호, 홍익대학교 법학연구소, 2012.

국회사무처, 『국회사: 제10대 국회』, 대한민국국회, 1992.

권례령, "유신헌법상 긴급조치권과 그에 근거한 긴급조치의 불법성," 『법학논집』 제14권 제2호, 이화여자대학교 법학연구소, 2009. 12.

김상겸, "계엄법에 관한 연구," 『헌법학연구』 제11권 제4호, 한국헌법학회, 2005. 12.

김영휴, 대통령의 긴급조치권에 관한 재검토, 사회과학연구 제3호, 조선대학교 사회과학연구소, 1980.

김원중 · 양철호, 위수령의 입법적 문제점과 개선방안, 토지공법연구 제63집, 한국토지공법학회, 2013. 11.

대한민국헌법개정안, 2018. 3.

대화문화아카데미 편, 새로운 헌법 무엇을 담아야 하나, 2011.

민병로, 헌법전문과 5 · 18정신, 헌법학연구 제14권 제3호, 한국헌법학회, 2008. 9.

민병욱, 부마항쟁의 문학사회학적 수용과 그 한계, 항도부산 제27호, 부산광역시 시사편찬위원회, 2011.

박찬주, 대통령긴급조치와 위헌선언, 인권과 정의 Vol. 421, 대한변호사협회, 2011.

부마민주항쟁 35주년 기념 학술행사 자료집, 2014. 10. 14.

부마민주항쟁 30주년 기념 토론회, 2009. 6. 19.

서희경, 한국헌법의 정신사, 정치사상연구 17(1), 한국정치사상학회, 2011. 5.

성낙인, 『대한민국헌법사』, 법문사, 2012.

_____, 『헌법학』, 법문사, 2017.

_____, 「유신헌법의 역사적 평가, 『공법학연구』 제31집 제2호, 한국공법학회, 2002.

역사학연구소 지음, 함께 보는 한국근현대사, 서해문집, 2011.

양건 외, 『헌법주석서』, 법제처, 2010.

이광원, 위수령의 해석과 입법방향, 법학논총 제24권 제1호, 국민대학교 법학연구소, 2011.

이병규, 제5공화국 헌법의 성립과 정부헌법개정활동, 헌정사연구회 발표문, 2017. 8. 3.

정태호, 5 · 18 광주민주화운동과 저항권, 공법연구 제28집 제2호, 한국공법학회, 2000.

조정관, 한국 민주화에 있어서 부마항쟁의 역할, 21세기정치학회보 제19집 2호, 21세기정치학회,

　　　　2009.

채　백, 「박정희 정권의 긴급조치와 개인의 언론 자유」, 『언론정보연구』 제53권 제1호, 서울대학교
　　　　언론정보연구소, 2016.

한수웅, 『헌법학』, 법문사, 2017.

한태연, 『헌법학』, 법문사, 1977.

홍순권 외, 『부마항쟁의 진실의 찾아서』, 선인, 2016.

# 부마민주항쟁과 정치적 조작
## : 배후세력과 총기사건 조작

김 선 미

부산대학교 사학과 강사

# Ⅰ. 머리말

부마민주항쟁은 대규모 학생시위에 지역주민의 전폭적인 참여로 폭발한 박정희정권 시기 최대의 정권반대투쟁으로, 4월혁명 이후 20년 만에 대중투쟁의 전통을 부활시킨 역사적 사건이다. 이에 박정희 정권은 1965년 한일협정반대투쟁과 1972년 유신쿠데타 이후 7년 만에, 다시 계엄령이라는 선택을 피할 수 없었다. 계엄령 선포는 부마민주항쟁으로 인한 정권의 위기의식이 어느 정도였는지를 잘 보여준다.

이에 박정희 정권은 한편으로 폭력적인 진압을 자행하면서, 다른 한편으로 항쟁을 여론으로부터 유리시키기 위한 공작에 착수했다. 이를 위해 항쟁의 배후에 사회혼란을 야기하는 불순세력이 개입했다는 상투적인 선동과 함께, 저항세력의 폭력성을 극단적으로 부각시킴으로써 저항의 정당성을 훼손하려는 정치적 조작을 감행했다. 이 과정은 온전히 살인적인 고문과 인권유린을 통해서 진행되었다. 그 결과 부마민주항쟁을 이북의 지령을 받은 반국가 단체의 배후 조종에 의한 폭동으로, 항쟁 참가자는 총기를 사용한 폭도로 조작하였던 것이다.

하지만 정치적 조작은 그간 세간의 관심을 끌지 못했다. 부마민주항쟁의 배후 및 총기사용을 조작하는 공작은 박정희의 사망과 함께 일단 중지되었기 때문이다. 그 결과 부마민주항쟁 연구에서도 주목받는 연구 대상이 되지 못하였다. 마산의 사제총기 조작 사건을 분석한 박영주의 서술[1] 이외에, 지금까지 이 주제를 포괄적으로 다룬 연구는 없는 실정이다. 그럼에도 이 주제는 부마민주항쟁 연구의 완결을 위해 불가결한 부분이다. 무엇보다도 조작

---

1. 박영주, 「마산의 항쟁 – 쟁점을 중심으로」, 홍순권 외 『부마민주항쟁의 진실을 찾아서』, 2016, 선인.

사건은 정권 말기의 민낯을 가감 없이 드러내기 때문이다. 이는 부마민주항쟁이 타도 대상으로 삼았던 박정희 정권의 실체를 폭로함으로써, 역으로 부마민주항쟁의 역사적 의의를 명백히 하는 데 기여할 것이다.

또한 박정희가 사망하지 않았다면, 조작은 현실이 되어 부산과 마산은 물론, 전국 각지의 정권반대투쟁을 말살하는 각본으로 활용되었을 것이다. 특히 부산에서는 박정희가 피살된 뒤에도 조작 시나리오의 일부가 그대로 진행되어, 양서협동조합이 강제 해산되고 말았다. 이는 박정희 사망 이후에도 정치적 조작이 완전히 중단되지 않았음을 보여주는 증거이다. 나아가 그것은 박정희의 정치적 후계자인 전두환정권에 계승되어, 1980년 5·17예비검속과 1981년 부림사건으로 나타났던 것이다.

그럼에도 부마민주항쟁 시기의 정치적 조작을 규명하는 것은 합동수사단을 비롯한 조작 주도측의 관련 기록을 확보하기 어렵다는, 가장 기본적인 문제에 봉착해 있다. 최근 들어 합수단의 제1차 자문회의 자료를 확보한 것은 중요한 일이지만, 이후의 연속자료를 비롯하여 당시의 생산 자료 확보가 절실하다. 이 때문에 이 글에서는 조작 피해자의 구술 속에 드러난 허위자백을 토대로, 조작의 구체적인 계획과 경과를 재구성하고자 한다.

물론 구술 자료의 경우 시간적 선후관계의 착오나 사실에 대한 부분적인 망각 가능성 등의 한계를 지니고 있다. 하지만 폭력과 인권유린이 벌어진 경우, 가해자보다 피해자의 인식이 훨씬 사실에 가까울 개연성이 높다. 따라서 수사 과정에서 조작이 이루어지는 양상을 구체적이고 생생하게 되살리는 데, 당사자의 구술은 대체 불가한 탁월한 자료라고 할 수 있을 것이다. 구술의 착오나 부분적 오류는 취조 중에 작성된 '피의자신문조서'와 대조함으로써 상당 부분 보완 개선할 수 있다.

하지만 신문조서가 확인되는 것은 마산에서 검거된 경우에 한정되어 있다. 마산의 경우 관련 자료가 군법회의자료와 함께 편철되어 발굴되었기 때문이다.[2] 부산의 경우에도 계엄이 선포된 18일 이후 체포된 이들은 군법회의 자료와 편철되어 있을 가능성이 있다. 이외에도 정부문서보존서 등을 통해 관련자료의 확보를 위한 노력이 필요하다. 현재로서는 신문조서가 확인되는 마산 주동자의 경우 구술과 대조하여 내용을 구성하고, 그렇지 못한 부산 주동자의 경우는 조작 내용이 상호 연동되어 있는 관련자의 구술을 복합적으로 고려하여 사실관계를 재구성하였다.

이를 통해 부마민주항쟁 발생 직후부터 조작을 위한 시나리오가 준비되었고 수사의 개시와 함께 조작이 시작되었다는 것을 밝히고, 부산과 마산을 포괄하는 단일 배후를 조작하지 못하고 별개의 배후로 이원화하는 것으로 조작이 진행되는 과정을 서술할 것이다. 또한 양서협동조합의 강제 해산이 이미 부마민주항쟁 시기의 정치 조작에 포함되어 진행된 것이었음을 규명하고, 그간 사제총기 사건 조작이 알려진 마산 이외에 부산에서도 총기사건의 조작이 시도되었다는 점 등을 서술할 것이다.

## Ⅱ. 남조선민족해방전선준비위원회 연계 조작

부마민주항쟁 초기에 조작의 대상이 되었던 것은 남조선민족해방전선준비위원회(이하 남민전)[3]이었다. 10월 16일 도심시위 현장에서 체포된 황성권

---

2. 『군법회의재판기록 부마사건』, 1980년도 제36-4호, 36-5호.
3. 남민전은 한국사회의 민주화와 민족해방을 내걸고 조직된 비밀결사로서, 1979년 10월 모든 조직원이 검거되면서 유신말기의 최대 공안사건으로 기록되었다. 내무부장관의 발표로 세간에 처음 알려

(한국외국어대 스페인어과 3년, 당시 휴학)을 남민전의 일원인 박미옥(한국외국어대 스페인어과 3년)과 연결시켜, 남민전을 부마민주항쟁의 배후로 조작하려 한 것이었다.

16일 오전 부산대에서 시작된 학생 시위는 오후에 접어들면서 도심으로 확장되었다. 오후 1~2시를 지나면서 옛 시청과 광복동을 중심으로 한 중구 일대는 삼삼오오 모여든 학생들로 들어찼으며, 3시를 전후하여 곳곳에서 산발적인 소규모 시위가 벌어지기 시작했다. 3시 30분 경 드디어 대청로 한복판을 차지하며 대오를 갖춘 시위대열이 등장했는데, 시위대는 대청동과 광복동 일대에서 1시간 이상 대열을 유지하며 시위를 벌이는 데 성공했다. 이 대열을 리드한 것이 황성권이었다.[4]

이날 황성권은 후배인 김종철(고려대 법학과 4년)의 병역문제를 도와주기 위해 자신이 군 생활을 보낸 부산에 왔다가, 이를 마무리한 뒤 김종철과 함께 도심에 도착했다가 뜻밖의 상황에 직면한 터수였다. 시위가 있으리라 전혀 예상치 못했던 황성권은 일군의 학생들이 무리지어 있는 모습에서 심상치 않은 분위기를 느끼고 주변을 탐문했다. 그 결과 부산대에서 유신반대 시위가 있었다는 사실과 도심의 학생 무리가 그 연장선에 있음을 인지하게 되었다. 이에 도심시위의 물꼬를 터 주려 결심하고, 즉석에서 시위를 주동하게 되었다. 황성권은 앞장서 대열을 이끌고, 김종철은 대오 가운데서 황성권에 호응하면서 시위를 북돋웠던 것이다.[5]

---

진 것은 10월 9일이었다. 「'남조선민족해방전선준비위' 대규모 반국가 음모 조직 적발」, 『동아일보』 1979년 10월 9일.

4. 부산대 시위가 동래구와 연제구 일원의 가두시위를 거쳐 도심으로 확산되는 과정에 대한 자세한 내용은 김선미, 「부산의 항쟁 ─저항, 진압, 피해」(홍순권 외, 앞의 책 수록), 103~112쪽 참고.

5. 합동수사단, 「소요 집회 및 시위에 관한 법률 위반 피의사건 피의자 김종철에 대한 수사결과 보고」, 『군법회의재판기록 부마사건』 1980년도 제36─4호, 299쪽.

이런 양상을 눈여겨본 경찰은 황성권을 여타 학생들과 다른 전문 시위꾼으로 여기고, 시위대가 창선파출소 부근을 지나던 순간 체포했다. 황성권의 이력을 확인한 결과 서울에서 학생운동에 참여한 경력이 확인되었고, 황성권은 인근 호텔로 옮겨져 본격적인 취조를 받기 시작했다. 단순히 시위의 물꼬를 터주는 것에 자신의 역할을 제한하려 했던 황성권은 당황했지만, 이미 도심시위는 거대한 민중항쟁으로 전환되어 공권력을 위협하는 데 이르렀다. 의도한 것은 아니지만 결과적으로 황성권은 부마민주항쟁에 불을 지른 격이 되었고, 수사당국의 입장에서는 매우 중요한 역할이 되었던 것이다.

더욱이 황성권이 연행될 당시 부산대 시위의 주동급은 아무도 체포되지 않았고, 심지어 경찰은 이진걸 그룹과 정광민 그룹을 인지하지도 못한 상태였다. 이 때문에 황성권은 항쟁 초기에 집중적인 취조 대상이 되어, 이북과 연계된 시위의 배후를 추궁 받았다. 황성권과의 친분으로 인해 연행되어 조사받은 사람이 70명 전후였다고 하니, 취조의 강도를 짐작할 수 있다. 결국 고문을 견디다 못한 황성권이 여러 차례 박미옥과 함께 시국담을 나눈 것을 시인하자, 경찰은 황성권 역시 남민전 관련자로 단정하고, '황성권이 학교를 휴학하고 마산에 와 있다가, 부산으로 와서 데모를 주동했다[6]는 시나리오를 구성했다.

이후 취조 방향은 급속히 남민전과의 조직적 연계를 수사하는 것으로 전환되었다. 중앙정보부의 지휘 하에 보안사와 부산시경 등으로 합동수사단을 꾸리고, 서울의 치안본부에서 남민전 수사팀[7]이 부산으로 급파되어 수사에 합류했다. 영주동의 보안대 분실을 거점으로 진행된 수사는 연일 부산과 마

---

6. 노승일 구술.
7. 남민전은 강도사건을 수사하던 경찰에 의해 발각되었기 때문에, 남민전사건은 중앙정보부가 아니라 치안본부가 수사를 주도했다.

산의 관련자를 연행하여 심문을 이어갔다.

하지만 부산의 시위와 남민전을 연결시키는 시도는 처음부터 난관에 부닥쳤다. 무엇보다도 황성권과 부산 시위 주동자의 관련성을 찾기 어려웠기 때문이다. 황성권은 마산 출신으로 줄곧 서울에서 학생운동을 했기 때문에 도심시위에서 마산고등학교 후배를 만나기는 했으나, 시위 주동자 가운데 황성권을 아는 이가 없었던 것이다. 시위에 뛰어든 것은 완전한 우연이었고, 이 때문에 부산 시위를 황성권과 연결시키기는 불가능했다. 부산대 학생을 상대로 남민전과의 관련성을 추궁하기는 했으나 만족스런 답변을 끌어내기 어려웠다. 이에 합수단은 부산과 마산 시위의 배후를 다르게 파악하고 두 갈래로 나누어 수사를 진행할 수밖에 없었다.

특히 남민전을 시위의 배후로 조작하는 것은, 이제 마산지역을 중심으로 본격화 되었다. 합수단은 마산 출신으로 서울지역 대학에 진학하여 학생운동에 참여한 황성권, 김종철, 주대환(서울대 철학과 제적)을 남민전 중앙과 마산지역을 매개하는 인물로 설정했다. 이들을 중심으로 마산의 민주인사로 학생들에게 큰 영향을 미치고 있던 이선관(문인. 당시 39세), 마산 시위를 주동한 경남대 학생들을 포함하는 남민전 마산조직을 조작한 것이다.

김종철은 황성권의 마산고 후배로, 16일 황성권과 함께 부산 시위에 참여했다가 마산으로 돌아갔는데, 18일 마산에서 시위에 참여했다가 현장에서 체포되었다. 주대환은 황성권의 마산고 동기로, 긴급조치9호 위반으로 수감되었다가 출감한 뒤 마산에 머물던 중, 10월 18일 시위 현장에서 김종철과 함께 경찰에 체포되었다. 두 사람은 마산에서 일차 조사를 받은 뒤 19일[8] 부산

---

8. 김종철은 구술에서 18일 부산으로 이송되었다고 증언했지만(10주년자료집, 207쪽), 19일 마산경찰서와 부산계엄사에서 작성한 피의자신문조서가 존재하므로, 19일 마산경찰서에서 조사받은 뒤 부산계엄사로 이송한 것으로 보인다. 「군법회의재판기록 부마사건」1980년도 제36-4호, 193~214쪽.

으로 압송되어 영주동 보안대 분실에서 남민전 연루 의혹에 대해 심문을 받았다.

특히 김종철은 20일 경 치안본부에서 파견된 남민전 수사팀에 넘겨지면서 가혹한 고문을 당하며, 남민전의 지도자 이재문의 지령을 받아 행동했다고 허위자백할 것을 집요하게 강요당했다.[9] 후일 합동수사단의 수사간부회의에서, 손창원 경감은 남민전 연루가 무리하다는 견해를 피력할[10] 정도로 이들을 남민전과 연계시키는 것은 터무니없는 억지였지만, 허위자백을 강요하는 고문은 가혹하게 이어졌다. 이런 추궁은 박정희가 김재규의 손에 살해될 때까지 계속되었다.

이선관은 마산지역의 청년학생 사이에 신망이 높았던 인물로, 이 때문에 많은 청년 학생들이 이선관의 집에 드나들었다.[11] 이선관은 일찍이 재일교포 유학생간첩단사건에 연루된 서광태[12]의 석방운동에 참여했는데, 합수단은 이를 빌미로 이선관을 남민전 마산조직의 조종책으로, 서광태의 모친을 자

---

9. 김종철의 피의자신문조서에는 남민전과의 연루 의혹에 대한 경찰과 계엄합수단 조사관의 추궁이 반복적으로 나타나 있다. 자술서에도 남민전과 무관하다는 김종철의 서술이 계속 반복되고 있다. 또한 김종철은 황성권이 남민전과 관련이 있는지는 알 수 없지만 자신에게는 관련 사실을 말한 적이 없다고 서술하고 있는데, 이는 황성권의 남민전 연루 혐의와 관련해서 김종철에게 압박을 가했음을 보여주는 기록이다. 「군법회의재판기록 부마사건」1980년도 제36~4호, 193~298쪽.

9. 조갑제, 『유고』 2, 한길사, 1987, 103쪽. 하지만 손창원의 발언을 한 시기가 언제인지, 박정희의 사망을 전후하여 앞인지 뒤인지 등의 구체적인 서술이 없다. 때문에 이 발언이 조작 수사에 미친 영향과 의미를 판단하기 어렵다.

11. 이윤도는 이선관을 '마산의 정신적 지주'라고 표현한다. 이윤도 역시 경찰에서 조사받을 때 서광태와 관련한 질문을 받았다. 이윤도, 「영원히 잊지 못하는 노래」, 『마산, 다시 한국의 역사를 바꾸다』, 불휘미디어 2011, 470˙474쪽. 마산에서 독자적으로 시위를 계획하던 최갑순과 옥정애 역시 이선관의 집에 들러 시위 예정일 등 계획을 알려주었다. 옥정애, 「자유와 용기를 갖게 해준 부마민주항쟁」 위의 책, 368쪽; 부마민주항쟁기념사업회˙부산민주항쟁십주년기념사업회, 『부마민주항쟁 10주년 기념 자료집』(이하 10주년자료집), 건양기획, 214쪽.

12. 서광태는 마산 출신으로, 서울대 의대 2학년 재학 중이던 1975년 재일교포 유학생 강종헌 등을 간첩으로 조작한 '재일교포간첩단사건'에 연루되어 구속되었다.

금책으로 하는 조직도를 계획하고 조작을 시작했다.[13]

최갑순(경남대 국어교육과 3년)과 옥정애(경남대 국어교육과 3년)의 경우 18일 시위 현장에서 체포되어 성적 학대와 무자비한 폭력에 시달렸다. 그런데 이들에 대한 조사는 시위 선동이 아니라, 배후 조작에 집중되었다. 최갑순은 서광태와의 관련성을 시인하라는 집요한 강요를 받았다. 당시 최갑순은 서광태와는 일면식도 없는 사이였지만, 수사관은 부산 해운대에서 서광태와 만났다고 허위자백할 것을 계속적으로 반복하면서, 이를 시인하기만 하면 성추행이 일상화되어 지옥 같았던 취조실에서 풀어주겠다고 회유한 것이다. 추행과 회유를 반복하는 취조는 박정희가 피살되기 직전인 24, 25일 경에 절정에 이르렀고, 이를 견디지 못한 최갑순은 투신자살을 시도할 정도였다.

심지어 수사단은 가톨릭계 연루시키려는 조작까지 감행했다. 옥정애가 가톨릭학생회 소속임을 빌미로, 지학순 주교가 마산 시위의 배후라는 허위자백을 강요한 것이다. 당시 가톨릭계는 민주화운동을 적극적으로 지원하고 있었고, 더욱이 1979년 7월 발생한 '안동교구 가톨릭농민회 사건'(일명 '오원춘사건')[14] 으로 박정희정권과 대립하고 있었으며, 전국 각지에서 시국기도회를 통해 사건의 진상을 알렸다. 옥정애와 최갑순 역시 마산의 상남성당을 통해 관련 사실을 접하면서 큰 충격을 받았는데, 오원춘사건은 이들이 학생시위를 계획하는 데도 큰 영향을 미쳤다. 이 때문에 그간 눈엣가시 같던 가톨릭계를 부마민주항쟁의 배후로 몰아 탄압하려 한 것이었다.

서광태의 마산중학교 후배였던 주대환도 서광태와 관련한 심문을 추가

---

13. 『10주년자료집』, 215쪽.
14. 1978년 경북 영양의 감자피해보상운동을 주도하던 안동교구 가톨릭농민회 청기분회장 오원춘을 중앙정보부원이 납치했다. 1979년 6월 오원춘이 이를 폭로했는데, 여기에 가톨릭 안동교구와 천주교정의구현사제단 등 가톨릭계가 적극 개입하면서 진상이 전국적으로 알려지게 되었다.

로 받았다.

　부산지역 사람 가운데 남민전과 관련한 가혹 수사의 대상이 된 것은 노승일이 대표적인데, 이 경우는 다소 특이한 사례이다. 노승일은 부산대 재학 중이던 1975년 부산대 '김오자 사건'[15]에 연루되어 옥고를 치른 후 좌익 딱지가 붙은 채 경찰의 일상적인 감시 사찰을 받고 있었다. 부마민주항쟁 당시 노승일은 부산대 앞에서 서점(태백산맥)을 운영하고 있었는데, 부마민주항쟁이 벌어지자 손학규(당시 KNCC 간사)에게 경찰의 폭력으로 사망자가 발생했다는 소문을 전했다는 유언비어 살포 혐의와 이진걸이 부산대에 살포한 유인물을 서점에 맡아 보관한 일 등으로 체포되었다. 노승일의 혐의는 계엄포고령, 긴급조치 9호 위반이었다. 그런데 영주동의 보안대 분실에 연행된 노승일은 뜻밖에도 남민전 연루 혐의로 집중적인 취조를 받게 되었다. 노승일을 연행할 당시 합수단은 황선용의 존재를 알지 못한 탓에 황선용이 황성권의 가명이라 여기고, 황성권과 노승일의 관계를 추궁했던 것이다.

　한 차례 간첩단사건에 연루된 적이 있는 노승일의 경력으로 보아 남민전 부산조직의 수괴로 조작하기에 적임자였을 것이다. 노승일의 입장에서는 생면부지의 황성권과의 관계로 남민전과 연루되었으니 난감하기 짝이 없는 일이었지만, 매 앞에 장사 없는 일이었다. 이미 한 차례 김오자사건을 겪은지라, 결국 노승일은 이재문에게 서약하고 번호를 받았다는 등의 허위자백을 하기에 이르렀다. 조작하기에 따라서 노승일은 나름대로 거물로 둔갑시킬 수 있는 인물이었을 것이다.

---

15. 재일교포 유학생으로 부산대 사학과에 유학 중이던 김오자가 정권을 비판하는 유인물을 교내에 살포했는데 때마침 서울대에서 유학생 간첩단 사건이 발생하자 김오자사건 역시 재일교포 간첩사건으로 조작되었다. 이 때 김오자와 가깝게 지내던 노승일 등 부산대 학생 다수가 함께 연루되어 제적되고 옥고를 치렀다.

이런 과정을 통해 남민전은 부마민주항쟁의 배후세력이 되었다. 부마민주항쟁을 실현한 것은 남민전의 마산조직과 부산 거점이었고, 남민전 중앙과 지역을 매개하는 것은 황성권, 김종철, 주대환, 노승일 등이었다. 특히 마산에서는 이선관, 서광태의 모친을 중심으로 지역조직이 탄탄하게 뿌리를 내린 격이 되었고, 이를 바탕으로 정성기, 최갑순, 옥정애, 이윤도, 한양수, 신정규, 장정욱, 박인준 등 경남대 학생들이 시위를 주동했다고 조작된 것이다.

하지만 이러한 수사 결과를 뒷받침하는 객관적 물증은 아무것도 없었다. 죽도록 얻어맞고 성추행당한 끝에 피의자들이 뱉어낸 어설픈 자백뿐이었다. 생면부지에, 일면식도 없는 사람들과 불법단체를 조직하고 폭동을 계획 실행했다는 놀라운 사실을 밝혀낸 유일한 수사 기법은 오로지 고문과 인권유린이었던 것이다.

이러한 조작은 박정희가 피살되고서야 비로소 중단되었다. 이는 역설적으로 폭력 조작의 원인이 다른 데 있지 않고, 바로 박정희정권 그 자체에 있음을 보여주는 대목이다. 만일 박정희가 살해되지 않고, 남민전을 배후로 하는 조작이 실현되었다면 다른 지역에서도 유사한 형태로 남민전의 지역 조직 조작 사건이 추가되었을 수도 있다.

## Ⅲ. 최성묵을 총책으로 하는 반국가단체 조작

부산에서는 시위 주동자의 검거가 늦어지면서 10월 20일이 지나서야 본격적인 수사가 진행되었다. 애초에 합수단은 남민전 연루 조작을 부산시위의 주동자를 중심으로 시작하려 했다. 황성권이 시위를 벌인 곳이 부산이었기 때문이다. 하지만 부산의 시위와 남민전을 연결하는 일은 예상대로 되지 않았다. 17일부터 부산대 시위의 주동자가 체포되기 시작하여 수사가 진행되었지만, 남민전이나 황성권과 직접 연결되는 지점을 찾기가 어려웠기 때문이다. 따라서 합수단은 남민전과의 연루 가능성을 열어놓은 채, 부산지역의 재야인사와 양서협동조합 등에 주안점을 두고 학생시위의 배후세력을 찾는다는 복수의 시나리오를 가지고 수사를 진행했다.

이런 상황을 잘 보여주는 것이 10월 19일 합동수사단의 기록이다. 계엄이 공포된 바로 다음날 오전 10시 합동수사단 회의실에서는 제1차 자문위원 회의가 개최되었다.[16] 참석자는 합수단의 단장과 부단장 및 수사과장, 계엄사의 검찰부장, 검찰청의 공안검사, 중정 지부의 수사과장, 시경의 수사과장 등이었다.[17] 이날 회의의 토의 안건은 합동수사단의 편성과 운영 지침, 시위사건의 대응 및 지휘, 기관별 협조사항 등이었으며, 각 기관별로 사건을 분담하여 수사함으로써 수사의 공백을 막고 일관된 수사업무를 진행하기로 결정했다.

그 결과 기관별로 수사 대상을 다음과 같이 분담하고 공조하기로 결정했다.


부산대 데모 주모자 이진걸 사건 : 동래서, 중정, 보안, 헌병.

---

16. 이하 자문위원 회의 내용은 1979년 10월 19일자 「합동수사단 활동 및 조치사항」 참고

17. 19일 합수단 자문회의의 구성은 1982년 육군본부에서 간행한 『계엄사』(72쪽)의 내용과 다소 차이가 있다. 『계엄사』에 따르면, 합동수사단 자문회의는 합수단의 단장과 부단장 및 수사과장, 계엄사의 법무처 검찰과장, 검찰청의 수사과장, 시경의 수사과장으로 구성된다. 19일자 「합동수사단 활동 및 조치사항」과 비교하면, 우선 핵심적 인사였을 것으로 추측되는 중앙정보부 지부의 수사과장이 누락된 것이 눈에 띈다. 중정의 참석이 비밀사항이든지, 10ㆍ26으로 중정의 지위에 변동이 생긴 때문으로 보인다. 이외에 19일 회의에는 계엄사와 검찰청에서 평소보다 상급자가 참석한 것이 확인된다 이 날의 회의가 수사의 전체 방향을 결정하는 중대한 회의였기 때문으로 생각된다.

동아대 데모 주동자 이동관 사건 : 영도서

신민당 한의영 사건 : 중부서, 보안

통일당 권상협 사건 : 중부서

남민전 사건 : 치안본부, 중정, 보안

불순 종교인 사건 : 시경, 보안

양서조합사건 : 시경, 보안, 헌병, 중정


이 가운데 부마민주항쟁의 배후세력 수사와 직접적인 관련이 있는 항목은 '부산대 데모 주모자 이진걸 사건, 남민전 사건, 불순 종교인 사건, 양서조합 사건이다. 이때 '불순 종교인'은 이후의 수사과정을 감안하면, 최성묵 목사를 이르는 것으로 보인다.

그런데 이 가운데 '불순 종교인 사건'과 '양서조합 사건'은 함께 열거한 다른 사건들과는 전혀 성격이 다른 것이다. 이 두 '사건'은 아직 일어나지도 않은 것을, 버젓이 '사건'이라고 부르고 있기 때문이다. 동시에 이것은 앞으로 '불순 종교인'과 '양서조합'을 '사건화' 하겠다는 의중을 보여주는 대목이다. 즉 계엄이 선포된 바로 다음날에, 부마민주항쟁을 촉발한 학생시위의 주동자가 채 검거되기도 이전에, 수사가 진행되기도 전에, 이미 합수단은 현직 목사인 최성묵과 합법 단체인 양서협동조합을 불온시하며 수사의 대상으로 포함시키고 있는 것이다.

이는 결국 계엄사령부가 부산의 재야인사와 양서협동조합을 학생시위의 배후로 일찌감치 지목하고 있음을 보여주는 증거이자, 부마민주항쟁을 기화로 부산지역의 민주세력을 탄압하려는 시나리오를 가지고 수사에 임했음을 보여주는 것이다. 이러한 구상은 이후 거대한 조작극이 진행되면서 더욱 명확해졌다.

그럼에도 양서협동조합 관련자들은 수사 당국의 이런 의도를 전혀 알지 못했다. 심지어 최근까지도 이들은 결과적으로 양서협동조합이 해체되었지만, 당국이 처음부터 양서협동조합을 해체하려 한 것은 아닐 것으로 여겼다. 이는 양서협동조합의 산파역을 담당했던 양서협동조합 이사 김형기(현 경주 팔복교회 목사)의 다음과 같은 구술을 통해 확인할 수 있다.

> "부마민주항쟁이 터질 때까지만 하더라도, 전혀, 양서협동조합이 부마민주항쟁의 진원지라고, 경찰이 처음에 그런 생각을 안했을 거에요. … 후에 결론이 내려진 게 아닐까 해요."[18]

하지만 김형기를 비롯한 양서협동조합 관련자들의 생각과 달리, 합수단은 계엄령이 선포된 이튿날인 10월 19일 이미 양서협동조합을 정조준을 하고 있었던 것이다.

이러한 구상 속에서 20일을 즈음하여 학생시위의 중심인물 대부분이 경찰에 검거되었다. 이제 수사는 본격적으로 진행되었다. 그렇지만 학생시위의 전모를 밝히는 데까지 진행된 수사는 배후세력에 이르러서는 좀체 진전을 보기 어려웠다. 무엇보다도 시위 주동자와 최성묵, 양서협동조합을 연결시키는 매개가 없었던 것인데, 이들 가운데 중부교회의 신자나 양서협동조합의 회원을 찾기 어려웠기 때문이었다. 이진걸은 양서협동조합과 아무런 관련성이 없었고, 정광민은 양서협동조합을 알지도 못한 상태였으며, 두 사람

---

18. 김형기 구술, 2009년도 부산민주항쟁기념사업회 부마민주항쟁 관련인사 구술사료수집사업, 2009년 9월 22일, 면접자 차성환, 40쪽.

은 중부교회를 드나든 경험조차 없었다.

이호철과 김종세의 경우 중부교회에서 개최한 시국기도회에 참여한 사실이 확인되었지만 중부교회의 신자가 아니었고, 양서협동조합이 운영하는 협동서점에 드나들긴 했지만 정작 양서협동조합의 회원이 아니었다. 더욱이 이호철은 김형기와의 대질신문에서도 모르는 사람이라는 주장을 굽히지 않으며 양서협동조합과의 관련성을 완강히 부정했다.[19]

이런 가운데 황선용(당시 서면서점 직원), 남성철(무직)의 등장은 수사에 새로운 국면을 열었다. 특히 황선용은 이진걸, 남성철과 함께 10월 15일 시위 계획을 진행하다가 마지막 민주선언문의 배포단계에서 하차했지만, 그럼에도 부마민주항쟁 최대의 용공조작의 대상이 되었다. 이진걸이 체포된 뒤 '민주선언문'의 제작 과정을 수사하는 과정에서, 황선용이 등사기 비용을 지원하고 구입처를 알선했으며 함께 유인물을 제작한 사실이 드러났던 것이다. 설상가상으로 서면서점에서 근무할 당시 황선용이 판매금지 도서와 자료들을 복사 또는 등사하여 청년 학생들에게 제공한 것이 발각되었고, 이에 경찰의 시선은 아연 황선용에게 집중되었다. 이어서 남성철까지 체포되면서, 이진걸의 시위에 두 사람의 일반인이 포함된 것이 확인되었다. 일반인이 포함되었다는 사실은 수사 당국으로 하여금 이 사건을 학생시위 이상으로 확대시킬 가능성을 단연 높여주었다. 두 사람이 이진걸보다 연장자라는 사실도 수사관을 고무시켰을 것이다.

이런 이유로 황선용과 남성철의 수사는 죽음을 연상케 하는 극단적 폭력 고문을 동원하며 진행되었다. 이 과정에서 이미 사망한 황선용의 부친이 친

---

19. 다만 허천호의 경우 양서협동조합의 학생 이사라는 사실이 탄로되어 큰 곤욕을 치렀는데, 이는 10·26 이후의 일이었고 부마민주항쟁 초기에는 드러나지 않았다. 허천호 구술, 차성환 면접, 2012년 4월 25일, 19~20쪽.

북인사로 둔갑하기도 하고, 난 데 없이 백부와 숙부가 조총련 관계자로 등장하기도 하는 등, 여러 가지 시나리오가 학원에 침투한 간첩 만들기에 동원되었다. 노모와 여동생 등 가족과 친인척을 볼모로 동원하여 위협하는 것은 당연한 것이었다. 이들은 동래경찰서와 망미동 보안부대(일명 삼일공사)를 오가며 용공 조작의 희생양이 되었던 것이다.

수 일 동안 이어진 가혹한 고문으로 의식을 잃었다 깨어나기를 반복하며, 혹독한 매질 끝에 배설까지 하는 지경에 이르고서, 비로소 황선용과 남성철의 범죄 사실은 생겨나기 시작했다. 수사를 받기 시작한지 2~3일 지난 22, 3일 즈음이었다. 황선용은 김일성의 지령을 받은 최성묵을 수괴로 하고, 김광일 변호사를 자금책으로 하는 반국가 단체에 속하여, 학원에 침투하는 임무를 맡아 부산대 학생 이진걸, 이호철, 정광민, 허천호, 김종세 등을 포섭했으며, 이를 위한 공작금은 김광일에게서 받아 남성철, 이진걸, 정광민 등에게 나누어 주며 시위를 획책했다는 조작극이 만들어진 것이다.

최성묵은 먼발치에서 보았을 뿐 개인적인 대화를 나누어본 적도 없었고, 김광일과는 일면식도 없는 사이로서 그저 이름만 알고 있을 뿐이었지만, 그런 것은 하등 문제가 되지 않았다. 황선용은 이진걸의 제안으로 15일의 계획에 참여한 것이지만, 거꾸로 황선용이 이진걸을 포섭한 것으로 조작되었다. 황선용은 그가 한 번도 가보지 않았던 천호그릴 3층에서 최성묵을 만났고, 그때 최성묵은 공작금을 건네주며 '폭력에는 폭력'으로, '강력하게 대처하라'는 당부를 건넸다고 허위로 진술했다. 그리고 황선용의 허위진술은 녹음되어, 허위진술을 거부하고 있는 다른 관련자들에게 반복적으로 들려주어서, 그들의 저항의지를 꺾는 데 악용되었다.

남성철의 역할은 남북을 오르내리며 남측의 친북인사를 이북정권과 연결하는 것이었다. 하지만 월북 경로를 알 턱이 없는 남성철이 자백을 이어가지 못하자, 수사관이 개입하여 진술을 유도했다. 힌트를 주는 식으로 월북 루트를 가르쳐준 것이다. 수사관이 일러준 루트를 따라 남성철은 세 차례에 걸쳐 이북을 다녀온 사람이 되었다. 조사받는 과정에서 남성철은 함석헌, 김대중을 수괴로 하여 기획된 또 다른 배후 계보도를 목격하기도 했다. 이는 현실화되지 않았지만, 재야인사를 반정부투쟁의 배후로 조작하는 것은 이 정권에게는 언제나 준비된 시나리오라는 것을 보여주는 대목이다.

정광민에 대한 폭행이 본격화된 것도 이 즈음이었다. 정광민은 조사를 받기 시작한 지 4~5일이 지난 뒤에 물고문을 동원한 가혹한 취조를 받게 되었는데, 이때가 바로 황선용과 남성철의 허위진술로 조작극이 어느 정도 모양새를 갖춘 시기였다. 부산대 시위를 촉발시킨 당사자로서, 정광민의 배후를 조작하는 것은 무엇보다 중요한 일이었다. 이에 황선용의 허위진술에 정광민을 끼워 맞추기 위해, 병원 응급실에 실려 갈 정도로 강도 높은 폭력 고문이 정광민을 상대로 자행되었던 것이다.

이를 전후한 시기에 재야인사에 대한 수사도 급물살을 타기 시작했다. 19일의 회의 내용에서 나타나듯이 애초부터 합수단은 학생시위의 배후라는 구실을 내세워, 평소 눈엣가시 같던 최성묵과 양서협동조합을 이번 기회에 손보려 했다. 이에 20일 최성묵을 시작으로[20] 엠네스티 부산지부와 양서협동조합 관련자들을 체포 연행하기 시작했다. 이들을 상대로 중정에서 작성한 부마민주항쟁 배후세력의 계보를 제시하며 진술을 강요했다. 계보에는 김일성을 최상위로, 그 아래 여러 단체들이 포괄된 반국가단체가 구성되어 있고,

20. 부마민주항쟁부산동지회, 『부마민주항쟁의 진상규명 —중부교회를 중심으로』, 2014, 54쪽.

각 분야의 책임자가 기재되어 있었다.[21] 최성묵은 수사 결론을 이미 내려놓고 상황을 조작하는 것이라 판단했다.

하지만 이들은 학생시위와 직접적인 관련이 없을 뿐 아니라, 억압적인 수사 분위기를 조성하는 데도 한계가 있어, 수사는 진척을 보기 어려웠다. 이런 가운데 황선용과 남성철 쪽의 수사 상황이 성과를 보이기 시작하자, 그 결과를 가지고 최성묵과 양서협동조합 쪽을 압박할 수 있게 되었다. 김광일이 23일 경 망미동의 보안부대(삼일공사)로 연행된 것은 이런 맥락 속에 있었다.

김광일은 20일 경 한 차례 계엄군의 조사를 받았지만 구금되지 않았다. 하지만 23일 경 계엄군에 체포되었을 때는 사정이 달랐다. 현직 변호사인 만큼 김광일의 경우 상당한 수사 자료를 확보한 뒤에야 체포 구금할 수 있었던 듯한데, 김광일이 연행되었을 때는 그동안 민주인사들을 금전적으로 지원한 내역이 상당 부분 수사되어 있었고, 그 가운데 5백만 원 가량은 조사가 끝난 상태였다. 이 돈이 공작자금으로 둔갑하여, "이번 일은 니(김광일─인용자)가 다 지령해서 한 거지?"라고 하며 김광일을 배후세력의 수괴급으로 몰아세우는 근거가 되었다. 이 과정에서 수사관은 조사를 시작하기도 전에 이미 각본이 짜여 있음을 당당하게 공언하며, 저항할 생각일랑 하지 말고 자백하라며 협박하기도 했다. 이는 배후세력 수사가 이미 결론이 나와 있는, 사건 조작을 위한 통과의례라는 것을 보여주는 정황 증거이다. 심지어 수사관은 한승헌, 이재오(당시 한국엠네스티 전무이사, 총무부장)을 연루시켜 사건을 확대시킬 가능성을 내비치기까지 했다.

---

21. 다만 허천호의 경우 양서협동조합의 학생 이사라는 사실이 탄로되어 큰 곤욕을 치렀는데, 이는 10 · 26 이후의 일이었고 부마민주항쟁 초기에는 드러나지 않았다. 허천호 구술, 차성환 면접, 2012년 4월 25일, 19~20쪽.

재야인사의 경우 청년 학생들처럼 직접 물리적인 폭행을 당하지는 않았지만, 잠을 못 자게 하는 고문을 받았다. 예상치 못한 반국가단체 구성의 혐의에 당황하기도 했지만, 구금 일수가 늘어나면서 수면 부족은 엄청난 고통을 초래했다. 특히 일찌감치 20일에 연행된 최성묵, 김영일, 박상도 등은 연행된 지 5~6일이 지나면서 육체적으로 한계점에 이르렀다. 이들을 상대로 합수단은 김일성의 지령을 받은 최성묵과 자금책인 김광일을 수뇌부로 하는 다양한 시나리오를 제시하며, 취조하는 대상에 따라 맞춤식으로 방향과 내용을 조정하며 조작의 완성도를 높여갔다.[22] 최성묵의 경우 25일 경에는 간첩혐의를 내용으로 하는 수형기록표 사진을 찍기까지 했다.

하지만 그 즈음 예상치 못한 일이 벌어졌다. 황선용이 자살을 시도한 것이다. 자신으로 인해 합수단에 연행되어 취조를 당한 지인들과 친인척에 대한 미안함은 물론, 고문에 굴복하여 조작에 협조했다는 자괴감, 자신의 허위자백이 녹음되어 다른 관련자의 허위자백을 유도하는 데 악용된 사실 등으로 안게 된 심리적 부담감은 엄청난 것이었다. 한차례 혀를 깨물기도 했던 황선용은 그것이 여의치 않자 수사를 받던 동래경찰서 2층에서 몸을 던졌다. 두개골 파열을 시도하여, 의식적으로 머리를 바닥으로 향하여 투신을 감행한 것이다. 다행히 전신줄에 걸려 한 차례 굴절되면서 떨어지는 탓에, 충격이 다소 흡수된 상태에서 어깨가 먼저 바닥에 부딪쳤다. 그리고 황선용은 주변의 시민들에게 들리도록 '경찰이 민주시민을 간첩으로 몰아간다.'며 고함을 지르고, 병원 응급실로 이송된 뒤에도 경찰 조사의 부당함을 소리 내어 외쳤다.

그런데 이 무렵 마산에서도 최갑순이 투신자살을 기도하는 일이 벌어졌

21. 박상도에 따르면, 최성묵과 김광일의 아래에 사회선동책 박상도, 학원선동책 김형기 등이 기재되어 있었다고 한다. 박상도, 「계엄합수부에서 맞이한 유신의 붕괴」, 『부마민주항쟁 증언집 부산편2 치열했던 기억의 말들을 엮다』, 2013, 335쪽.

다. 묘한 시기적 일치였다. 하지만 냉정하게 보면 조작에 따른 조급함과 악랄함이 만든 필연적 결과였다. 이런 이유로 수사는 잠시 주춤할 수밖에 없었는데, 바로 다음날인 26일 박정희가 사망하면서 수사는 완전히 새로운 국면을 맞게 되었다. 박정희 사망 후 조작은 일단 중단되었는데, 곧 이어 박정희를 저격한 것이 중정 부장임이 드러나면서 중정은 그 자신이 수사의 대상이되었고, 부마민주항쟁 관련 수사는 시위와 공공 건조물 파손을 중심으로 급속하게 마무리 되었다.

하지만 이후에도 부산에서는 양서협동조합을 해산시키는 과정이 진행되었다. 결국 양서협동조합은 연말을 넘기지 못하고 강제 해산되었다. 중정이무력화된 지경에 양서협동조합의 해산을 주도한 기관은 어디일까? 애초 양서협동조합을 부마민주항쟁의 배후로 조작하는 수사를 담당한 기관은 중정이외에도 시경, 보안사, 헌병이 있었다. 이들 가운데 박정희의 사망에 영향을 받지 않고 이 일을 진행할 수 있는 기관이 어디였을지 추적이 필요하다. 26일을 전후한 수사 기록이 있다면 큰 도움이 될 것이다.


## IV. 총기 사건 조작

합수단은 부마민주항쟁의 정당성을 훼손시키기 위한 또 하나의 방법으로 시위 참가자의 극단적 폭력성을 부각시키려 했다. 이를 위해 시위에서 총기가 사용되었다는, '총기 사건'을 조작했다. 이는 시위를 불순세력이 배후에서 조종하는 '소요'로 낙인찍기 위한 것이었다.

총기 사건이 먼저 조작된 것은 마산이었다. 10월 20일 오후 4시 45분 마산경찰서장 최창림은 기자회견을 열고, 18일 밤 10시 마산시 창동 황금당 골목에서 시위 참가자가 사용한 사제총기를 수거했다고 발표했다. 총기의 성능은 사거리 50미터로 인명살상이 가능하고, 목적은 군중 속에 섞여 시위 가담자들(를)[23] 배후에서 사격하여 살상함으로써 군중을 흥분시키고 발포 책임을 당국에 전가하려는 것으로 결론지었다. 기자회견장에서는 해당 총기가 제시되었다.

그런데 문제의 총기는 길이 15센티 남짓에 두께 1.15센티의 원통형으로, 볼펜 정도의 크기에, 조잡하기 짝이 없는 '딱총 수준'이었다. 그런 총기로 과연 인명을 살상하는 것이 가능한지, 그런 조잡한 총기를 경찰이나 군대가 사용했다는 근거를 확보할 수는 있는지, 그 일로 군경 당국에 책임을 전가하는 것이 가능한 일인지 등등, 기자회견장의 기자들 사이로 조소가 흘렀다.

이후 총기 사건과 관련한 수사는 거의 진행되지 않았다. 총기가 발사되는 것을 발견하고 추격한 목격자에 대한 목격자 진술 등의 조사도 없고, 수거된 총기에서 지문을 채집하거나 총기의 부품 구입처를 조사하는 등의 추가 수사도 없었다. 시위 참가자를 상대로 총기 제조 및 사용을 취조한 것도, 정성기에게 한 차례 단발성 질문에 그칠 뿐, 다른 관련자들에게는 물어보지도 않았다. 관련 기사도 22일 한 차례 신문에 게재되었을 뿐이다.[24]

그런데 이상한 것은 총기사건 발표 시기이다. 총기가 발견된 것은 18일 오후 10시인데, 왜 19일이 아니라 20일에, 그것도 오후 5시가 다 된 시각에 긴급 기자회견을 통해 관련 내용을 발표했을까. 더욱이 20일은 토요일이어서 오후 5시는 평상시라면 퇴근 시각을 훨씬 넘긴 때였던 것이다. 그런데 20

---

23. 같은 일자 동아일보에는 '들'로, 경향신문에는 '를'로 기재되어 있다. 어느 쪽인가에 따라 총격 대상이 달라질 수 있다.
24. 마산의 사제총기 조작과 관련한 내용은 박영주, 앞의 글, 167~173쪽 참고.

일이라면 마산과 창원 일대에 위수령이 공포된 날이고, 발동 시각은 낮 12시였다. 즉 총기사건은 위수령이 발동하지 5시간이 채 못 되어서 발표된 것이다. 따라서 총기사용 기자회견은 위수령 발동과 관련된 것은 아닐까. 즉 총기사건 조작은 위수령 발동을 전후하여 결정되었고, 타이밍을 놓치지 않기 위해 토요일을 넘기지 않고 다급히 발표가 이루어져야 했던 것이 아닐까.

또 한 가지 의문은 총기 사용의 조작이라는 발상은 갑자기 어디서 비롯되었을까 하는 것이다. 그런데 이 대목은 얼마 전 지면을 떠들썩하게 했던, "폭약 총탄 등을 불법 입수하고 사제 무기류를 만들어... 도시게릴라 활동...을 기도"한 반국가단체 남민전을 연상케 한다. 즉 남민전의 '사제 무기'와 마산에서 발견된 '사제 총기'가 오버랩되는 것이다. 즉 사제총기 문제는 마산 시위의 주동자를 남민전과 연루시키려 했던 것을 생각하면 자연스러워 보인다. 이러한 조작을 주도한 기관이 어디인지, 관계기관 대책회의의 실체는 무엇인지를 규명하기 위한 자료 발굴이 필요할 것이다.

같은 시기 부산에서도 총기사건이 조작되었다. 마산에서 발견된 사제총기가 너무 조악하여 비아냥을 자아낸 때문인지, 부산에서는 시중에 판매하는 진짜 총으로 사건을 조작하려 시도했다. 이번에도 희생양이 된 것은 황선용이었고, 방법은 역시 무지막지한 고문이었다. 때마침 황선용의 동생이 총포사에 근무하고 있었는데, 그것이 수사관의 눈에 띤 것이 화근이었다. 이번에도 수사관은 아무런 합리적 근거 없이 사건 조작에 열을 올렸다. 다만 동생이 총포사에서 근무한다는 이유 하나만으로, 해당 총포사의 총을 사용한 것이라고 단정 짓고 자백을 강요한 것이다.

물론 황선용의 동생이 총을 건넸다고 추정할 만한 합리적인 근거나 증거 제시는 아무 데도 없었다. 총과 같이 엄격하게 관리되는 물품의 경우, 해당 총포사의 재고 상태 등에 대한 조사가 뒤따라야 함에도 관련한 수사는 진행되지 않았다. 하지만 이미 황선용은 가혹한 폭력 아래서 자포자기 상태가 되어 있었다. 결국 수사관이 원하는 대로, "동생이 택시를 타고 와서, 한 자루를 주고 갔다"고 진술했다. 이에 합수단은 황선용으로 하여금 마치 수형기록 표처럼, 총과 총알을 위로 하고 사진을 찍게 했다.

이어서 수사관은 남성철에게도 황선용으로부터 무기를 받은 것이 며칠인지를 실토하라고 압박했다. 하지만 이진걸 등 다른 관련자에게는 무기와 관련한 허위진술을 강요하지 않았다. 총기 사용과 관련한 조작 또한 황선용과 남성철, 두 사람에게 집중되었던 것이다. 총기 사용과 관련한 조작 역시 박정희의 사망과 함께 중단되었지만, 이 사례는 권력이 얼마나 무지막지하게 조작을 일삼는지, 권력의 민낯을 유감없이 보여주는 사건이었다.

## V. 맺음말

부마민주항쟁이 일어나자 박정희 정권은 이를 여론으로부터 유리시키고, 부산과 마산의 민주 역량을 말살하는 기회로 삼는 것으로 대응했다. 이를 위해 부마민주항쟁을 이북의 지령에 따른 폭동으로 호도하고, 민주세력을 친북세력으로 조작한 것이다. 하지만 이런 막무가내식 억지 조작은 정권 말기적 증상을 여과 없이 드러내는 것으로, 역설적으로 박정희 정권이 벼랑 끝에 놓여있음을 보여주는 것이었다.

이러한 정치적 조작의 전모를 밝히기 위해 이 연구는 기획되었다. 하지만 조작을 주도한 측의 일차 자료를 확보하기 어려운 현실적 여건으로 인해,

조작의 구체적인 과정을 밝히는 데는 한계를 가진 분석이 되고 말았다. 다만 일부이지만 '합동 수사단 활동 및 조치사항'이라는 1차 자료를 추가함으로써, 그간의 불명료함을 일부 불식시킬 수 있었다. 또한 기존 자료를 적극적으로 활용함으로써, 기왕에 알려지지 않은 사실을 밝혀내기도 했다. 그 결과 새롭게 밝혀진 부분을 정리하면 다음과 같다.

첫째 양서협동조합의 해산이 부마민주항쟁의 배후세력이라는 '오해'에서 비롯된, 의도되지 않은 결과가 아니라 부마민주항쟁 이전부터 노리던 일이었음이 밝혀졌다. 다만 이를 주도한 기관이 어딘지는 앞으로 밝혀져야 할 부분이다. 그래야 비로소 양서협동조합 해산의 전모가 규명될 수 있을 것이다.

둘째 그간 총기사용과 관련한 조작은 마산에 국한된 것으로 알려졌지만, 부산에서도 총기사용 사건을 조작했다는 사실을 확인했다. 추가 조사가 필요한 일이지만, 황선용과 남성철의 일치된 증언으로 보아 이는 사실로 추정된다.

셋째 조작 수사의 증거물로 피의자신문조서의 활용 가능성을 확인한 일도 이 연구의 성과라고 할 것이다.

이로써 이 글은 부마민주항쟁 시기 정치적 조작에 대한 본격적인 연구를 전망하는 출발점으로 삼고자 한다. 더불어 관련 자료의 활발한 추가 발굴을 기대해 본다.

# 부마민주항쟁과 10 · 26정변

## 이 완 범
한국학중앙연구원 한국학대학원 사회과학부 교수

# I. 부마민주항쟁

1979년 10월 4일 김영삼 총재의 의원직 제명은 부산·마산의 민주항쟁 (부마민주항쟁)을 낳는 등 국내에 더 큰 파장을 일으켰다. 1979년 10월 13일 신민당 의원 66명 전원은 의원직 사퇴서를 제출했다. 이에 공화당과 유정회 합동조정회의에서 '사퇴서 선별수리론'이 제기되어 부산 및 마산 출신 국회 의원들과 그 지역의 민심을 오히려 크게 자극했다. 정부는 야당까지도 제도 권 정치의 틀 밖으로 내모는 형국을 초래했던 것이다. 그 동안 쌓였던 국민 의 불만이 김영삼 축출을 계기로 폭발했는데 그 핵심 지역은 부산과 마산 등 이었다. 1979년 10월 10일 유신선포 7주년을 맞이해 부산과 마산, 창원 등지 에서 시위가 벌어졌다. 이는 유신체제의 종말을 초래했던 부마항쟁으로서 이 지역은 김영삼 총재의 정치적 본거지이기도 했다.

1979년 10월 15일 부산대학교에서 기계설계학과 3학년 이진걸 등이 민주 선언문이 배포하면서 시위가 시작되었다.[1] 10월 15일의 시위는 주동자들이 연행됨으로써 확산되지 못했으며 본격적인 시위는 16일부터 이루어졌다. 10 월 16일 교내에서 집회를 가진 부산대 학생들이 시내로 진출했고 이에 동아 대, 고려신학대, 고등학생, 전문대생 등의 학생에다 일반시민까지 가세했다. 3,000-5,000여 명의 대규모 반정부 시위대는 게릴라식으로 경찰과 충돌했 고 자정에 이르도록 격렬한 시위를 계속했다. 16일 저녁에는 야간시위가 일 어났으며 대중투쟁으로 전환된 점이 주목할 만했다. 대학생 중심의 시위대

---

1. 윤민홍, 「부마민주항쟁의 과정과 진상규명, 앞으로의 과제」, 『성찰과 전망 25호』 별책 부록, 부산민 주항쟁기념사업회 부설 민주주의사회연구소, 2017년 9월, p. 6.

에서 회사원과 노동자들, 그리고 재수생과 고등학생 등 시민이 결합되며 시위양상이 바뀌었는데, 경찰의 진압에 대피하는 소극적 대응 대신 돌과 병, 심지어 가로수 버팀목을 빼 대응하는 적극적 대응을 보였다.[2] 10월 17일에는 부산대에 임시휴교령이 내려졌으나, 날이 어두워지면서 시위는 더욱 확산되었다. 양일간 시민들의 호응 속에서 시위군중은 경찰서, 파출소, 도청, 세무서, 동사무소, 신문사, 방송국 등에 투석했다. 이들은 정치탄압 중단과 유신정권 타도 등을 외쳤으며 일부는 김영삼을 연호하거나 부가가치세 철폐를 외치기도 했다.[3] 정부의 발표에 의하면 10월 16-17일 동안 경찰차량 6대가 전소되고 12대가 파손되었으며 21개 파출소가 파손 또는 방화되었다.

정부는 10월 18일 자정 부산시 일원에 비상계엄을 선포하고 미군에 부대 이동에 관해 사전 통보할 필요 없는 공수부대 등의 군병력을 투입해 시위군중을 진압했다. 1979년 10월 17일 저녁 청와대 영빈관에서 베풀어진 유신선포 7주년 기념 축하연을 마친 박정희 대통령은 鄭昇和 육군참모총장을 불러 공수부대 1개 여단을 부산으로 급파하도록 지시한 다음 비상국무회의 소집을 崔圭夏총리에게 지시했다고 한다. 중앙청 3층의 국무회의실에서 밤 11시 30분에 급히 소집된 비상국무회의는 부산시 일원에 비상계엄령을 선포하기로 의결했던 것이다.[4] 공수부대 출동은 차지철 경호실장의 아이디어였다고 한다.[5] 계엄령이 선포되기 전인 밤 10월 17일 9시 30분 경 차지철 경호실장

2. 위의 책, p. 8.
3. 위의 책, p. 8.
4. 趙甲濟, 〈趙甲濟의 심층취재〉「朴대통령의 청와대 일기 원본」, 『월간조선』(1989년 4월), pp. 312-343, https://www.chogabje.com/board/view.asp?C_IDX=9718&C_CC=AC
5. 전영기 · 최준호, "[김종필의 '소이부답'] <71> 김영삼과 부마사태: JP "각하 뜻이라도 안 된다" YS 제명안에 홀로 반대표 … 서거 9일 전 박정희 "임자, 곧 부를 테니" … 마지막 만남이었다. "미국, 박정권에 압력 넣어야" 김영삼 NYT 인터뷰에 대통령 분노 "사대주의자는 국회에서 내쫓아라," 『중앙일보』 2015년 8월 17일 13면.

은 부산군수기지사령관 박찬긍 중장에게 계엄선포와 계엄사령관 임명사실을 전했고 그보다도 이전에 2관구사령부 소속의 계엄군이 시청으로 향하고 있었다.[6] 부산 지역에서 1,058명을 연행, 66명을 군사재판에 회부했다. 공수부대와 해병대의 강한 진압으로 그동안의 강한 시위는 더 이상 지속될 수 없었고 이후 산발적인 시위와 저항이 있었으나 부산 지역의 시위는 18일을 기해 사실상 종결되었다.[7]

1979년 10월 18일에는 경남 마산 일원으로 시위가 확산되었다. 18일 오후 경남대에 무기휴교령이 내려진 가운데 오후 6시경부터 시작된 시위는 곧 2,000명의 시위군중을 이루어 공화당사를 공격하고 파출소, 신문사, 방송국, 법원, 검찰청, 동사무소 등에 피해를 입혔다. 오후 10시 45분 창원의 39사단은 위수령이 발령되지 않았음에도 불구하고 마산에 도착해 진압에 나섰다.[8] 절차를 무시한 불법 위수령 수행이었던 셈이다. 10월 19일 부산지역에서 파견된 5공수여단이 진압에 합류했으며[9] 경찰역시 강경일변도의 정책으로 나섰다. 그러나 이러한 정부의 폭력적 진압이 항쟁의 지속을 막지는 못했다. 저녁에도 마산-창원 지역에 이러한 항쟁이 계속되었다. 각양각색의 시민들이 자신들을 불순분자로 보도한 마산 MBC를 공격하는데 성공했고, 동사무소, 전화국 등을 공격하는 등 시내 곳곳에서 시위를 이어나갔다. 결국 10월 20일 정오 마산·창원에 위수령(衛戍令; 대통령령으로 1950년 3월 27일 제정되고 1970년 4월 20일 전부 개정되었다. 육군 부대 경비를 위해 제정된 위수령은 군부대가 자기 보호를 위해 외부 침입을 막는 것을 목적으로 했다.

6. 앞의 책, p. 12-14.
7. 앞의 책, p. 8.
8. 앞의 책, p. 11-12.
9. 앞의 책, p. 14.

그러나 경비를 위해 필요할 경우 군부대가 주둔지 밖으로 출동할 수 있다는 조항을 담고 있다. 이 조항은 군사정권 시절 군부대가 집회나 시위를 진압하는 구실이 됐다.[10] 1965년 8월 한일협정 비준안 통과 직후 서울 일대 병력이 출동했으며 1971년 10월 15일 대학생들의 교련반대시위가 격화되자 위수령을 발동해 무장 군인을 고려대 등에 출동시켰고 총 23개 대학 177명을 제적시켰다. 2001년 군인사법시행령 개정에 따라 법률용어인 하사관이 부사관으로 수정되고 2003년 군무원인사법시행령 개정에 따라 역시 법률용어인 군속이 군무원으로 바뀌는 등 지엽적인 자구수정이 이루어졌다.[11] 2017년 3월 박근혜 대통령 탄핵이 헌법재판소에 의해 기각되거나 인용될 경우 촛불시위나 태극기집회가 확산될 것에 대비해 국군기무사령부가 작성한 '전시 계엄 및 합수업무 수행방안' 문건에 위수령에다가 계엄령까지 검토한 사실이 2018년 3월[문재인 정부 출범 후] 군인권센터에 의해 밝혀졌다.[12] 이에 문재인 정부는 2018년 7월 4일 위수령 폐지안을 입법예고했다. 그러자 보수일간지『조선일보』는 이 문건이 탄핵 선고를 앞둔 시점에서 극단적인 최악의 상황에 대한 대처 방안을 검토한 것이라고 합리화했다.[13] 물론 이 문건은『조선일보』의 주

10. 대통령령에 근거한 衛戍令은 일정지역에서 경찰력만으로 치안유지가 어렵게 됐을 때 市道지사의 요청으로 軍부대가 출동, 단순한 치안유지 활동을 벌이는 명령이다. 이에 비해 계엄령은 헌법에 근거해 계엄이 선포된 지역內에서 軍이 사법, 행정 등을 완전 장악, 통제하는 명령이다. 계엄이 발령되면 軍은 언론 출판·집회 및 결사·신체의 자유를 제한할 수 있다. 김성동, "[단독 입수] 1987년 6월19일 軍출동명령 비밀문건: 1987년 6월19일 軍에 내려진 명령은 계엄령 준비명령이었다,"『월간조선』 https://monthly.chosun.com/client/news/viw.asp?nNewsNumb=200409100022

11. "위수령," 국가법령정보센터, http://www.law.go.kr/lsInfoP.do?lsiSeq=56892#0000

12. "2017년 계엄령 모의 사건/문건 원문,"『나무위키』, 최근 수정 시각: 2018-07-10 20:40:20, https://namu.wiki/w/2017%EB%85%84%20%EA%B3%84%EC%97%84%EB%A0%B9%20%EB%AA%A8%EC%9D%98%20%EC%82%AC%EA%B1%B4/%EB%AC%B8%EA%B1%B4%20%EC%9B%90%EB%AC%B8 (검색일: 2018년 7월 11일 ; 은진, "기무사, 박근혜 탄핵 부결 시 시위대 무기탈취 이유로 계엄령 준비,"『시사위크』, 승인 2018.07.06, www.sisaweek.com/news/articleView.html?dxno=10457

13. "탄핵 찬반 세력 국가 전복 상황 때 군은 어떻게 해야 하나,"『조선일보』, 2018년 7월 11일 A35면.

장대로 탄핵 반대 세력에 의한 과격 폭력시위도 염두에 두었다. 그렇지만 그 중점은 역시 탄핵이 기각되었을 경우 일어날 '혁명'을 어떻게 막느냐에 두고 있다고 간주하는 것이 중론이었다. 2018년 7월 23일 추가로 공개된 2017년 3월 기무사령부는 "대비 계획 세부자료"[이하 '세부자료']에서 국회의원을 성향별로 보수 130명 진보 160명으로 분석했다. 이어 계엄 선포 후 국회의 계엄해제 표결 시 당시 여당인 자유한국당 국회의원을 그 의결에 참여하지 않도록 설득하거나 계엄해제 건 직권상정을 원천 차단하는 방안이 제시되어 있다.[14] 탄핵 기각을 대비한 문건일 가능성이 높음을 확인할 수 있는 대목이다. 이에 더하여 '세부자료'의 내용 중에는 탄핵 결정 이후를 염두에 두고 작성된 계엄령 담화문도 포함돼 있다. 담화문은 유언비어 및 대학가를 중심으로 폭력시위 확산 등을 언급했다. 역시 탄핵 기각에 비중을 뒀다고 짐작할 수 있는 대목이다.[15] '세부자료'를 7월 19일 먼저 받아 본 문재인 대통령은 문건 공개를 지시했었다. 20일 김의겸 청와대 대변인은 탄핵 기각을 상정해 문건을 작성한 것으로 파악한다고 브리핑했었다. 윤영석 자유한국당 수석대변인이 선별적 공개는 정략이라고 대응했었다.[16] 청와대(김의겸 청와대 대변인의 7월 20일자 브리핑)와 여당인 민주당(추미애 대표의 7월 25일자 발언)은 "친위쿠데타[내란] 음모"라는 식으로 암시했으나 실병력을 동원할 수 없는 기무사가 내란을 감행할 군사조직이 없고 실제 문서는 과거 사례에다 기무사의 의견을 더한 "계엄령 참고자료 수준"이라는 전문가(김국현 전 국방부 정책기

---

14. "이철재 · 송승환, "계엄문건 보수 130 진보 160 의원성향 분석했다: 국회의 계엄해제 시도에 대비, 계엄령 전국 확대 방안도 포함,""『중앙일보』, 2018년 7월 24일 1면, 3면.

15. 박수찬 "1979년 계엄령 때 쓴 '국민총화' 표현 고스란히…: 기무사 계엄 세부자료 보니 / 합참 실무편람 과거 사례 등 취합 / 탄핵 국면 상황 반영한 계획 추가," 『세계일보』, 2018.07.24. 19:00, http://www.segye.com/newsView/20180724005790

16. 위문희 김준영, "계엄 때 국회 · 언론 무력화 기도: 전차로 특전사 투입 계획도 짰다,"『중앙SUN-DAY』, 2018년 7월 21-22일 1면.

획관) 평가도 있었다[17] '세부자료'는 67쪽 분량의 '2급 군사기밀'이라고 한다.[18] 그러자 7월 23일 위와 같이 국방부가 '세부자료'를 공개한 것이다)을 발동하고 군대의 주둔이 공식화되어[19] 505명을 연행하고 59명을 군사재판에 회부해 민주항쟁은 진압될 수밖에 없었다. 1960년 3·15부정선거에 대해 치열하게 항거하던 마산 지역이 다시 한번 역사의 중심지가 되었던 것이다.

부산과 마산지역에서 연행된 총 1,563명 중 87명이 기소되어 20명이 실행을 선고받았다. 부마민주항쟁은 4·19이후 최초의 본격적인 민중항쟁으로 학생이나 재야 지식인뿐만 아니라 일반 시민들까지 함께하는 1980년대 반독재 민주항쟁의 기틀을 마련한 사건이었다.[20]

부산과 마산지역 시위는 진정되었으나, 10월 26일 대통령 박정희가 사망함으로써 유신체제의 종말을 앞당긴 계기가 되었다.

주한 미국 대사 글라이스틴에 따르면 부마민주항쟁은 박정희 정권을 향한 정치적 투쟁이기도 했지만 동시에 경기침체와 양극화, 상품가격 폭등 등 경제적 요인에 대한 실망감의 표출이기도 했다는 것이다. 전술한 부가가치세 철폐 등의 구호에서 드러나는 바와 같이 부가가치세 도입 등을 반대하는 대중들의 조세저항이 유신체제의 붕괴를 촉진시킨 배경이 되었다는 분석도 있다.[21] 또한 학생뿐만 아니라 서민, 노동자 등 일반 시민이 참여하고 야간시위 등 전술이 사용되었다는 점에서 이전 시위와 다른 새로운 정치적 사태이

17. 김민석, "기무사 계엄령 검토 문건의 숨겨진 진실," 『중앙일보』, 2018년 7월 27일 24면.
18. "이철재·강태화, "계엄 문건은 내란음모 증거? 일선 부대 가담했나가 관건,"『중앙일보』, 2018년 7월 22일 6면.
19. 윤민홍 앞의 책, p.12.
20. 윤민홍 앞의 책, pp. 14–15.
14. 趙炳柱 "조세저항 정치과정 연구: 1970년대 부가가치세 도입과 유신체제 붕괴를 중심으로," 석사학위논문 한국학중앙연구원 한국학대학원 정치학전공, 2016.

기도 했다. 폭로 전문 웹사이트 위키리크스가 공개한 CIA 문서에는 부마항쟁이 서울을 포함한 다른 지역의 학생운동을 촉진하는 효과를 불러왔다고 기술된다. 이 자료에 따르면 부마항쟁 당시 연세대학교와 이화여자대학교 학생들이 만나 부마항쟁에 동참, 서울에서 언제 어떻게 시위를 벌일지 논의한 것으로 돼 있다. 여기에는 또 박정희 정권이 계엄령 확대를 염두에 두고 수도경비사령부와 보안사령부에 대비태세를 갖출 것을 지시한 사실도 기록됐다. 지주형 교수는 이들 문서를 봤을 때 유신 말기의 경제 실정과 불황이라는 경제적 요소가 더해져 부마항쟁이 촉발됐다고 해석했다. 또한 서울 계엄령 선포를 위해 군부대가 대비했던 사실에서 보듯 부산과 마산에만 국한된 것이 아니라 전국 단위로 확산해 박정희 정권에 상당한 충격을 줄 가능성이 컸던 항쟁으로 평가된다. 지 교수는 특정 지역에 국한된 항쟁이 아니라 유신체제가 내포한 모순에 항거한 전국적 수준의 투쟁으로 부마민주항쟁을 재평가해야 한다고 주장했다. 그는 부마항쟁이 1980년 서울의 봄, 광주민주화운동으로 나아가는 동력이었으며 이는 1987년 민주항쟁으로 이어졌다고 결론 내렸다.[22]

역사에 가정을 한다는 것은 부질없는 짓이지만 만약 김재규가 박정희를 살해하지 않았다면 부마민주항쟁이 확산되어 1960년 4·19의 이승만 퇴진과 비슷하게 박정희를 퇴진시켰을 가능성이 전혀 없는 것은 아니었다. 그런 면에서 친미파 김재규가 부마민주항쟁의 혁명 확산을 막고 개량화 시켰다고 할 수 있으며 이것이 4·26이승만퇴진강권으로 4·19혁명을 개량화 시킨 미국의 공작과 비견되는 것이라고 할 것이다.

22  지주형, "미국 정부 기밀문서를 통해 본 부마항쟁: 부마항쟁의 정치·사회적 충격," 홍순권·전재호 김선미·박영주·이은진·지주형 (공저), 『부마항쟁의 진실을 찾아서』 (서울: 선인, 2016).

## Ⅱ. 10 · 26정변의 부차적 원인 · 직접적 동기로서의 차지철 · 김재규 갈등
## : 김재규 · 박정희 갈등이 제1원인

박정희의 퇴진을 요구했으므로 정권에 대한 직접적인 도전이었던 부마항쟁은 강경진압에 의해 일단 해결되었으나 그 대응 방식을 둘러싼 집권층 내부의 갈등을 야기시켜 10 · 26사태를 발생시켰다. 차지철車智澈 대통령 경호실장은 부마사태에 관해 '탱크로 데모꾼을 확 쓸어버려야 한다'고 강경진압을 주장했으며[23] 중앙정보부장 김재규는 상대적으로 온건한 입장이었고 양인은 대통령 앞에서 경쟁을 하는 상황이었다. 부산시위현장을 직접 목격하고 정보를 모았던 김재규는 정부가 주장하던 남민전이나 신민당의 주도로 학생들이 벌인 난동이 아니라 일반 시민들이 자발적으로 참여한 현시국에 대한 반감이 원인이 된 시위라는 것을 파악했다. 이 사실을 보고했음에도 불구하고 강경노선을 견지했던 박정희 대통령에게 그는 반감을 갖게 되었다. 실제로 탱크와 계엄군이 출동했다. 김재규의 事後 진술에 따르면 박정희 대통령은 앞으로 이런 사건에 직접 발포명령을 내리겠다고 했으며 차지철은 캄보디아의 킬링필드를 언급하며 "우리도 데모 대원 100-200만 정도를 죽인다고 까딱있겠습니까"라고 말했다는 것이다.[24]

박정희 대통령이 차지철의 입장을 수용해 강경진압을 채택하자 차지철의 견제로 진퇴위기에 몰린 김재규가 1979년 10월 26일 밤 7시 40분경 서울 종로구 궁정동 중앙정보부 안가安家에서의 만찬 도중에 차지철과 박정희를 살해했다.

---

23. 이만섭, 『5 · 16과 10 · 26: 박정희, 김재규 그리고 나』 (파주: 나남, 2009), p. 10.
24. 윤민홍 앞의 책, pp. 14-15.

아이러니컬하게도 대통령 경호실장 차지철은 『암살사』(서울: 대통령경호실, 1978)를 제작하여 대통령 암살에 대비하였다. 경호실 직원들에게 배부된 이 책 p. 277에는 북한 공작원의 침투와 관련된 대목이기는 하지만 '대통령 측근 근무자'의 행동을 단속할 것이 강조되었다. 이와 같은 책자의 제작과 배포가 경호실 권한의 고유범위 내에 있는지 아닌지 검토해야 할 부분이다. 왜냐하면 1974년 8월 15일 육영수 여사 피격사건으로 사임한 박종규 경호실장의 후임으로 부임한 차지철이 1978년부터 비선을 두는 등 월권을 자행하였으며 결국 10·26이 터졌다는 평가가 있기 때문이다.[25] 그렇지만 이미 박종규 경호실장 시절인 1973년에 경호실 연구발전실에서 『암살사 연구』를 상하권으로 출간했으므로 관례화된 일이었던 것으로 추정된다. 이 책은 박정희의 집무실 겸 서재에도 꽂혀있었다고 한다.[26] 한편 육영수 여사의 피살로 인한 외로움을 박정희는 술로 달래면서 차지철을 신임하고 김재규-김계원 등을 중용하는 등 이전과 같은 효과적인 人事를 하지 못했으며 결국 1979년 10월 26일 궁정동 안가에서의 '밤 행사'에서 피살되었으므로 육영수 피살이 10·26의 불씨를 제공했다는 주장도 있다. 그런데 1974년 육여사 피살 직후 인사는 차지철(1974년)·김재규 기용(1976년) 외에는 큰 문제가 없었다. 청와대 제2 경제수석 오원철(1971-1979)-비서실장 김정렴(1969년 10월 부임해 1978년 12월 김계원으로 교체됨; 김정렴의 경우는 1978년 12월 총선에서 집권 여당인 공화당이 신민당에 득표율 면에서 1.1% 뒤지는 국민의 심판을 받은 일이 발생해서 이에 책임을 지고 물러난 것이었다. 당시 선거 패인으로 물가 급등에 따른 국민 불만, 부가가치세 도입에 따른 상공인의 저항, 정부가 권장한

25. 이러한 평가는 김정렴, 『아 박정희: 김정렴 정치회고록』(서울: 중앙M&B, 1997), pp. 334-339에 있다.
26. 조갑제, 『박정희의 마지막 하루』(서울: 월간조선사, 2005), p. 28.

다수확 볍씨 '노풍' 병충해에 따른 농민의 비판 등 경제적 요인이 지목됐다. 경제의 전반적 관리 책임을 맡고 있는 김 실장이 희생양으로 떠올랐다. 1.1% 포인트 격차는 보기에 따라 큰 문제가 아닐 수 있는데 김재규 정보부장과 차지철 경호실장이 돌아가면서 김정렴 책임론을 제기하는 바람에 박정희 대통령의 마음이 흔들렸다. 차지철과 김재규는 김정렴이란 완충장치가 사라지자 노골적인 권력 투쟁을 벌이기 시작했다.[27] 4선 의원 차지철은 육영수 여사 저격 사건에 책임을 지고 물러나는 박종규 경호실장 후임으로 1974년 경호실장이 되었다. 금전적으로 깨끗한데다 신앙심이 투철하고 학구적이며 게다가 무술도 뛰어나며 박정희 대통령의 사위 한병기도 추천하므로 김정렴 당시 비서실장이 경호실장으로 천거했다고 한다. 김종필과 전임자 박종규는 오정근을 추천했으나 박정희가 차지철을 낙점했다.[28] 자신의 후견자 김정렴이 물러나자 차지철은 경호실장의 직분을 넘어서서 비서실장의 영역까지 침범했으며 김재규와 경쟁했다. 따라서 김정렴이 계속 비서실장에 재직했다면 10 · 26의 원인 중 하나인 차지철의 월권이 일어나지 않았을 것이라는 시각이 있다. 그렇다면 10 · 26이 일어나지 않았을 것이라는 가정도 할 수 있다. 그런데 박정희 시해 요인은 그 중요도에 따라 ①김재규의 살의, ②김재규 · 차지철 갈등, ③차지철 월권의 순으로 정리될 수 있다. 따라서 10 · 26의 주된 원인은 김재규의 박정희 시해 의지였고 김재규의 월권은 그것보다는 부차적인 요인이므로 위 가정은 단정일 가능성이 있다. 물론 김재규 · 차지철 갈등의 일 원

---

27. 전영기 한애란, "[김종필의 '소이부답'] <67> 김정렴 비서실장과 JP 후계론: JP "박 대통령, 내가 후계자라고 한 번도 말한 적 없다." 62년 화폐개혁 때 성실한 일처리 김정렴, 박 대통령 눈에 들어 중용 재간 안 부리고 그림자처럼 보좌 정치 · 권력 · 통수 문제는 관여 안 해,"『중앙일보』, 2015년 8월 7일 13면.

28. 金瑢, 『靑瓦臺비서실: 육성으로 들어본 朴正熙시대의 政治權力秘史』(서울: 중앙일보사, 1992), pp. 82–83, 362–363.

인이 되는 차지철 월권(다른 요인은 차지철에 대한 박정희의 편애)이 김재규의 박정희 살해 배경이 되기는 한다) 등의 중용이 그 예인데 중화학공업화를 추진했던 이들이 갈수록 밀리고 차지철―김재규―김계원 등 측근들의 세력관계가 국정을 농단했던 말기의 상황이 문제가 되었던 것이다. 2014년 10월 경 박보균 중앙일보 대기자와의 인터뷰에서 김종필은 "김재규가 총을 꺼낸 건 충성경쟁에서 차지철에게 패배했기 때문이야. 그렇게 영민하던 박 대통령이 돌아가시기 1년 전부터 사고력이 떨어졌어. 지금 생각해도 불가사의야"라고 회고했다. 박정희가 시해당한 것은 인사 실패에서 비롯된다는 것이다. 박정희 초기 용인술의 영민함은 말기에 흐릿해졌다는 평가이다. 김종필은 경호실장 차지철의 교만과 중정부장 김재규의 광기를 증언했다. 비서실장 김계원은 무기력했다. 18년 박정희 시대의 인물은 다양하다. 이들 3인은 지모와 지혜, 역량에서 가장 떨어졌다는 평가를 내렸다.[29] 5 · 16당시 육군 대위로 박정희의 옆에서 군사혁명을 보좌했던 차지철은 1963년 박정희가 대통령이 되자 중령으로 진급한 후 전역하여 민주공화당 국회의원을 하면서 "특별기고: 한국의 현실과 인간성의 부활: 우리의 현실을 극복하는 길"을 『세대』 1964년 7월호에 싣기도 했다.

결국 김재규는 '궁지에 몰린 쥐 신세의 소영웅주의자'가 되어 암살을 단행했던 것이다.[30] 국제유가상승, 경기침체로 인한 경제난과 국민의 저항 앞에 유신체제는 권력핵심내부로부터 스스로 붕괴했다. 김재규 사건에서 변론을 맡았던 안동일 변호사는 다음과 같은 증언했다.

29. 박보균, "김종필 증언록을 시작하며: "나폴레옹 혁명 · 사랑 배우려 했지" … 5 · 16으로 세상 뒤집어 '박정희의 진실'에 가장 다가섰고 그 진실 합작했다: 현대사 연출가 JP … 5 · 16에서 자비명 自碑銘까지 정치 9단? 권모술수에 능한 거지 … 풍운아는 '불꽃'이야, 후세 위해 '역사의 비곡' 육성증언," 『중앙일보』 2015년 3월 2일 6면. 82–83, 362–363.
30. 김영희, "북한 붕괴론은 환상," 『중앙일보』 2016년 2월 26일 31면.

[당시 부산을 시찰했던; 인용자 첨가] 김재규는 '내가 (거사를) 안 하면 틀림없이 부마항쟁이 5대도시로 확대돼서 4·19보다 더 큰 사태가 일어날 것이다'고 판단했어요. 이승만은 물러날 줄 알았지만 박정희는 절대 물러날 성격이 아니라는 거지요. 차지철도 '캄보디아에서 300만을 죽였는데 우리가 100만~200만 명 못 죽이겠느냐'고 했어요. 그런 참모가 옆에 있고 박정희 본인도 '옛날 곽영주가 죽은 건 자기가 발포 명령을 내렸기 때문인데 내가 직접 발포 명령을 내리면 나를 총살시킬 사람이 누가 있느냐'라고 말을 하니까…. 더 큰 국민의 희생을 한 사람을 희생함으로써 막자는 거였죠.[31]

당시 합동수사본부장(약칭 합수부장) 전두환의 특보를 지냈던 이건개의 회고담에서 이러한 평가가 나와 있다.

차지철과 김재규 두 사람 사이에는 10년 이상 쌓여온 사적인 구원舊怨이 있었다. 대통령의 신임을 놓고 두 사람은 끊임없이 갈등하고 싸웠다. 10·26 직전에 이미 권부 내에선 김재규가 정보부장직에서 잘리는 방향으로 분위기가 흘러가고 있었다. 그래서 장관 중에는 '김재규가 잘리면 내가 중정부장을 할 수 있겠다'고 생각한 사람이 있었다. 이런 사람들이 차지철 쪽에 바짝 붙어서 김재규를 압박하고 있었다. 10·26 사건은 비대해진 대통령 권력의 주변에서 측근끼리 암투하다 터진 사건이었

31. 신동호 "조명 '김재규는 두 가지를 착각했다': '10·26은 아직도 살아 있다' 출간한 안동일 변호사 "더 큰 희생 막으려 '거사'했다.'" 「주간경향」, 기사입력 2005-11-04 11:42 | 최종수정 2005-11-04 11:42, http://news.naver.com/main/read.nhn?mode=LSD&mid=sec&sid1=103&oid=033&aid=0000007473

다.[32]

　김재규는 군 후배인 차지철의 월권과 자신에 대한 무시, 그리고 차지철에 대한 대통령의 편애를 견딜 수 없었다. 김재규는 대통령에게 사표를 내든지 담판을 하여 차지철의 월권을 저지시켰어야 했는데 그 수모를 참기만 했다. 김재규는 자신의 비위사실 때문에 대통령으로부터 경고친서를 받은 사실이 있어 근간 요직개편설에 따라 현시국과 관련, 자신의 인책 해임을 우려했다고 한다. 그런데 이 경고친서는 2002년 242만원에 낙찰되어 팔렸다고 한다.[33] 대통령이 워낙 어렵게 보이기도 했으며 자신의 논리가 부족하기도 했다. 울분이 발산되지 못했기 때문에 폭발성이 증가되었으며 결정적인 시점에 폭발했던 것이다.[34] 중학교 재학당시 김재규의 제자였던 이만섭 전 국회의장은 회고록에서 10·26의 직접적 동기는 박정희와 김재규, 차지철 3자 간의 미묘한 갈등관계라고 단언했다.[35] 차지철의 권력2인자로서의 군림과 이에 따른 김재규와의 권력 내부갈등·세력암투, 신임경쟁이 원인이라는 것이다. 이만섭은 박정희 정권의 비극적 몰락의 원인에 대해 무리한 3선 개헌과 1972년 10월 유신 이후 장기집권에 따르는 권력 심층부의 타락과 부패 때문이라고 분석했다. 나아가 그 결정적 원인近因으로는 김대중 납치사건, 김

32. 조성관, "문세광, 경호실장 쏘려다 육 여사 맞췄다" 육영수 여사 피살·박정희 대통령 시해사건 수사한 이건개 전 의원 "10·26 사건은 측근들 암투서 비롯된 것…박대통령·육여사, 최후까지 의연했다" 『주간조선』 제1843호 (2005년 2월 28일), http://weekly.chosun.com/wdata/html/news/200502/20050224000015.html.

33. "이리 갈까 저리 갈까, 정처없는 대통령 유품: 박 대통령 유품 청와대→총무처→국립민속박물관→구미 국가기록원으로 전전." 『박정희 대통령과 육영수 여사를 좋아하는 사람들의 모임』, 2009-07-10.

34. 조갑제는 그렇다고 김재규가 총을 겨눌 수는 없었을 것이라며 대의에 목숨을 건 사람들을 존경하는 마음을 가지고 있던 남다른 사람이 김재규라고 평가했다. 조갑제, 『박정희의 마지막 하루』(서울 월간조선사, 2005), pp. 115-116.

35. 이만섭, 『5·16과 10·26: 박정희, 김재규 그리고 나』(파주: 나남, 2009), p. 237.

302 부마에서 촛불로

영삼 제명사건, 10대 총선에서의 공화당 패배(득표율이 신민당에 1.1% 뒤짐[36]), 이에 따른 광범위한 민심이반 및 부마사태를 들었다. 직접적 동기는 김재규의 거사 의지였지만 주된 원인은 장기 집권과 강경 일변도의 정치(강경파의 득세)라고 해석했다.[37] 또한 이만섭은 2010년 3월 10일 SBS라디오와의 인터뷰에서 김재규 부장과 10·26 20일전 식사를 했는데 "웬만한 것은 수습하겠지만 차지철 때문에 골치아프다"고 김재규가 말했으며 육사 2기 동기생들을 만난 자리에서 김재규는 차지철 제거를 암시했다고 한다.[38]

미국 국방부의 T. C. Pinckney 준장이 1979년 10월 27일 작성한 10·26 사건 사후 보고서의 서두인 "배경Background"부분의 첫 번째 항목에 다음과 같이 나온다.

> 1979년 10월 25일 박정희는 국내안보에 관련해 고위 안보관계자와 내각의 회의를 소집했다. 김재규 중앙정보부장, 차지철 경호실장, 김계원 청와대 비서실장 외에 몇 명의 장관들이 참석했다. 박정희는 현재의 국내 상황을 자신이 잘 알지 못하는 상황에 대해 관리들을 심하게 질책했다. 그는 한국 안보부서의 국내 상황 평가가 정확하지 못하다며 책임을 물었다. 그는 청와대와 국민간의 소통부족이 근본적인 문제라고 느꼈다. 대통령은 현상황의 개선과 함께 고충처리국a Complaint Bureau의 설치를 지시했다.

---

36. 이만섭, 『5·16과 10·26: 박정희 김재규 그리고 나』 (파주: 나남, 2009), p. 207에서는 10대 총선이 10·26 비극의 단초를 제공했다고 평가되었다. 야당인 신민당은 선거구민이 많은 도시지역에서 주로 당선되었고 공화당은 상대적으로 유권자가 적은 농촌지역에서 당선되었으므로 의석수에서는 야당이 밀렸다. 또한 유신헌법에 따라 1/3을 유신정우회가 가져갔으므로 역시 여당이 득표율에 비례하는 의석 점유율을 확보하지 못하는 왜곡현상을 감내해야 했다.
37. 이만섭, 『5·16과 10·26: 박정희, 김재규 그리고 나』 (파주: 나남, 2009), p. 236.
38. 『SBS 라디오 특별 기획 한국현대사증언』, 2010년 3월 10일 오전 7시 50분 방송.

김재규 중앙정보부장은 박정희와의 회의 후 자신의 사무실로 와서 매우 낙담했다depressed. 그의 실망은 지난 3개월간 시민들의 소요가 증가한데 따른 것이었다.[39]

전해들은 사실 즉 傳聞에 의한 기술이라 그 정확성에는 의문의 여지가 있다. 과연 10월 25일 이러한 회의가 있었는지도 확인해 봐야 할 부분이다. 그러나 그 맥락 면에서는 주목할 사실이 있다고 것이다.

1979년 10월 26일 아침에도 김재규는 차지철에게 전화를 걸어 삽교천 댐 준공식 행사 등에 참여하는 박정희 대통령의 헬기에 동승할 것을 요청했으나 거부당했다고 한다.[40] 만약 이 요청이 수락되었다면 암살이 이루어지지 않았을 가능성이 있다. 이를 거부당한 김재규는 수모를 느껴 암살을 결심하고 추진했을 수도 있다. 그날 저녁자리에서도 박정희는 부마사태의 책임을 중앙정보부의 정보 부재에 돌렸으며 차지철도 중앙정보부의 무능함을 지적했다. 10 · 26사태 직후 최규하崔圭夏 과도 정부는 제주도를 제외한 전국에 비상계엄을 선포했으며 10월 말 군부 고위층은 유신헌법의 폐기를 결정했다. 결국 이 사건으로 유신체제가 무너졌으며, 전두환정권이 수립되는 계기가 되었다.

---

39. "Information Memorandum, drafted by Brig. Gen. T.C. Pinckney, Subject: Korea Situation and Future US Policy," October 27, 1979, Secret, http://nsarchive.gwu.edu/dc.html?doc=3696538-Document-11-Information-Memorandum-drafted-by

40. 「정재욱 (채록 · 정리), "임방현," 한국정신문화연구원 (편), 『내가 겪은 한국전쟁과 박정희 정부』 (서울 선인, 2004), p. 388; "임방현, 박정희 · 박근혜 부녀를 말한다!: 장성민의 시사탱크," 『TV조선』, https://www.youtube.com/watch?v=j2gb2-Z0c5k

## Ⅲ. 박정희 시해의 '먼 원인遠因'을 제공한 박근혜와 최태민 : 김재규 · 차지철 갈등의 배경

김재규와 차지철의 사이가 벌어진 데에 박근혜가 배후에 있었다고 김계 원은 2006년 회고했다. 구국봉사단 총재 최태민이 하는 일에 김재규가 제동 을 걸자 차지철은 이를 막았다는 것이다. 김재규가 박근혜와 최태민이 함께 하는 일에 대해 감시하자 박근혜는 김재규를 비난했다고 한다. 김계원은 이 것이 차지철–김재규 갈등의 원인이라고 주장했다.[41]

1974년 8월 15일 육영수 여사 서거 이후 퍼스트레이디 역할을 대신했던 박근혜에게 최태민은 1975년 2월 3차례 편지를 보냈다고 한다. 그 결과 1975 년 3월 6일 만남이 성사되었다. 최태민은 박근혜에게 대외활동을 권고해 가 까워졌으며 아시아의 지도자가 될 것이라고 부추기기도 했다고 한다. 이에 만난지 두 달도 되지 않은 시점에 대한구국선교단이 만들어졌다.[42]

2003년『한국일보』가 보도한 김재규의 1979년 음력 12월 11일 옥중 수양 록에는 "대통령 일가의 횡포"라는 제목아래 "구국여성봉사단과 큰 영애(여러 차례 건의했으나 관여치 말라는 노여움만 삼)"라는 기술이 나와 있다.[43]

41. 조갑제 "집중 인터뷰: 金桂元 前 청와대 비서실장, 18년 만에 다시 입 열다," 『월간조선』 (2006년 2 월), (검색일 2011년 1월 16일); 『이코노미스트』, 2005년 10월 25일; 오승훈, "차지철–김재규 갈등 원인은 박근혜 둘러싼 힘겨루기: 김계원 당시비서실장 주장," 『문화일보』, 2005년 10월 26일.

42. 오연호 최경준 · 안홍기, "박근혜–최태민의 관계는 '물과 고기': [조순제 녹취록 전문 심층분석②] 조순제 "단둘이 골방에 들어가 3시간,'" 『오마이뉴스』, 17.01.05 14:06최종 업데이트 17.01.05 14:06], http://www.ohmynews.com/NWS_Web/view/at_pg.aspx?CNTN_CD=A0002276869 (검색일: 2017년 8월 19일);『김형욱 회고록』; 김외현, "2012 대선주자 탐구 | 박근혜③ 박근혜와 최태민: 이름 7개 부인 6명승려 목사 '최태민 미스터리,'" 『한겨레』, 등록: 2012–07–17 19:01, 수정: 2012–07–29 18:04, http://www.hani.co.kr/arti/politics/politics_general/542931.html 세상을 돌아보다, "박근혜 ' 최태민 목사 나쁜 사람 아니다' 전과 44범을 감싸는 박근혜의 진실은," 2012/07/20 13:20, http://booyaso.blog.me/50145917931

43. 김경준 "다시 10 · 26… 37년을 넘나든 최태민의 그림자," 『한국일보』. http://www.hankookilbo.com/v/37b8b0c9dac44e36aa5f61bfa23620cf

또한 김재규는 1980년 1월 28일자 '항소이유보충서'(항소 이유서는 1980
년 1월 21일 제출했으며,[44] 보충서는 일주일 뒤인 28일 추가로 제출했다) 말
미에 '10·26 혁명의 동기의 보충'이라는 항목을 달고, 공개된 법정에서는 밝
힐 수 없었지만 꼭 밝혀둘 필요가 있다면서, 최태민 목사가 총재, 박근혜양
이 명예총재로 있는 구국여성봉사단(전신은 최태민이 박근혜의 도움으로
1975년 4월 만든 대한구국선교단이며 기독교계의 반발과 대통령의 딸이 특
정 종교와 관련된 활동을 하는 것에 대한 문제제기 때문에 1976년 4월 구국
여성봉사단으로 이름이 바뀐 뒤 여러 관변 여성단체들을 통합하고 예산을 독
차지하다며 여성단체들의 원성을 사자 여성만이 아닌 남녀노소를 포괄하기
위해 1979년 5월 명칭을 새마음봉사단으로 확대·개편[45])과 관련된 부정과
원성을 다음과 같이 거론했다.

구국여성봉사단이라는 단체는 총재에 최태민, 명예총재에 박근혜양이었
는 바, 이 단체가 얼마나 많은 부정을 저질러왔고 따라서 국민 특히 여성단
체들의 원성의 대상이 되어왔는지는 잘 알려져 있지 아니합니다. 그럼에도

44  허만섭 "박근혜 X파일 & 히든카드: 최태민 수사기록 / 전두환의 도움 / 재산 변동 / DJ 연대설,"
    『신동아』(2007년 6월)에 나와 있는 "항소이유서"의 최태민 관련 부분은 다음과 같다. "피고인 김
    재규는 1975년 5월 구국여성봉사단 총재로 있는 최태민이라는 자가 사이비 목사이며 자칭 태자마
    마라고 하고 사기횡령 등의 비위사실이 있는데다 여자들과의 추문도 있는 것을 알게 되었는데, 이
    런 일을 아무도 문제 삼는 사람이 없어서 대통령에게 보고하였더니 박 대통령은 '정보부에서 그런
    것까지 하나?' 하면서 반문하길래 피고인으로서는 처음에 대통령의 태도를 보고 놀랐으며, 대통령
    은 큰딸인 박근혜에게 그 사실을 알렸으나 근혜가 그렇지 않다고 부인하여 대통령이 직접 조사하
    겠다고 하였는데, 그 조사 후에 최태민이란 자를 총재직에서 물러나게는 했으나 그후 알고보니 근
    혜가 총재가 되고 그 배후에서 여전히 최태민이 여성봉사단을 조종하면서 이권개입을 하는 등 부
    당한 짓을 하는데도, 박 대통령은 피고인의 '큰 영애도 구국여성봉사단에서 손떼는 게 좋습니다.
    회계장부도 똑똑히 하게 해야 합니다'란 건의를 받아들이지 않았던 일도 있어서, 대통령 주변의 비
    위에 대하여 아무도 문제 삼지 못하고 또 대통령 자신 그에 대한 판단을 그르치고 있었다는 것입
    니다."

45. 한홍구 "권력형 개인 비리 최태민, 총체적 국정농단 최순실," 『경향신문』,
    http://news.khan.co.kr/kh_news/khan_art_view.html?artid=201611042107005&code=210100&n
    v=stand&utm_source=naver&utm_medium=newsstand&utm_campaign=top3

불구하고 큰영애가 관여하고 있다는 한 가지 이유 때문에 아무도 문제 삼는 사람이 없었고, 심지어 민정수석 박승규 비서관조차도 말도 못 꺼내고 본인에게 호소할 정도였습니다[친·인척 문제를 책임진 민정수석 박승규는 몇 차례 구두보고에도 불구하고 구국선교단 문제가 계속 터져 나오자 1977년 봄경 상세한 보고서를 작성해 박정희에게 제출했다. 보고서를 읽은 박정희는 당황하여 한참을 말이 없다가 보고서를 박승규에게 돌려주면서 "자네가 직접 근혜한테 얘기 좀 해봐. 나한테 보고 안 한 걸로 하고…"라고 했다고 한다.[46]. 본인은 백광현, 당시 안전국장을 시켜 상세한 조사를 시킨 뒤 그 결과를 대통령에게 보고하였던 것이나 박대통령은 근혜양의 말과 다른 이 보고를 믿지 않고 직접 친국(親鞠 : 임금이 직접 죄인을 심문함)까지 시행하였고, 그 결과 최태민의 부정행위를 정확하게 파악하였으면서도 근혜양을 그 단체에서 손떼게 하기는 커녕 [1978년 2월[47]] 오히려 근혜양을 총재로 하고, 최태민을 명예총재로 올려놓아 결과적으로 개악을 시킨 일이 있었습니다. 중정中情에서 한 조사보고서는 현재 안전국(6국)에 보관되어 있을 것입니다.[48]

46. 金瑢 『靑瓦臺비서실: 육성으로 들어본 朴正熙시대의 政治權力秘史』(서울: 중앙일보사, 1992), pp. 444-447; 한홍구, "권력형 개인 비리 최태민, 총체적 국정농단 최순실," 『경향신문』, http://news.khan.co.kr/kh_news/khan_art_view.html?artid=201611042107005&code=210100&nv=stand&utm_source=naver&utm_medium=newsstand&utm_campaign=top3

47. 이문영, "유신 의식화 선봉, 대학생 최순실," 『한겨레』, 2016년 11월 19일, http://www.hani.co.kr/arti/politics/bluehouse/771012.html?_fr=mt2

48. 허만섭 "박근혜 X파일 & 히든카드: 최태민 수사기록 / 전두환의 도움 / 재산 변동 / DJ 연대설," 『신동아』 (2007년 6월)에는 안정국장으로 잘 못 나와 있다. 한편 오연호 기자가 인용한 항소이유서는 아래와 같다. "피고인(김재규)은 1975년 5월 구국여성봉사단 총재로 있는 최태민이라는 자가 사이비 목사이며 자칭 태자마마라고 하고 사기횡령 등의 비위사실이 있는데다 여자들과의 추문도 있는 것을 알게 되었는데, 이런 일을 아무도 문제 삼는 사람이 없어서 대통령에게 보고하였더니 박대통령은 '정보부에서 그런 것까지 하나?'하면서 반문 하길래 피고인으로서는 처음에 대통령의 태도를 보고 놀랐으며, 대통령은 큰딸인 박근혜에게 그 사실을 알렸으나 근혜가 그렇지 않다고 부인하여 대통령이 직접 조사하겠다고 하였는데, 그 조사 후에 최태민이란 자를 총재직에서 물러나게는 했으나 그후 알고보니 근혜가 총재가 되고 그 배후에서 여전히 최태민이 여성봉사단을 조종하면서 이권개입을 하는 등 부당한 짓을 하는데도, 박 대통령은 김 피고인의 '큰 영애도 구국여성봉사단에서 손떼는 게 좋습니다. 회계장부도 똑똑히 하게 해야 합니다'란 건의를 받아들이지 않았던 일도 있어서, 대통령 주변의 비위에 대하여 아무도 문제 삼지 못하고 또 대통령 자신도 그에 대한

위에서 김재규가 언급한 '친국'은 중앙정보부의 수사보고서를 토대로 1977년 9월 12일 박정희 대통령이 김재규 중정부장, 백광현 중정 안전국장과 최태민을 대통령 서재에 불러 직접 확인했던 사건을 말한다. 청와대 면담일지에 보면 김재규는 1977년 9월 12일 오전 백광현과 함께 1시간가량 보고차 박정희를 면담했고, 백광현을 내보내고 10분간 단독으로 박정희와 이야기를 나눈 것으로 되어있다. 박정희는 이 보고서를 박근혜에게 주었고, 당연히 박근혜는 이를 최태민에게 전달했을 것이다. 박정희의 공보비서관이었던 선우련의 증언에 의하면 9월 12일 저녁 청와대에서는 박정희가 최태민의 비리를 조사한 보고서를 올린 중앙정보부장 김재규와 6국장 백광현을 한편에 앉혀 놓고 다른 편에 박근혜와 최태민을 앉힌 채 대질심문 '친국'을 벌였다고 한다. 여기서 박근혜는 울면서 최태민이 죄가 없다고 옹호했으므로 당초 최태민 거세를 결심했던 박정희는 결론을 내릴 수 없었다. 아버지로서 박정희는 무기력했고 또 무책임하기까지 했다. 박정희가 중앙정보부장이 올린 보고서를 믿지 않고 딸의 눈물에 넘어가자 김재규는 극도의 실망감과 모욕감에 빠지지 않을 수 없었다. 김재규가 보기에 박정희는 이미 자신이 알던 박정희가 아니었다. 박정희는 이제 한 나라를 통치할 만한 판단력을 갖고 있다고 보기 어려운 상태였다. 김재규가 10·26사건 후 자신이 박정희에게 총을 쏜 "간접적인 것이기는 하지만 중요한" 동기의 하나로 "구국여성봉사단과 관련한 큰 영애의 문제"를 꼽은 것은 이 때문이었다.[49]

판단을 그르치고 있었다는 것입니다." 오연호·최경준·안홍기, "박정희는 왜 박근혜―최태민 관계 단절에 실패했나: [조순제 녹취록 전문 심층분석③] 조순제 "자식 이길 아버지 없다," 『오마이뉴스』http://www.ohmynews.com/NWS_Web/view/at_pg.aspx?CNTN_CD=A0002276873

49.  한홍구 "권력형 개인 비리 최태민, 총체적 국정농단 최순실," 『경향신문』.
    http://news.khan.co.kr/kh_news/khan_art_view.html?artid=201611042107005&code=210100&
    nv=stand&utm_source=naver&utm_medium=newsstand&utm_campaign=top3

이명박 당시 한나라당 대통령 후보 경선 캠프 진영이 최태민의 의붓아들 조순제와 면담하여 2007년 7월 경에 만든 "조순제와의 대화 녹취록" 4쪽에 의하면 "박근혜와 최태민은 김재규를 결사적으로 씹었다. 저걸 두면 큰일 나..."라고 되어 있다. 이 녹취록에서 조순제는 10 · 26 전[사실 1977년 9월에 이루어진 조사였으므로 기억에 의한 부정확한 회고로 간주될 수 있는 부분이다. 또한 이후 10 · 26을 겪은 조순제가 당시 중정의 조사를 김재규에게 돌리려 하는 부정확한 회고라고 할 수도 있다] "김재규가 수단방법 안 가리고 (최태민의) 모든 걸 다 수집"했다고 다음과 같이 회고했다. "(김재규의 중앙정보부가 도청을 했는지) 깊은 사무실에서 얘기했는데 1분만에 와서 말조심하라고 충고할 정도라면 다른 건 뭐…"[50] 이렇듯 박근혜 · 최태민도 김재규와 적대적인 관계를 설정했음이 최태민 진영에서도 확인된다.

1977년 9월 중정의 최태민 조사에 대해 박근혜는 후일 이렇게 해명했다.

"김재규 부장이 어떤 사람입니까. 평생 동안 자신에게 은혜를 베풀었던 아버지에게 총을 겨눈 사람 아닙니까. 인간성으로 미루어보아 그의 주장이나 보고가 순수했다고 할 수 있나요. 중정 보고서라는 것도 그래요. 이것저것 소문만 늘어놓았지 증거는 하나도 없었어요. 그래서 아버지께서도 사실을 확인하려고 나와 최씨, 그리고 김 부장을 직접 부르신 거에요. 아버지께서 하나하나 조목조목 짚어가며 물으셨어요. 최씨는 나름대로 설명을 드렸는데 김부장은 제대로 대답을 못했어요. 아버지께서는 결국 '없던 일로 하라'고 끝내셨어요."[51]

50. 오연호 · 최경준 · 안홍기, "박정희는 왜 박근혜─최태민 관계 단절에 실패했나: [조순 녹취록 전문 심층분석③] 조순제 "자식 이길 아버지 없다" 『오마이뉴스』

51. 金瑾, 『靑瓦臺비서실: 육성으로 들어본 朴正熙시대의 政治權力秘史』(서울: 중앙일보사, 1992),

이에 대해 윤석진 기자는 박정희의 '없던 일로 하라'는 딸과 관련된 민감한 문제를 자기 손으로 처리해야 하는 아버지로서의 곤혹스러움의 표현으로서 박근혜가 받아들였던 문자 그대로의 의미와는 다르다고 해석했다.[52] 박근혜는 부정부패가 적지 않게 드러났던 김재규가 이를 감추기 위해 엉뚱한 최태민 문제를 들고 나온 것이라고 주장했다.[53] 한편 박승규 전 민정수석비서관은 당시 박근혜가 순수한 동기를 가지고 있었으나 최태민이 박근혜를 이용해 사리를 챙긴 것이라고 회고했다.[54]

그런데 "조순제와의 대화 녹취록," 12쪽에는 친국親鞫에 대해 아래와 같은 증언이 나와 있다.

> (박 대통령이 배석한 중앙정보부 백광현 국장한테) 증거를 내놔 했는데 하나도 못 내놔. 자료 내놨다가는 근혜가 맞아죽고, 또 그 사람들 바보가 아닙니다. 자식 이기는 부모 없거든요. 박통(박정희 대통령)하는 것 보니까 전부 지네(중앙정보부 등 최태민 견제세력)만 다치거든요. 그러니깐 근혜쪽 붙은 사건은 전부 피하는 겁니다.[55]

친국 이후 박정희가 중앙정보부 조사와는 별도로 도태영 서울지검 특수

---

p. 451.

52. 윤석진 "유신붕괴 · 박정희정권의 도덕성 시비부른 박근혜-최태민 20년 커넥션," 『월간중앙』(1993년 11월), https://www.whoim.kr/detail.php?number=44670&thread=37r50

53. 金珖, p. 451.

54. 金珖, p. 445.

55. 오연호 · 최경준 · 안홍기, "박정희는 왜 박근혜-최태민 관계 단절에 실패했나: [조순제 녹취록 전문 심층분석③] 조순제 "자식 이길 아버지 없다." 『오마이뉴스』. http://www.ohmynews.com/NWS_Web/view/at_pg.aspx?CNTN_CD=A0002276873

부장에게 특명수사를 지시해 직접 보고까지 받았으므로[56] 박정희 대통령이 진정 없던 일로 무마시켰던 것은 아니다.

1977~1979년 당시 박근혜는 박정희 대통령에게 김재규를 많이 비난했었다고 김계원은 전술한 2006년 증언에서 언급했다.[57] 그런데 박정희가 최태민을 안 좋게만 본 것은 아니었다. 박정희 대통령은 최태민이 영애 박근혜를 만나면서부터 당시 저항 세력이었던 기독교계의 저항을 희석시켜 보려는 의도에서 최태민을 이용하려 했다. 박정희 대통령은 당시 반체제 민주화 운동의 구심점이었던 기독교계를 못마땅하게 여기고 있던 차에 박근혜를 통해 최태민의 구국선교단 십자군사령부의 창설 건의를 긍정적으로 받아들였다. 이렇듯 체제 유지 차원에서 대한구국십자군(1975년 6월 구국선교단 산하에 창설됨[58])을 활용한 측면도 분명히 있었다.[59] 박근혜는 인터뷰를 통해 "월남 패망으로 인해 나라 안이 위기의식으로 가득했어요. 그래서 목사들이 뭉쳐 구국선교단이 되고 여성들이 모여 구국여성봉사단을 만든 거죠. 그렇게 2년쯤 지나니 이제는 위기의식도 어느 정도 사라지고 해서 새마음봉사단으로 바뀐 거예요"라면서 그 순수한 동기를 강조하기도 했다.[60]

실제로 1978년 경 김재규는 구국봉사단을 실질적으로 움직이던 최태민을 박근혜와 멀리하게 하고 박근혜는 구국봉사단에서 손을 떼게 하며 적십자사 같은 데나 간여하게 해야 한다는 자신의 건의를 수용하지 않았던 박정

56. 金瑈, pp. 452–453.

57. 조갑제 "집중 인터뷰: 金桂元 前 청와대 비서실장, 18년 만에 다시 입 열다," 『월간조선』 (2006년 2월)

58. 이문영 "유신 의식화 선봉, 대학생 최순실," 『한겨레』, 2016년 11월 19일, http://www.hani.co.kr/arti/politics/bluehouse/771012.html?_fr=mt2

59 백성호 "최태민의 정체 ②: 최태민 "큰 영애께서…" 전화 돌려 재벌 돈 뜯는 게 일," 『중앙일보』, 2016년 11월 4일 8면.

60. 金瑈, p. 456.

희에 대해 실망했고 존경심이 약해지기 시작했다고 10·26 이후 수사과정에서 말했다. 김재규는 10·26 이후 수사관에게 이 사건이 범행동기의 하나라고 주장했다고 한다.[61] 박정희가 자기 딸을 감싸며 우유부단함을 보인 것이 김재규가 일을 감행한 원인 중의 하나라는 것이다.

1988년 12월과 1989년 2·3월에 이루어진 조갑제 기자의 박근혜 인터뷰에 의하면 10·26 이틀 전인 1979년 10월 24일 부마사태의 수습에 바쁘던 때 "측근들을 바꾸어야 한다" "서 우선 정보부장을 갈아야 한다"는 여론을 박정희 대통령에게 전했다고 한다.[62]

최필립 전 정수장학회 이사장은 『신동아』 2013년 8월호에 실린 인터뷰에서 "유신 시절 김재규 중정부장의 전횡을 유일하게 견제할 수 있었던 게 '큰 영애'(박근혜)였고, 그런 '큰 영애'에게 힘을 실어주는 최태민씨를 김재규 부장이 내치고자 허위사실을 날조했다"고 주장했다. 당시 퍼스트레이디였던 박근혜는 김재규가 헛소문을 퍼트렸다고 주장했던 것이다. 따라서 박정희 대통령의 측근이었던 부하 김재규와 박정희 대통령의 혈족인 영애 사이에 갈등이 있었던 것은 사실이었다고 할 수 있다. 다만 이러한 갈등이 암살의 부차적 요인을 제공했다면 몰라도 김재규의 주장대로 주군을 죽이는 원인이 되었다고 보기에는 부족한 점이 있다.

훗날 『경향신문』 편집국장이 된 김경래 기자는 1970년대 중반 신문사에 들어온 제보내용을 기초로 "최태민에 대한 99가지 의혹"이라는 보고서를 박정희 대통령에게 보냈다. 최태민의 딸 최순실의 국정농단이 문제가 되었던

---

61. 조갑제, 『박정희: 한 근대화 혁명가의 비장한 생애』, 12: 1979년 (서울: 조갑제닷컴, 2006), pp. 66-67; 김수길, 『태자마마와 유신공주』 (서울: 간석출판사, 2012).

62. 趙甲濟 "〈趙甲濟의 심층취재〉 차대통령의 청와대 일기 원본," 『월간조선』 (1989년 4월), pp. 312-343, https://www.chogabje.com/board/view.asp?C_IDX=9720&C_CC=AC

2016년 10월 김경래 전 편집국장은 김재규가 박정희를 쏜 것에는 최태민 문제가 '먼 원인遠因'으로 작용했다고 봤다. "[1977년 9월 12일 열린] 최태민 친국을 기점으로 차지철은 김재규를 박정희로부터 차단했다. 김재규뿐만 아니라 장관 등 국무회의 임원들도 박정희를 만나려면 차지철을 경유하지 않으면 안 되었다"고 주장했다.[63]

김경래 기자의 "최태민에 대한 99가지 의혹"은 1977년 백광현 보고서, 1980년 전두환의 합동수사본부 문서, 1988년 국가안전기획부의 "최태민 관련 자료"[64]의 골격이 되거나 상호 영향을 미쳤으며 2007년 한나라당 대통령 후보 경선 시 이명박 캠프의 김해호 목사["박근혜 전 대표는 최태민과 최순실의 꼭두각시"라고 말해 명예훼손 등의 이유로 선거 이후 6개월간 복역함]

63. 정용인, "[전횡 전모 담고 있는 〈최태민 보고서〉 9년 추적기 – 박근혜는 어떻게 최태민 일가에 '포획 되었나」, 『경향신문』,
http://news.khan.co.kr/kh_news/khan_art_view.html?artid=201610301301001&code=undefined&med_id=&rccode=lvRc  정용인, "박근혜는 어떻게 최태민 일가에 40년간 '포획'되었나," 『주간경향』 1200호, 2016년 11월 8일,
http://weekly.khan.co.kr/khnm.html?mode=view&dept=113&art_id=201611011750571

64. 허만섭 박근혜 X파일 & 히든카드: 최태민 수사기록 / 전두환의 도움 / 재산 변동 / DJ 연대설," 『신동아』(2007년 6월)에는 A4용지 16장 분량의 "최태민 관련 자료"를 입수했다면서 1977년의 것이라고 주장하지만 주소가 역삼동 689–26와 689–25[최태민이 1994년 사망할 당시 거주지이며 1985년 4월 최태민의 부인 임선이가 매입했고[이상훈 · 안병욱, "최순실 일가" DJ정부때 이미 세무조사...지금출처 파악한 듯: 朴대통령 정계입문 다음해 1999년 DJ정부 때 부동산관련 조사," 『레이더P: 프리미엄 정치뉴스』 http://m.raythep.com/PoliticsInside/Behind/View/11660 {검색일: 2016년 11월 10일}; 임선이의 주장에 의하면 최태민은 집에 땡전 한 푼 가져오지 않았으므로 자신이 가계를 책임졌다고 한다. 정용인 "박근혜, 임선이(최태민 부인) 상가 상복입고 지켰다" 박근혜 · 최태민 '관계의 미스터리 『경향신문』 http://news.khan.co.kr/kh_news/khan_art_view.html?artid=201612311201001&code=940100&nv=stand&utm_source=naver&utm_medium=newsstand&utm_campaign=top1, 1995년 4월 정윤회 · 최순실이 혼인신고 전 매입[실질적으로는 증여]하여 2002년까지 보유 1977년 역삼동은 청와대 등 서울 중심지와의 교통이 그리 원활하지 않아 중앙 무대에서 활동하는 인사들은 많이 거주하지 않았다; 최태민의 딸들인 최순득 · 최순실 · 최순천은 1980년대 후반 서울 강남구 신사 · 청담역삼 삼성동 대지와 건물을 잇달아 사들였다고 한다. 김선식, "최순실의 '비정상' 재산: '영애' 박근혜 이용한 최태민의 부정 축재 대물림돼 수천억 됐나," 『한겨레21』 제1136호 [2016년 11월 14일], http://h21.hani.co.kr/arti/cover/cover_general/42605.html이며 생년월일이 1912년 5월 5일이고 나이가 76세로 적혀있으므로 1988년의 것으로 추정된다. 정용인, "박근혜는 어떻게 최태민 일가에 40년간 '포획'되었나," 『주간경향』
http://weekly.khan.co.kr/khnm.html?mode=view&dept=113&art_id=201611011750571 다만 주요 내용은 1977년 기준으로 작성된 것으로 여겨진다. 따라서 1977년 자료에다가 거주지 등을 1988년의 시점에서 추가한 것으로 보인다.

가 수집하여 만든 "최태민에 놀아난 박근혜" 파일 작성에 간접적으로 영향을
미쳤다.

그러나 최태민의 존재는 김재규와 차지철이 견원지간이 된 배경이나 단
초가 될 수는 있어도 김재규-차지철 대립의 직접적 원인은 아니다. 차지철
도 비록 박정희 대통령의 지시가 있어서 그랬지만 경호실 산하 정보처로 하
여금 별도조사를 하기도 하는 등[65] 최태민을 감싸고 돈 것은 아니었다. 다만
김재규처럼 적극적으로 최태민을 내치라고 건의하지는 않았고 방관했을 뿐
이다. 김재규 · 차지철 대립의 여러 원인 중 부마항쟁 해결책을 둘러싼 강온
대립이 보다 중요할 것이다. 또한 김재규와 박근혜[ · 최태민] 갈등 보다는 김
재규 · 차지철의 갈등이 더 중요하며 김재규 · 박정희 갈등이 훨씬 중요하다.
김재규 · 박정희 갈등이 제1원인이라면 김재규 · 차지철 갈등은 부차적 원인,
김재규 · 박근혜 갈등은 주변적 배경이라고 할 것이다. 박정희가 부마항쟁을
강경하게 진압하자는 차지철 비서실장 편을 들어(차지철이 박정희의 편애를
등에 업고) 김재규를 소외시킨 것이 가장 큰 원인이 아닐까 한다.

한편 1990년 8월 14일 박정희 대통령의 또 다른 자제 박지만 · 박근령은
박근혜가 최태민에게 속아 최태민의 방패막이가 되었다고 노태우 대통령에
게 탄원서를 보냈다.[66] 박지만 · 박근령은 박근혜가 최태민에게 이용당했다
고 주장했던 것이다.[67]

---

65. 윤석진 "유신붕괴 · 박정희정권의 도덕성 시비부른 박근혜-최태민 20년 커넥션," 『월간중앙』
   (1993년 11월), https://www.whoim.kr/detail.php?number=44670&thread=37r50

66. 이가영 · 권호, "최태민이 큰 누나를 욕먹게 하고 있다: 박지만 분노, 최씨 사위 정윤회에게로,"
   『중앙일보』 2014년 12월 16일 4면.

67. 박상규 · 황방열 . "[단독 입수] 박근령 육영재단 이사장이 1990년 노태우 대통령에게 보낸 '탄원
   서': "최태민씨, 언니 방패막이로 재산 착취, 그의 손아귀에서 언니를 구출해주세요," 『오마이뉴스』,
   http://www.ohmynews.com/NWS_Web/View/at_pg.aspx?CNTN_CD=A0000426709

최태민(1912[68]~1994)은 박근혜의 재산관리인[69]이었다는 의심을 받기도 했다.[70] 2007년 작성된 "조순제와의 대화 녹취록"을 2017년 입수한 오연호 기자는 "조순제는 최태민이 박정희 대통령이 남긴, 그래서 박근혜의 소유가 된 '돈뭉치'를 관리하는 역할을 했기 때문에, 그 덕분에 전까지 가난하게 살았던 최태민씨 식구들이 "엄청난 돈"의 혜택을 누렸기 때문에 두 사람[박근혜·최태민]의 특별한 관계를 '감수'했다"고 평가했다.[71] 최태민 사후에는 그의 부인 임선이가 박근혜의 후견인으로서 어머니 같은 역할을 했다는 증언이 있다.[72] 정윤회(최순실 전 남편)의 아버지 정관모가 한 2016년 10월 19일 증언에 의하면 1998년 정계 입문 과정[73]에서 임선이가 "많은 힘을 썼"으며

68. 그의 묘 에는 1918년생으로 되어 있으므로 가족들은 그렇게 알고 있었다고 할 수 있다. 조종엽·정지영 "최태민 묘지 2000㎡… 대통령 묘역의 7.5배," 『동아일보』, 입력 2016-11-23 03:00:00 수정 2016-11-23 07:24:03, http://news.donga.com/3/all/20161123/81475067/1 (검색일: 2016년 11월 23일). 주민등록상의 생년월일은 1912년 5월 5일이라고 한다. 채윤경, "1912년생 최태민 묘비엔 1918년생: 박정희 대통령보다 한 살 어린 셈," 『중앙일보』, 2016년 11월 23일 2면.

69. 『중앙일보』는 1994년 7월 12일자에서 최태민의 5월 1일 사망 소식이 뒤늦게 알려졌다며, "최씨는 최근까지 근혜씨의 생활비를 대주며 재산관리인 행세를 해온 것으로 알려지고 있다"고 보도했다.

70. 2007년 이명박의 대통령선거 캠프에서 박근혜 후보의 검증을 총괄했던 정두언은 최순실 게이트가 정국을 강타했던 2016년 12월 최태민의 의붓아들 조순제(최태민의 마지막 부인 임선이의 아들)의 증언을 토대로 "박정희 대통령 사후(死後) 최태민 일가로 '뭉칫돈'이 흘러들어 갔다"고 주장했다고 한다. 최재훈·신수지, "특검, 정두언 만나 '최태민' 캐물었다," 『조선일보』, 2016년 12월 21일 A10면; 조용래, 『또 하나의 가족: 최태민, 임선이, 그리고 박근혜』 (서울: 모던아카이브, 2017). 위 책에 의하면 "임선이는 박근혜의 모든 것을 관리했다. 박근혜-최씨 집안 관계의 몸통은 임선이였다고 한다. "당시 박근혜는 자신을 위협하는 세력이 있다고 믿었으며, 자신을 지켜주는 최태민에게 삶의 모든 부분을 의지했다. 마시는 물 한 모금, 약 한 봉지까지도 최태민이 직접 챙겨줬다"고도 했다.

71. 오연호·최경준·안홍기, "박근혜-최태민의 관계는 '물과 고기': [조순제 녹취록 전문 심층분석 ②] 조순제 "단둘이 골방에 들어가 3시간," 『오마이뉴스』 http://www.ohmynews.com/NWS_Web/view/at_pg.aspx?CNTN_CD=A0002276869 김형욱 회고록 김외현, "2012 대선주자 탐구 | 박근혜③ 박근혜와 최태민: 이름 7개, 부인 6명, 승려 목사 '최태민 미스터리,'" 『한겨레』, , http://www.hani.co.kr/arti/politics/politics_general/542931.html;세상을 돌아보다, "박근혜 '최태민 목사 나쁜 사람 아니다'? 전과 44범을 감싸는 박근혜의 진실은?" http://booyaso.blog.me/50145917931

72. 윤가이 "故 최태민 친아들 폭로 "악덕계모 임선이, 최순실 자매에 재산상속"(스포트라이트)," 『뉴스엔』 http://www.newsen.com/news_view.php?uid=201611130926589110

73. 박근혜는 1997년 12월 이루어진 대통령 선거에서 이회창 한나라당 후보 캠프의 도움 요청에 호응해 정치권에 입문했다. 김외현, "[토요 ] 박 대통령과 최태민·최순실 부녀, 1970년대부터 2016년

1999년 임선이(1920-2003[74])의 팔순잔치에 이미 정계에 입문했던 박근혜가 노래를 불렀다고 한다.[75] 또한 전여옥의 주장[전여옥의 친구인 기자 ㄴ씨의 증언]에 의하면 2003년 2월 6일 임선이가 사망했을 때 박근혜가 그녀의 상가에서 상복을 입고 대단히 슬퍼했다고 한다.[76] 이렇듯 최태민 일가가 퍼스트레이디(이후에는 대통령) 박근혜의 명성을 이용해 개인적인 축재를 했다고 할 수 있다.

유신 말기 항간에는 박근혜가 최태민 얘기만 듣고 박정희를 도와 모든 일을 결정하고 있다는 소문이 파다했다. 청와대를 4년째 출입하고 있던 대구 『매일신문』 정치부 김정남金正男 기자는 1979년 10 · 26사건이 발생하기 몇 달 전인 어느 날 청와대 대변인은 김 기자의 "청와대 출입을 막아달라"는 지시를 위로부터 받았다고 전했다. 박근혜 혼인 문제는 박정희 대통령의 재혼 문제와도 밀접히 연관되어 있었다. 박근혜가 결혼을 하게 되면 박 대통령의 재혼 문제는 자연스럽게 거론될 수 있었다. 그런데 퍼스트레이디 역할을 대신하는 박근혜의 존재가 늘 부담이었다. 당시 청와대 출입기자들은 박 대통령의 재혼을 바랐으며, 국가원수가 상배喪配를 당했다면 재혼은 국민에 대한 예의라고 여겼다. 박근혜 결혼이나 박정희 재혼은 서로 밀접하게 연관돼 있었고 나라를 위해 필요한 일로 생각됐다. 김정남 기자는 그 문제에 상당히 앞장선 편이었다. 김기자는 박근혜가 결혼에 대해 생각하지 않도록 심리적으

까지 최순실 조카 장승호씨 최초 언론인터뷰: 박근혜 대통령과 최태민 · 최순실 일가의 40년 관계를 총정리했다. 경찰국장 호통친 최태민, 청 행정관 수족으로 부린 최순실," 『한겨레』, 2016년 10월 29일 A6면, http://www.huffingtonpost.kr/2016/10/29/story_n_12701840.html

74. 김남준 "[채널A단독]경기 야산에 최태민 무덤 첫 확인," 『채널A』, http://news.ichannela.com/politics/ /00/20161123/81476274/1

75. 정용인 "[단독인터뷰] 정윤회씨 아버지 [정관모; 인용자] "아들은 최순실 말을 듣고 박 대통령이 자신을 멀리한다고 본다," 『경향신문』
http://news.khan.co.kr/kh_news/khan_art_view.html?artid=201610221644001

76. 전여옥, 『오만과 무능─굿바이, 朴의 나라』 (서울: 독서광, 2017).

로 최태민이 몰아갔다고 생각했다. 결혼을 하게 되면 퍼스트레이디 역할을 하지 못하고 그래서 박대통령이 재혼하면 최태민의 역할이 끝난다는 분석도 가능했다. 그래서 김 기자는 둘 사이의 관계 단절을 주장했는데, 엉뚱하게 자신의 사표문제로 화살이 되어 돌아왔던 것이다. 나중에 김정남 기자에 대한 사표종용 지시가 당시 차지철車智澈 경호실장으로부터 내려왔다는 사실을 김 기자는 알게 되었다. 한편 최태민은 박근혜에게 여자 대통령의 꿈을 심어 주었다고 한다. 박정희 대통령이 후계자를 정하지 않고 물러가면 통일주체국민회의에서 여자도 대통령이 될 수 있는 가능성이 있었다는 것이다. 육영수 여사가 돌아가신 후 퍼스트레이디 역할도 비교적 성공적으로 경험했으므로 그런 시나리오도 가능했다고 한다.[77]

2007년 주한 미국대사관은 최순실 아버지인 고(故) 최태민에 대해 '한국의 라스푸틴'으로 불린다고 본국에 보고했다. 폭로전문 사이트 위키리크스에 2011년 수록된 2007년 7월 20일자 문서에 따르면 윌리엄 스탠턴 당시 주한 미 부대사는 한국 대선을 앞둔 각당 후보들의 상황과 판세, 대선이슈 등을 본국에 보고하면서 당시 한나라당 경선후보였던 박근혜 대통령에 대해 "박 후보도 자신의 과거에 대해 설명해야 하는 처지에 놓였다"고 전했다. 스탠턴은 "경쟁자들이 '한국의 라스푸틴'라고 부르는 최태민이라는 목사pastor와의 35년전 관계와 그가 육영수 여사 서거 후 박 후보가 퍼스트레이디로 있던 시절 박 후보를 어떻게 지배했는지"에 대한 설명을 요구받고 있다고 적었다. 제정 러시아의 '요승'으로 불리는 그리고리 라스푸틴(1872~1916)은 황태자의 병을 고쳐주겠다며 니콜라이 2세의 황후 알렉산드라를 사로잡아 막강한 권력을

---

77. 윤석진 "유신붕괴·박정희정권의 도덕성 시비부른 박근혜–최태민 20년 커넥션," 『월간중앙』 (1993년 11월); 金璡, 『靑瓦臺비서실: 육성으로 들어본 朴正熙시대의 政治權力秘史』 (서울: 중앙일보사 1992).

누리며 전횡을 일삼다 결국 제정 러시아의 몰락을 이끈 인물이다. 스탠턴은 "최태민이 인격 형성기에 박 후보의 심신body and soul을 완전히 지배했고had complete control, 최태민의 자제들이 그 결과로 엄청난 부를 축적했다는 루머가 널리 퍼져있다"[78]고 전했다. 전직 미국 외교관 그레고리 헨더슨의 저서 『소용돌이의 한국정치』를 인용해 '한국 대선: 여전한 소용돌이 정치'라고 제목 붙인 이 문서는 알렉산더 버시바우 전 미 대사가 기밀로 분류한 후 미 국무부 등에 전송했다.[79] 몸과 마음을 지배했다는 것은 확정된 사실이라기보다는 루머에 가깝지만, 많은 한국 언론과 한국인들은 미국이 그러한 루머를 사실로 여겼기 때문에 외교 전문에 삽입했다고 생각한다. 한편 외교적 용어가 아닌 이런 표현을 삽입했다는 것도 이해할 수 없는 부분이다. 그렇지만 미국 외교관들은 자국에 보고할 때 이런 속된 표현을 사용하는 경우가 없지 않다. 미 대사가 보고서를 작성한 시점은 2007년 대통령 선거 후보자 경선 당시 한나라당 이명박 후보측이 "조순제와의 대화 녹취록"을 작성한 시점과 일치한다. 따라서 이명박 후보측 관계자가 정보를 누설한 것이 아닌가 한다. 아니면 당시 2007년 6월에 『신동아』에 보도된 박근혜X파일(허만섭 기자 작성)을 본 것일 수도 있다.

---

78. 최순실의 17년 운전기사였던 김 모씨는 2016년 11월 『세계일보』와의 인터뷰에서 "어떻게 보면 (최씨 일가는) 아버지(최태민씨) 때부터 (박근혜 대통령의) 정신과 마음, 영혼까지 다 빼앗은 사람들"이라고 평가했다. 생애 대부분을 청와대와 은둔의 공간에서 지낸 박근혜 대통령의 삶을 최태민·최순실 등 최씨 일가가 철저히 장악하고 있었던 셈이다. 김용출·이천종·조병욱·박영준, [추적보도 최순실 17년 운전기사 육성 증언 ② / 박 대통령 일상 장악한 최순실: [단독] 앞에선 심부름 하며 '충성'… 뒤에선 잇속 챙기며 '조종', 『세계일보』. 물론 이 인터뷰는 버시바우의 외교전문 이후에 행해진 것이며 김 모씨가 이를 알고 인용했는지 아니면 시중에 나도는 소문을 알고 있었는지는 불확실하다.http://www.segye.com/content/html/2016/11/22/20161122003097.html 그런데 "최태민 일가가 박근혜의 몸과 마음을 지배했다"고 한다면 소문과 사실에 모두 부합된다고 할 수 있다. 위와 같이 '최태민 일가'라고 전제한다면 몸을 지배했다는 표현은 후술하는 바와 같이 꼭 남녀관계를 의미한다고 볼 수 없다.
79. 고미혜 "최태민, 한국의 라스푸틴으로 불려" 미대사관 2007년 외교전문 http://www.yonhap-news.co.kr/bulletin/2016/10/28/0200000000AKR20161028057200009.HTML?from=search

최태민과 20년 교류한 전기영 목사는 2016년 10월 31일 『중앙일보』와의 인터뷰에서 박근혜 대통령과 최태민씨의 관계에 대해 "최씨와 활동할 당시 박 대통령과의 관계가 불거졌다. 연인이라는 말, 두 사람이 만나면 하루 종일 밖에 나오지 않는다는 소문이 무성했다. 최씨는 '우리는 영적인 세계의 부부다. 육신의 부부가 아니다'는 말을 했다"고 증언했다.[80]

한편 1979년 10 · 26 직후 전두환 보안사령관은 정승화 계엄사령관에게 부마항쟁이 일어난 원인으로 "정부의 부정부패, 말단 공무원의 고압적인 대민자세, 특히 경찰의 횡포, 박근혜 양의 문제, 김영삼 씨 제명 등"을 들었다. 1985년 정승화는 "지금 생각해도 정확한 보고였다는 생각이 들어요"라고 회고했다.[81] 10 · 26이전 박근혜가 박정희 대통령을 등에 업고 일정한 영향력을 행사했다는 사실을 국민들이 인지하고 있었음을 확인할 수 있는 대목이다.

---

80. 신진호, 최태민과 20년 교류한 전기영 목사 최태민−최순실 부녀 무당이 박 대통령 망쳤다," 『중앙일보』 http://news.joins.com/article/20804316
81. 정승화, 『12 · 12사건 정승화는 말한다』 (서울: 까치, 1985), p. 24.

민주주의사회연구소 연구총서 12

**부마에서 촛불로**

초판 2018년 10월 1일 펴냄

편　　저 ｜ (사)부산민주항쟁기념사업회 민주주의사회연구소
펴낸이 ｜ 박윤희
펴낸곳 ｜ 도서출판 소요-You
디자인 ｜ 윤경디자인 070-7716-9249
등록 ｜ 2013년 11월 12일(제2013-000009호)
주소 ｜ 부산시 중구 대청로137번길 11
전화 ｜ 070-7716-9249
팩스 ｜ 0505-115-5618
전자우편 ｜ pyh5619@naver.com

ⓒ 2018, 민주주의사회연구소
ISBN 979-11-88886-03-6
30,000원

「이 도서의 국립중앙도서관 출판예정도서목록(CIP)은 서지정보유통지원시스템 홈페이지
(http://seoji.nl.go.kr)와 국가자료공동목록시스템(http://www.nl.go.kr/kolisnet)에서
이용하실 수 있습니다.(CIP제어번호: CIP2018031074)」